AI自媒体创作从入门到精通

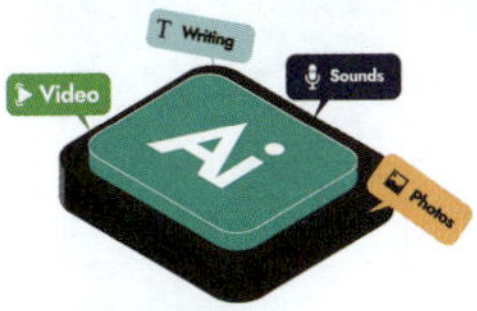

文字、图像、影音

宋夏成
等 编著

化学工业出版社
·北京·

内容简介

《AI 自媒体创作从入门到精通：文字、图像、影音》系统解析了自媒体时代 AI 工具的深度应用与实战技巧，涵盖文字创作、图像设计、影音制作三大核心领域，为内容创作者提供全链路解决方案。全书从自媒体与 AI 的融合现状切入，详细拆解了 ChatGPT、Kimi、豆包等主流 AI 工具在视频脚本、公众号长文、小说创作、电商海报、短视频制作等众多场景中的具体操作方法和步骤，不仅包含 DALL · E 3 文生图、堆友 AI 电商设计、即梦视频创作等前沿工具教程，更通过节气短片等实战案例，直观展现 AI 如何重塑内容生产流程。本书特色在于工具覆盖全面性（涵盖多款国内外 AI 产品）、场景落地针对性（聚焦自媒体高频需求）和操作指导精细化（含步骤详解与参数建议）。

本书既适合自媒体从业者阅读，也可作为新媒体运营、短视频创作者、电商营销人员的实战手册，助力快速掌握 AI 时代的内容创作密码，实现降本增效与创意突破。

图书在版编目（CIP）数据

AI 自媒体创作从入门到精通 ： 文字、图像、影音 / 宋夏成等编著. -- 北京 ： 化学工业出版社， 2025. 9.

ISBN 978-7-122-48518-2

Ⅰ. F713.365.2-39

中国国家版本馆 CIP 数据核字第 20254D2W91 号

责任编辑：雷桐辉　　文字编辑：袁　宁

责任校对：李　爽　　装帧设计：王晓宇

出版发行：化学工业出版社（北京市东城区青年湖南街 13 号　邮政编码 100011）

印　　装：天津裕同印刷有限公司

710mm × 1000mm　1/16　印张 $15^1/_2$　字数 301 千字　　2026 年 2 月北京第 1 版第 1 次印刷

购书咨询：010-64518888　　售后服务：010-64518899

网　　址：http://www.cip.com.cn

凡购买本书，如有缺损质量问题，本社销售中心负责调换。

定　　价：98.00 元

Preface 前言

1. 书籍目标与结构

尊敬的读者，欢迎您阅读本书，这是一本深入探讨人工智能（AI）技术在自媒体创作中的指南。在数字化时代，自媒体已成为信息传播的重要渠道，而AI技术为内容创作带来了革命性的变化。本书旨在帮助您全面了解AI在自媒体领域的进展，并掌握如何有效利用AI工具提高创作效率和提升内容质量。

在本书的第1章中，我们将带您了解自媒体的基本概念、类型以及内容创作流程。您将学习到自媒体如何通过多种媒介形式接触广泛受众，并掌握创作者们如何策划、制作、编辑、发布和优化内容。同时，我们将探讨AI技术如何改变文字、图像和影音创作。本章将详细介绍AI工具如何提高内容生产的效率，并为创作者提供更多的创意。

第2章将深入讨论AI工具在文字创作中的应用，包括如何利用AI工具撰写文章、脚本和小说等。您将了解到AI工具如何帮助自媒体人快速生成内容，以及在使用这些工具时需要注意的事项。

第3章将展示AI图像生成工具如何帮助自媒体人提高创作效率，降低制作成本。本章将介绍主流的 AI 图像工具，并探讨它们在实际工作中的应用。

第 4 章将聚焦于 AI 技术在视频内容创作中的应用，包括视频剪辑、特效添加和配音等工作。您将了解到如何利用 AI 工具创作出精美、富有吸引力的视频内容。

通过阅读本书，您将全面了解关于 AI 在自媒体创作中的应用，掌握如何有效利用 AI 工具，同时保持对内容质量和原创性的坚持。期待您在自媒体领域的创作之旅中，能够善用 AI 技术，激发创意、提高效率，并取得成功。

2. 感谢其他参编人员

本书其他参编人员简介：

梁文楷：交互设计师，AIGC 深度玩家。专注于视频特效剪辑及品牌与海报设计。

史铄敏：电子商务教师。拥有丰富的电子商务行业经验，精通短视频营销与流量投放策略。

李楠：设计师，工程师。专注于人工智能领域的人机交互设计。

特别鸣谢以上各位参编人员的辛勤写作和对本书内容的贡献，同时也感谢出版社的出色工作。

限于笔者水平，书中难免有疏漏之处，敬请读者指正。

编著者

AIChat

Command Prompt :

Chat AI

Contents 目录

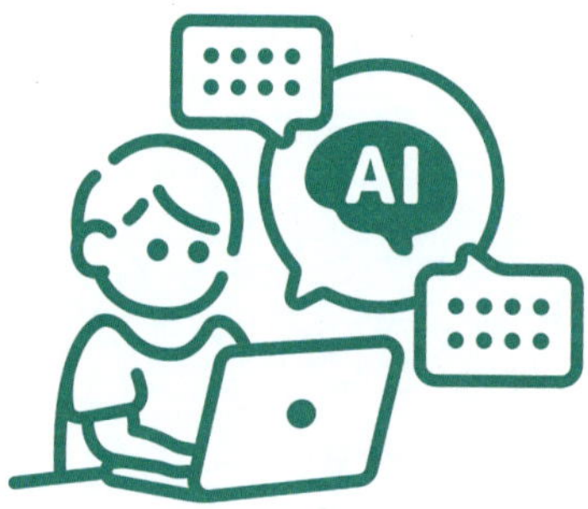
AI

第1章

自媒体与AI

Command Prompt :

Chat AI

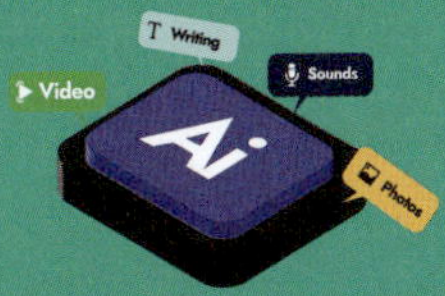

1.1 了解自媒体

在当今数字化的世界，自媒体已经成为众多人展示自我、分享观点和传播信息的重要渠道。自媒体赋予了个人前所未有的自由，创作者可以通过各种平台，以多种媒介形式接触到广泛的受众。这一章将帮助我们了解自媒体的主要类型，并梳理创作者们的常见内容创作流程。

（1）自媒体有哪些类型?

自媒体的形式丰富多样，涵盖了从文字到图像、视频、音频的多种媒介，每种类型都有其独特的传播方式和受众群体。文字类自媒体如微信公众号、博客和知乎专栏，以深度文章、情感故事和经验分享为主，适合需要较长篇幅表达的内容；图像类自媒体，如小红书，通常通过视觉化图片和插画展示内容，常用于时尚、美食、旅行等领域；视频类自媒体如抖音、B 站等则通过动态影像吸引观众，适合情景演绎、生活记录、科普讲解等内容；音频类自媒体如播客、喜马拉雅等则通过声音传达信息，适用于访谈、故事和新闻的传播。自媒体类型的多样化使得创作者们可以根据内容特性和受众偏好选择最合适的表达方式。

（2）自媒体的常见创作流程

自媒体的内容创作流程通常包括几个关键步骤：首先是选题与策划，即确定内容的主题、目标受众和表现形式，这是确保内容具有吸引力的关键。其次是内容制作，包括撰写文案、拍摄图片或视频、配乐或配音等，根据创作内容的不同形式决定制作流程。随后进入编辑与优化阶段，针对平台特性对内容进行调整，例如添加字幕、优化封面、剪辑视频等，以适应观众的阅读和观看习惯。内容完成后，发布与推广是确保内容能够被更多人看到的重要环节，可以通过优化标题、关键词和封面设计来提升内容的曝光度。最后，通过数据分析与反馈来总结内容表现，并对内容策略进行调整，这样可以逐步优化自媒体内容的表现方式，使其更具吸引力。

在后面的章节中，将深入探索 AI 技术在这些内容创作环节中的应用，分析如何利用 AI 工具提升创作效率，帮助自媒体人更好地在激烈的市场竞争中脱颖而出。

1.2 AI 如何助力自媒体人?

随着人工智能（AI）技术的迅速发展，自媒体创作者迎来了全新的创作方式和工具。AI 不仅提升了内容生产的效率，还为创作者提供了更多的创意可能性。本节将探讨 AI 在文字、图像和影音创作中的应用，帮助自媒体人更好地利用这些技术。

1.2.1 AI 与文字的融合：视频脚本、微信公众号文章、小说故事

AI 技术在文字创作中已经展现出强大潜力，尤其在帮助自媒体人快速生成内容方面。DeepSeek、ChatGPT、Kimi、元宝和豆包是备受创作者欢迎的 AI 写作工具。这些工具可以根据简单的关键词或主题生成初步内容，适合用于视频脚本、微信公众号文章，甚至是小说故事的创作。例如，ChatGPT 和 Kimi，不仅能为创作者提供一篇完整的文章草稿，还可以根据用户输入的主题，生成结构合理的脚本或情节梗概，帮助视频创作者迅速构思内容框架。豆包和元宝则擅长撰写不同风格的文案，适用于多种应用场景。从吸引人的短视频脚本到起伏跌宕的小说情节，这些 AI 工具大大节省了自媒体人构思和写作的时间，让创作更为高效。

1.2.2 AI 与图像的结合：小红书笔记、电商海报设计

在图像创作方面，AI 工具也展现出独特优势，尤其在视觉表达和品牌设计中发挥了重要作用。例如，堆友和稿定设计是两款广泛应用于图像创作的 AI 工具。堆友专注于电商和自媒体内容的图片生成，可以自动生成适合电商的高质量海报，根据产品特性自动调整风格，使自媒体人能够快速完成视觉设计。稿定设计则是一个针对新媒体排版的工具，提供丰富的图片生成和排版模板，用户可以借助 AI 智能调整字体、布局和配色，快速生成高吸引力的图文内容。这些工具不仅降低了图片设计的技术门槛，还为自媒体人提供了创意支持，帮助他们在小红书和电商平台上创作出更具吸引力的内容。

1.2.3 AI 与影音的创新：短视频创作

AI 技术在短视频创作中也展现出强大的能力，帮助自媒体人高效完成视频剪辑、特效添加和配音等工作。即梦、可灵和剪映是目前广泛使用的 AI 视频创作工具，分别为不同的短视频制作环节提供助力。例如，即梦具备多种视频生成功能，支持图片生成视频、文案生成视频，以及通过角色图像生成口型同步的视频，非常适合短视频创作者快速创作各类内容。可灵则以细腻逼真的图像生成和视频效果著称，支持自动生成高分辨率视频和自定义运镜，让画面更具质感。剪映作为一款综合视频编辑工具，不仅支持多种视频剪辑功能，还通过 AI 实现了智能字幕、特效和配乐的快速添

加，使得视频制作更加高效。这些 AI 工具的结合，为自媒体人在短视频创作的不同环节提供了高效便捷的支持，使他们能够在短时间内创作出精美、富有吸引力的视频内容。

通过深入了解 AI 在文字、图像和影音创作中的应用，自媒体人可以更好地利用这些工具，提升内容质量和创作效率，在激烈的市场竞争中获得优势。

第2章

AI与文字的融合

Command Prompt :

Chat AI

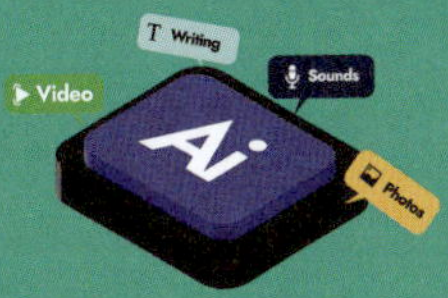

2.1 自媒体人如何利用 AI 工具写好文章内容

人工智能工具近年来在自媒体内容创作中的应用日益广泛，并带来了深远的影响。诸如 DeepSeek、ChatGPT、豆包、通义、Kimi 等 AI 工具，通过出色的自然语言处理能力，极大地改变了自媒体人创作内容的方式和效率。这些工具可以基于少量的输入提示生成丰富多样的文本内容，无论是初稿撰写、文章润色，还是内容扩展，都能为创作者提供全方位的支持。随着 AI 工具的不断进化，创作者只需提出简单的需求，便可迅速获得高质量的文字内容，如图 2-1 所示。AI 的加入不仅提升了内容生产的效率，还激发了更多灵感，使创作者能够将更多精力投入创意和策划中，不必为基础写作而困扰。

AI 工具的使用不仅简化了写作流程，还有效地提升了内容的深度和质量。在传统的内容创作中，构思、撰写和编辑是费时费力的过程，需要耗费大量的精力和专注力。而 AI 工具的出现使得这些工作变得更加简便且具备可操作性。通过输入少量的提示，AI 可以自动生成结构化、逻辑清晰的文章，内容的表达也更加流畅。这对于需要大量产出内容的自媒体人来说尤为重要，例如撰写每日推文、专业文章或视频脚本，AI 工具的帮助能够显著减轻自媒体人的日常工作负担。同时，这些 AI 工具还具备调整内容风格和语气的能力，能根据不同的受众需求对内容进行优化，使之更具针对性，增强受众的阅读体验。

除了文字生成，AI 工具还提供了一些增强创作体验的功能，比如关键词提取、情感分析、文章摘要、内容结构建议等，使得自媒体人在创作和推广过程中更加得心应手。像 Kimi 这样的 AI 工具，不仅能够生成内容，还能通过深度搜索与汇总来提供权威的参考信息和丰富的数据支持，帮助自媒体人快速掌握热点话题或撰写有深度的专业文章。此外，豆包等工具还能够根据创作者的需求生成视觉辅助内容，如图像和图标，进一步丰富文章的表达形式。通过这些功能的辅助，创作者不仅能够大幅提升内容创作的效率，还能在风格和形式上保持多样化，从而有效地吸引并留住读者。

图 2-1　AI 文字创作

AI 工具的多样化和灵活性使其在内容创作之外也具有广泛的应用价值。例如，通义的实时记录功能就非常适合用于创意记录和灵感捕捉。自媒体人在会议、访谈或者日常活动中，只需要打开通义的实时记录功能，便可以即时生成完整的文字材料，省去烦琐的记录步骤。此外，这些工具在 PPT 制作、音频生成、翻译等方面也具备不俗的能力，可以为内容创作者的多样化需求提供有效支持，提升工作的整体效率。Kimi 和豆包则专注于帮助创作者寻找创作灵感，提供类似于短视频脚本、社交平台小文案等的短篇创作，这种集文字、图片、音频于一体的支持使得多媒体内容的生产变得更为简单且高效。

尽管 AI 工具为内容创作带来了巨大的便利和帮助，但创作者们在使用时仍需保持谨慎态度。AI 生成的内容虽然在速度和形式上具备优势，但在逻辑、事实准确性和情感表达等方面，依然需要人工的介入来确保质量。内容创作不仅仅是文字的堆积，更需要情感的注入和信息的准确，这些是 AI 工具难以完全替代的。创作者应当在利用 AI 工具生成初稿的基础上，结合自身的创意和专业判断，进行多次修改和完善，以确保内容符合预期的质量和深度要求。通过将 AI 的高效生产与人类创作者的审慎打磨相结合，才能真正实现自媒体文字工作的高效与高质，保持对内容深度和真实性的控制，创作出有温度、有价值的作品。

2.2 流行 AI 工具教程

2.2.1 ChatGPT

在最开始，先学习一个知名度比较高的 AI 工具—— ChatGPT。要想使用它，我们需要登录它的母公司 OpenAI 的网站，如图 2-2 所示。

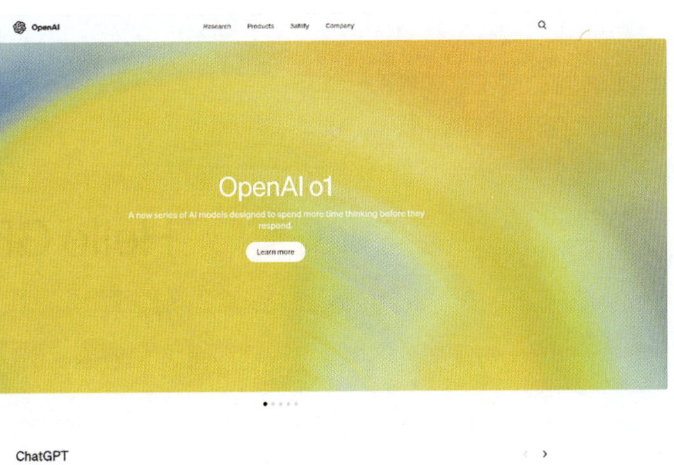

图 2-2　OpenAI 官网

在网页的上方，将鼠标放在顶部的菜单栏中的 Research 上，此时会弹出 OpenAI 公司最新研发的 AI 工具，比如 OpenAI o1、GPT-4o、DALL · E 3、Sora 等，如图 2-3 所示。

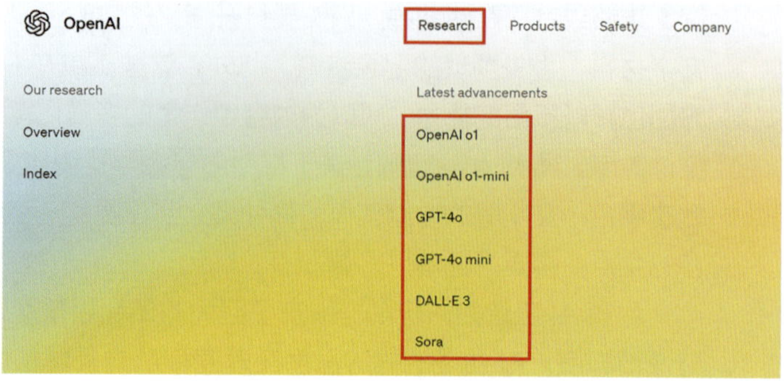

图 2-3　OpenAI 最新研发的 AI 工具

在这里选中 GPT-4o，这是一个面向大众的综合 AI 工具，非常适合自媒体从业人员使用，如图 2-4 所示。

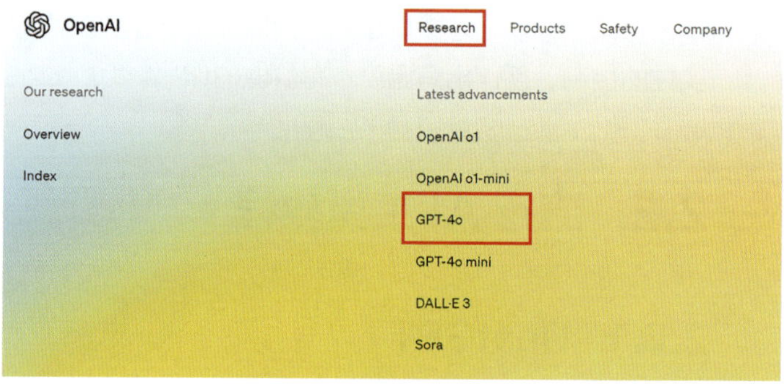

图 2-4　选择使用 GPT-4o

网页会跳转到 GPT-4o 的介绍页，在这里可以看到 GPT 的主要功能介绍，以及使用方式，如图 2-5 所示。可以点击“Try on ChatGPT”按钮，使用最新的 GPT。

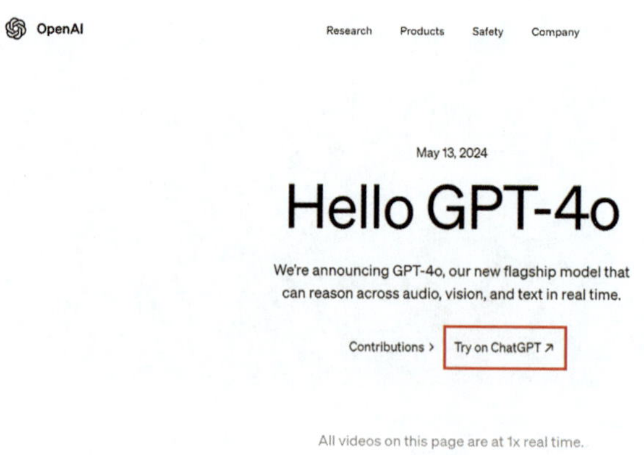

图 2-5　使用 ChatGPT

点击后，会跳转到一个工作台页面，这个页面也将是我们经常会面对的页面。在这里，可以与 AI 进行对话。只需要在中间的对话框中，输入个性化需求即可，如图 2-6 所示。比如让 GPT 帮我们创作图片、写总结、写代码或者写文章等。

图 2-6　GPT 工作台

在工作台页面的顶部，点击“ChatGPT 4o”按钮，就可以切换不同类型的模型。每一种模型都有不同的优势。比如 GPT-4o with canvas 这个模型，就比较适合写长文或是写计算机代码，如图 2-7 所示。而 o1 模型，就适合处理逻辑思维较强的任务，比如解答数学题、物理题等。虽然选择较多，但是大多数情况下使用的是默认设置，也就是 GPT-4o。

图 2-7　各式各样的 AI 模型

在整个工作台中，最为常用的区域就是这个对话框。可以在这里输入需求，用各类语言都可以。在搜索栏的下方，也会有一些需求预设，点击下方的小按钮，就可以快速输入需求模板。可以通过这些小按钮，实现 GPT 使用无障碍入门，如图 2-8 所示。

图 2-8　GPT 对话框

点击“创建图片”的图标，如图 2-9 所示。

图 2-9　创建图片

此时对话框中会出现“创作一张图片”的提示词，下方还会有其他相关的提示词，以方便新手快速学习 GPT，如图 2-10 所示。

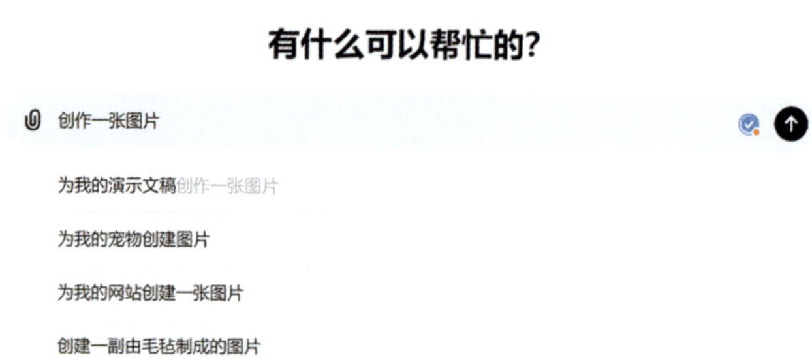

图 2-10　GPT 新手引导

在对话框中，也可以完全手动输入自己想要的内容。输入完成后，按下键盘的回车键，或者点击右侧的“向上箭头”即可发送消息给 GPT。由于我们的需求不够清晰，所以此时，GPT 并没有立刻生成一张图片，而是进一步询问我们的需求，如图 2-11 所示。

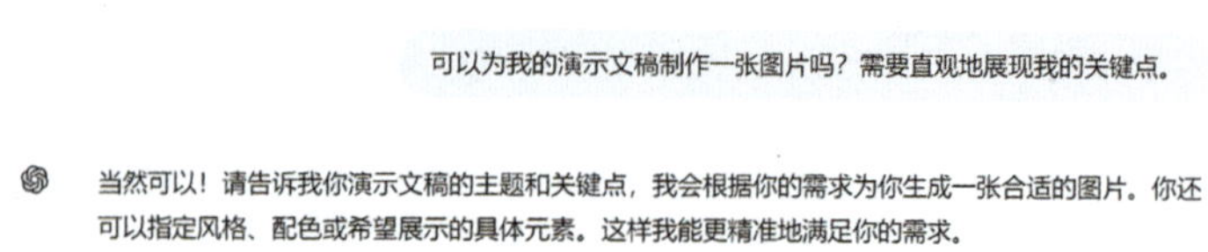

图 2-11　输入提示词

接下来，在对话框中输入如图 2-12 所示的提示词，明确具体的需求。等待一段时间以后，会生成一张精美的图片。

生成好图片以后，可以点击进入图片，找到下载图标进行下载。也可以点击“编辑”图标，对图片的细节进一步调整，如图 2-13 所示。

在这之后，界面会切换至图片编辑模式，右边就变成了对话框，左边则是图片区域。此时鼠标指针会变成画笔，可以在图片上进行“涂抹”，以此来标记需要修改的区域。这时，选择画面中心的咖啡，手动涂抹后，这个对象就会标记为浅蓝色，如图 2-14 所示。

图 2-12　生成图片

图 2-13　编辑图片

图 2-14　在图片上标记需要修改的区域

图 2-15　局部绘制提示词

图 2-16　更新后的图片

此时右侧的对话框中，会让我们写一段提示词，可以对这个小区域重新绘制图像，如图 2-15 所示。输入完成后，按下回车键发送消息。

完成后，GPT 会修改好图片，发送给我们，如图 2-16 所示。

在图片编辑页面中，右上方还有一个可能会被忽略的功能，点击这个图标，可以看到一串很长的提示词。可以将这段提示词重复输入到对话框中，GPT 将会生成类似的图片。如图 2-17 所示。

在这个界面中，只需要点击“复制”按钮，保存到本地，日后可以多次生成类似风格的图片，如图 2-18 所示。

在工作台界面的左下方，可以看到历史对话框，在这里可以找到最近产生的所有对话。我们的每一次对话都会被完整地保留下来。点击任意对话框，可以切换对话，也可以继续之前的对话，如图 2-19 所示。

图 2-17　提示词按钮

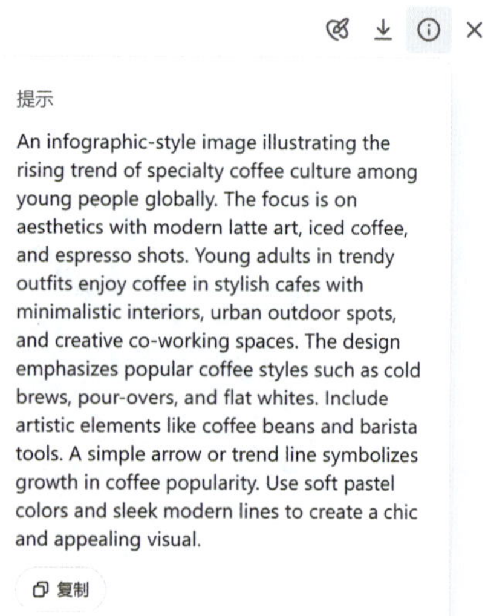

图 2-18　提示词

图 2-19　历史对话

在工作台的左上方，可以切换到具备专属特定功能的GPT，这些类型的 GPT 和默认的通用型不一样。在特定的工作场合中，这些 GPT 可能会更加满足我们的需求，如图 2-20 所示。

图 2-20　探索 GPT

在这个页面中，我们可以搜索自己需要的具有特殊功能的GPT。这部分功能可能稍微专业一些，但是也不难操作。只要挑选到适合我们的 GPT，就能事半功倍，如图 2-21 所示。

图 2-21　挑选合适的 GPT

如果不清楚 GPT 这个功能的使用方式，可以看一下“热门趋势”这个列表，如图 2-22 所示。它给我们提供了丰富的选择，在这里有针对图像、写作、Logo、设计、学术、视频、代码、翻译等不同类型的功能。我们在这里以“Logo Creator”为例。

点击以后，会弹出一个界面，这是一个基本介绍，会显示这个模型使用到的功能、开发者信息、使用量等。值得注意的是，这个模型并不像之前介绍的 DALL · E 3、o1 等那样由官方制作，而是基于官方的模型做出的定制版。我们可以点击下方的“开始聊天”按钮，如图 2-23 所示。

图 2-22　探索 GPT 热门趋势

图 2-23　模型介绍

此时，就可以开始对话。有一点需要明确，GPT 大多数情况下是使用英文的，如果产生了英文对话也不需要担心，如图 2-24 所示。两种方法可以解决：一种是使用浏览器的翻译功能；另外一种方式更为简单，就是跟 GPT 提出需求，让它生成中文内容，之后，对话就会以中文形式展开。

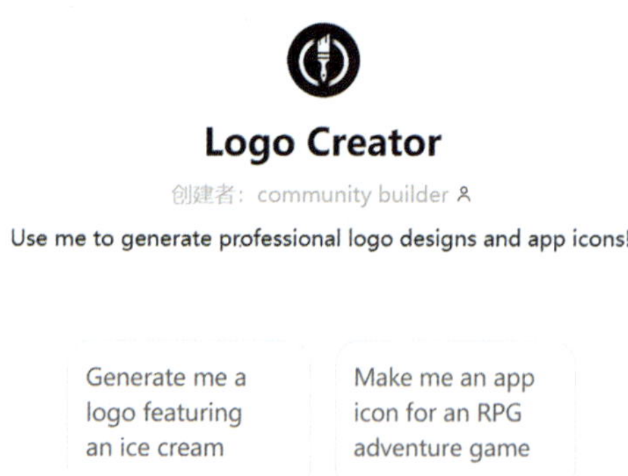

图 2-24　对话页面

我们使用预设好的内容，点击后发送给 GPT，之后，它会给我们一个清单，让我们进一步明确自己的需求，如图 2-25 所示。根据它的提示完成需求即可。下方生成的内容是英文的，但已使用翻译工具，显示了中英双语结果，方便理解。如果需要更换语言，可以直接跟 GPT 说明，这也是 AI 强大的地方。

Generate me a logo featuring an ice cream
为我生成一个带有冰淇淋的徽标

1. **How complex should the logo be on a scale of 1 to 10?** Default = 3
   徽标的复杂程度应为 1 到 10? 默认 = 3
   1 = extremely clean and simple, 10 = extremely detailed and complex
   1 = 极其干净和简单，10 = 极其详细和复杂
2. **What color palette do you want for the logo?** Suggestions:
   您想要徽标的调色板是什么? 建议:
   A. Pastel tones (soft pink, mint, cream, lavender)
   A. 柔和的色调（柔和的粉色、薄荷色、奶油色、薰衣草色）
   B. Bright and playful (neon blue, yellow, hot pink)B. 明亮俏皮（霓虹蓝、黄色、艳粉色）
   C. Cool and elegant (navy, light grey, soft beige)

Let me know your choices!让我知道你的选择!

图 2-25　需求清单

根据需求清单，我们可以选择 3B，并发送给 GPT。此时等待一段时间，即可生成一个 logo 设计图，如图 2-26 所示。想要达到比较满意的效果，需要多次调整提示词，并且产生多次对话。

3 B

What do you think? Are you satisfied with the logo?你怎么认为? 您对徽标满意吗?

Let me know if there's anything you want to change.如果您想更改任何内容，请告诉我。

图 2-26　生成 logo 图

接下来，再尝试另外一个功能的 GPT——image generator，以进一步了解不同功能的 GPT 的优势和特点，如图 2-27 所示。

每个不同的 GPT 都会有新手提示词，以便快速上手，如图 2-28 所示。在第一次使用的时候，推荐直接使用这个功能。

在这里，可以直接输入中文提示词，提示词越详细，生成的图片画面可能越具体，如图 2-29 所示。我们可能需要反复与 AI 对话，最终能得到满足需求的图片。

以上内容都是基于 GPT-4o 这个基础模型的功能，下面切换一个基础模型，o1 是一个擅长深度分析和推理的模型，如图 2-30 所示。相比 GPT-4o，o1 的深度分析和推理能力大幅增强，但是推演需要比较久的时间。所以，o1 擅长的任务和 GPT-4o 是不同的。

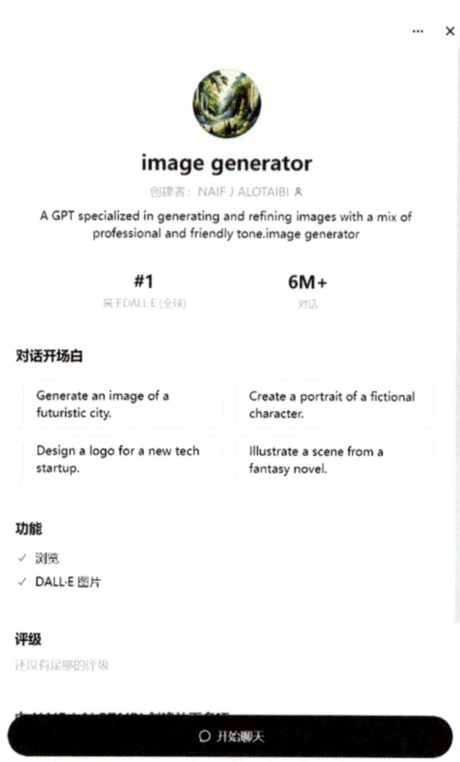

图 2-27　image generator 启动页

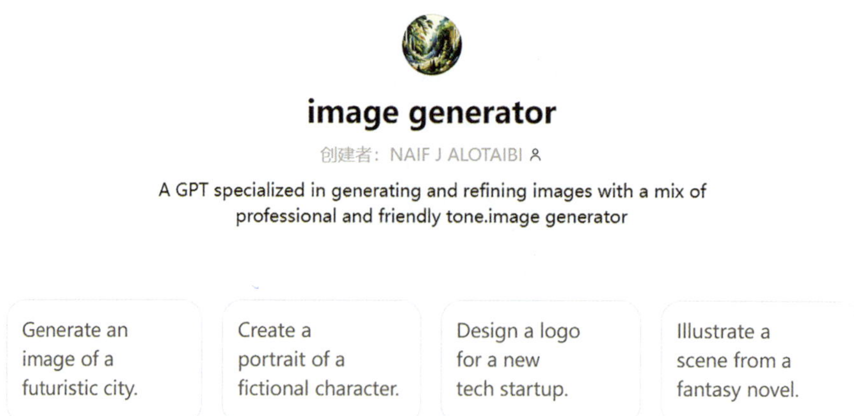

图 2-28　新手引导

图 2-29　GPT 生成图片

图 2-30　切换到 o1

比如，我们可以让 o1 出一道比较有难度的物理题，而 GPT-4o 就不一定能有这个能力，如图 2-31 所示就是 o1 生成的题目。

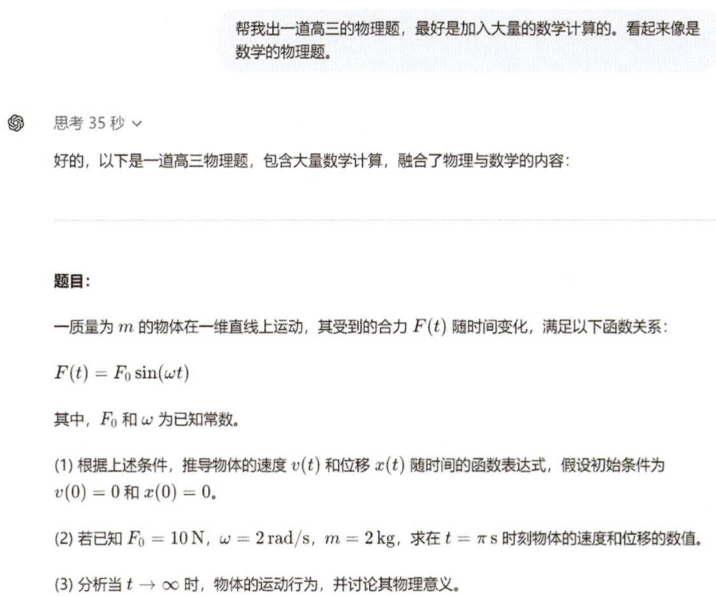

图 2-31　o1 生成物理题

不仅如此，它还能解答出来，并且进行详细讲解。由于内容比较冗长，这里只展示了最后的一部分，如图 2-32 所示。这里重点展示 o1 的能力。

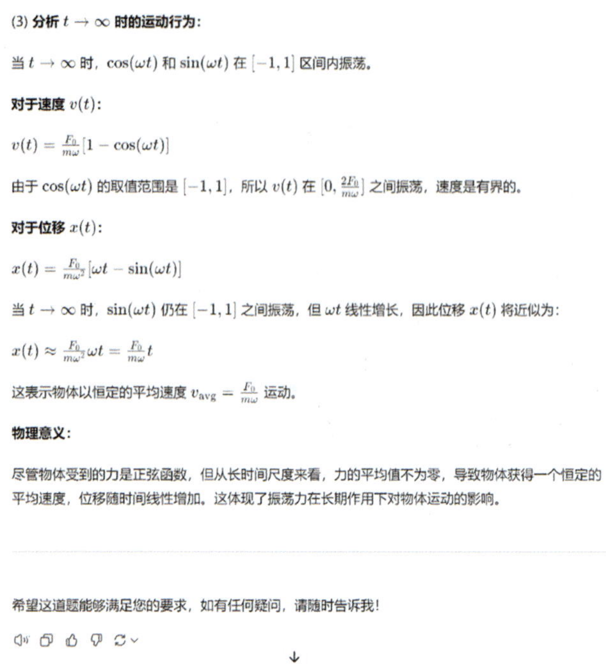

图 2-32　生成复杂物理题的解答过程

除了专门处理复杂任务的 o1，GPT 还推出了处理长文的 GPT-4o with canvas，这是一个擅长处理长文和长代码的基础模型，如图 2-33 所示。这里简单演示一下处理代码相关的任务。

图 2-33　GPT-4o with canvas

输入提示词以后，会针对长文本切换到比较方便阅读的页面布局。左侧是对话框，右侧是长文本的内容。我们可以让 AI 不断帮我们优化右侧长文本的内容，现在右侧是代码，但是也可以是长文章，如图 2-34 所示。

图 2-34　ChatGPT 4o with canvas 长文本模式

2.2.2　Kimi

Kimi 也是一个非常智能的助手。不同于 GPT，Kimi 的产品设计更加本土化，如图 2-35 所示。除了大大的对话框以外，还可以在 Kimi 的首页看到时下国内的新闻热点。在左侧，有一个快捷菜单栏，后面会详细介绍。

图 2-35　Kimi 官网

对话式 AI 工具都会有这样一个对话框，我们可以在这里与 AI 进行沟通，输入我们的需求，发送消息以后，即可得到 AI 的反馈，如图 2-36 所示。

图 2-36　Kimi 对话框

在对话框的下方，会有新手引导的区域，在这里，我们可以通过点击话题，快速进入对话，如图 2-37 所示。

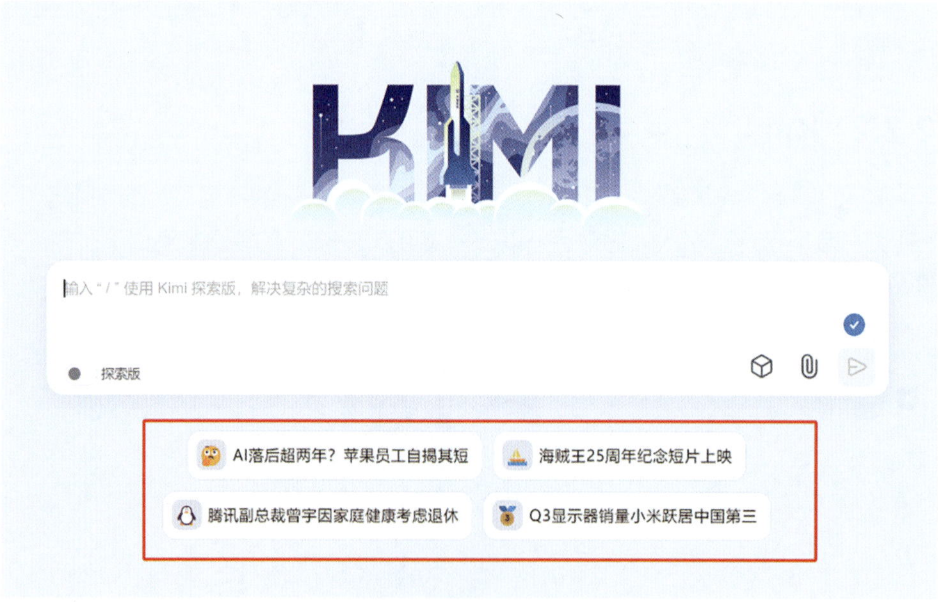

图 2-37　Kimi 推荐的当下热门话题

此时，就会产生一个对话，Kimi 会在互联网中搜索相关话题，并且总结在下方。可以看到，此时 Kimi 很快就阅读了 30 个相关网页，如图 2-38 所示。

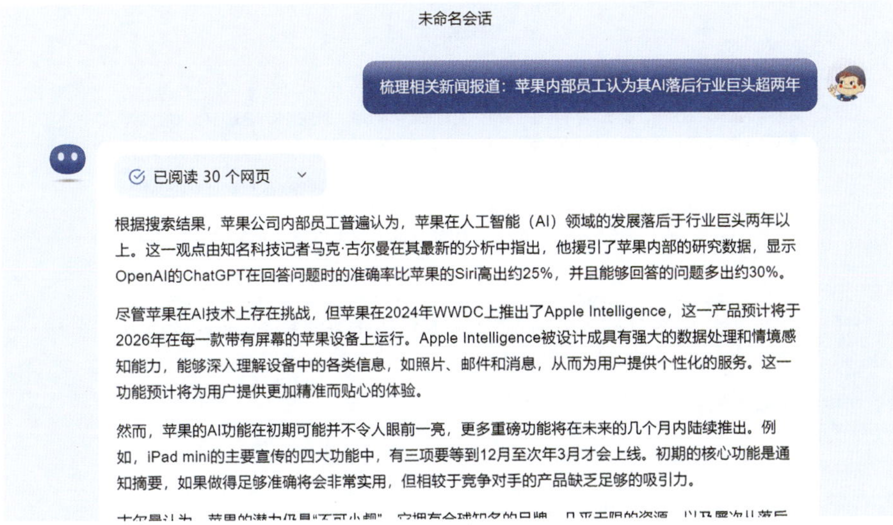

图 2-38　从网页中总结内容

点击“已阅读 30 个网页”这个下拉按钮，能查阅到所有网页的具体信息，并且还能点击进入各个网页，追本溯源。在工作中，能够非常高效地帮我们找到相关的有用信息，如图 2-39 所示。

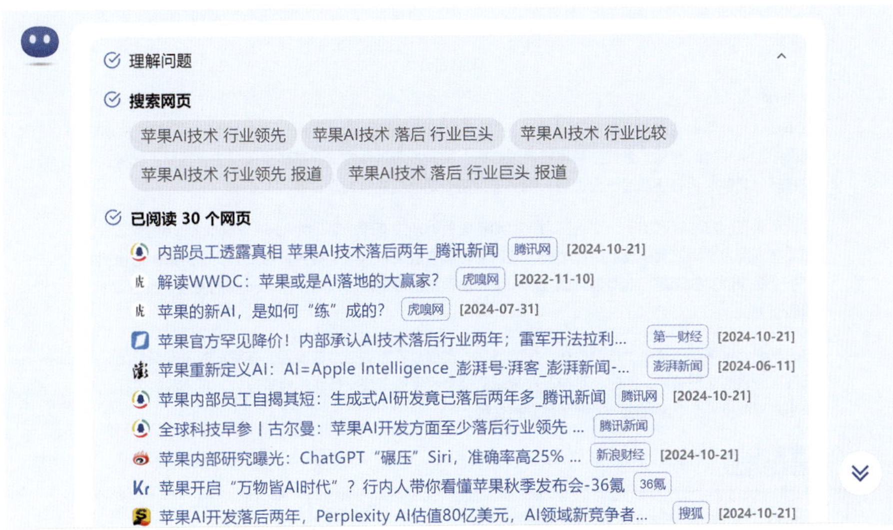

图 2-39　网页链接

除了快速概括的基础功能之外，Kimi 还支持深度搜索模式。这个功能可以生成更有深度的回答，如图 2-40 所示。如果我们对该话题的回答还想要进一步深入了解，可以点击“探索一下”按钮，就可以让 Kimi 深度回答这个话题。

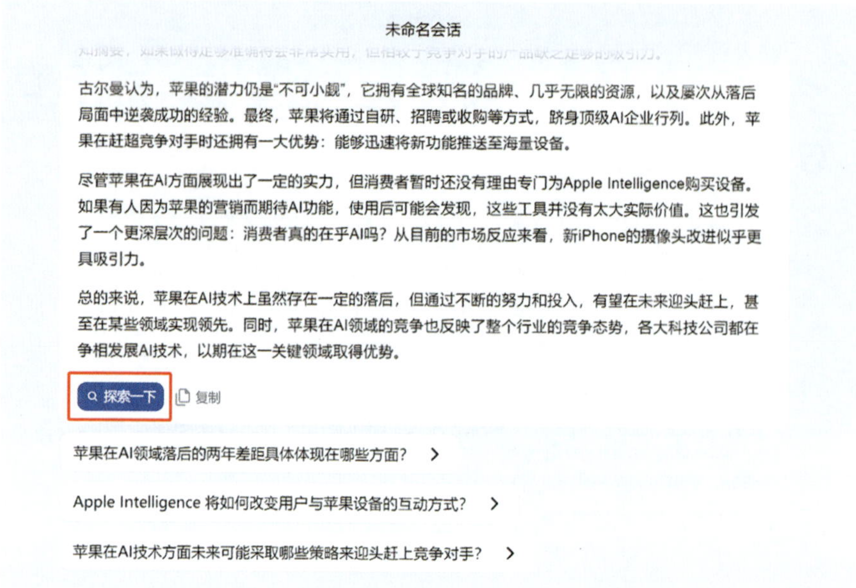

图 2-40　探索版

另外，在回答的下方还会有相关搜索，可以让我们了解更多相关话题，如图 2-41 所示。

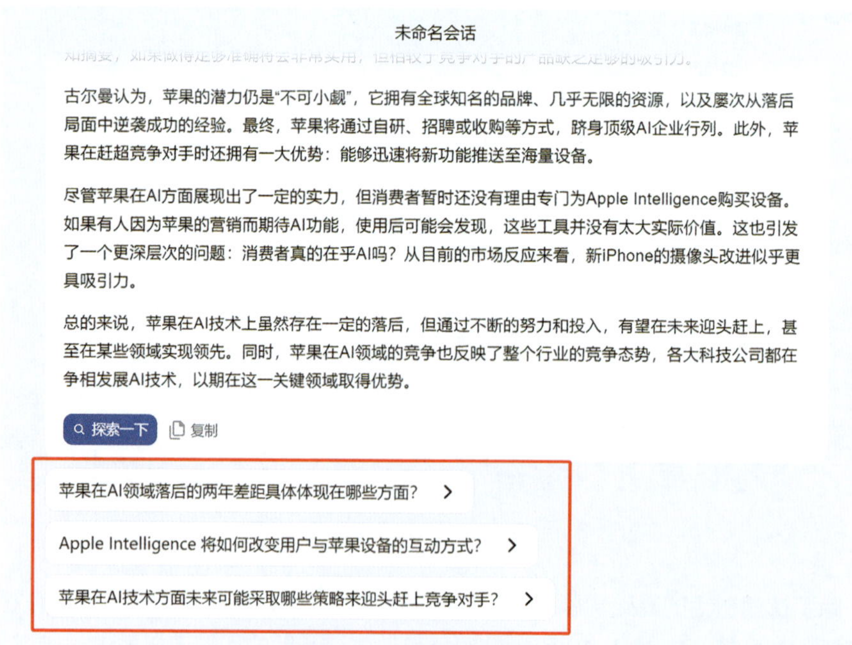

图 2-41　相关话题

我们使用深度模式，让 Kimi 更有深度地回答同样一个问题。可以看到这次 Kimi 的网页阅读数量是 276 个，远远多于之前的 30 个网页，如图 2-42 所示。

图 2-42　深度回答模式

在右侧，还会展现重要网页的重点内容与标题，方便我们查找源头，如图 2-43 所示。

图 2-43　右侧资料来源详情

生成完成以后，下方依然会有相似推荐，我们可以点击这些话题，如图 2-44 所示。这样又可以生成新的回答。

图 2-44　相关话题

点击之后，会接着之前的话题，继续回答新的问题，如图 2-45 所示。

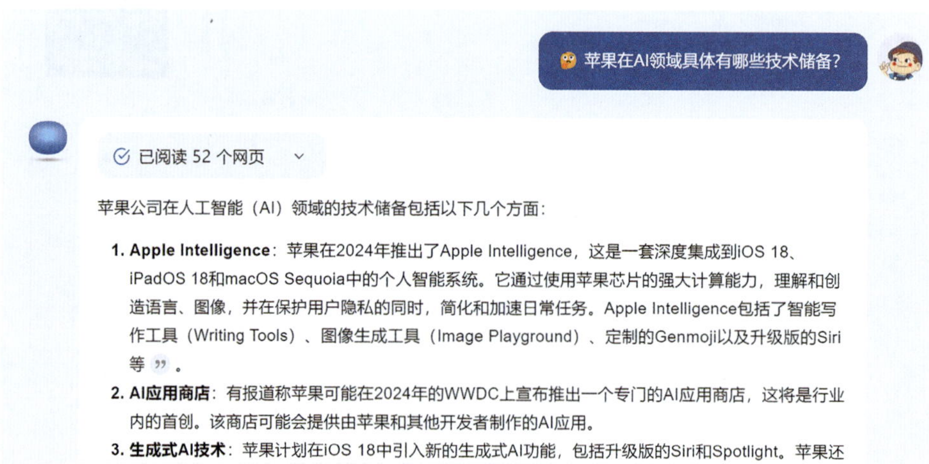

图 2-45　回答相关问题

左侧有一个侧边栏，在这里可以快速切换到Kimi不同的功能布局页，如图2-46所示。

我们可以通过侧边栏找到历史会话，并沿着过去的某一个话题，继续与Kimi进行对话，如图2-47所示。

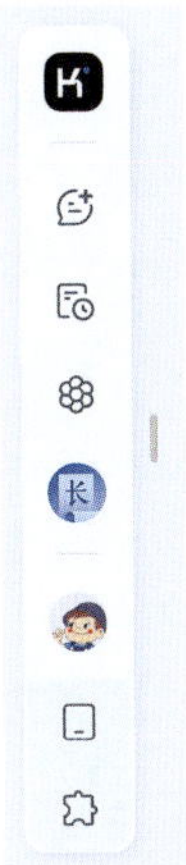

图2-46　侧边栏

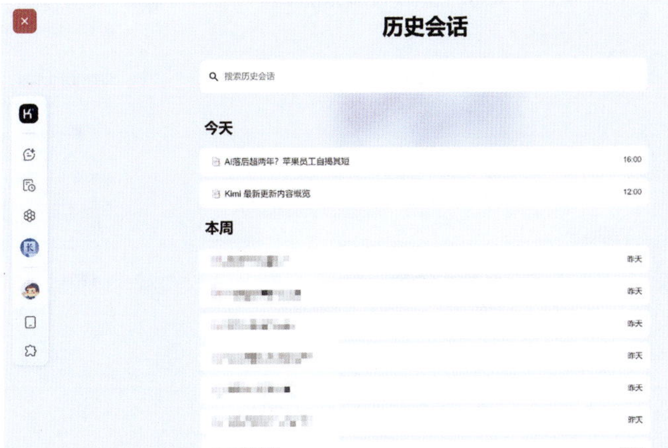

图2-47　历史会话

Kimi+类似之前介绍过的探索GPT的功能，在这里可以找到有针对性的Kimi，比如网页转播客、长文生成器、爆款网文生成器、PPT助手等，如图2-48所示。虽然基础版的Kimi也能完成部分任务，但是Kimi+中的功能要更加强大，针对性也更强。

图2-48　Kimi+

在这个页面中，还有官方推荐，可以在这里挑选符合自己需求的工具，如图2-49所示。

图2-49　官方推荐列表

选择"耳朵不打烊（网页转播客）"的功能，点击以后，页面布局会有所不同，右侧会有一个该功能的介绍，如图2-50所示。使用方法很简单，只需要复制相应的网页发送到这个对话框中，Kimi就会帮我们生成一个播客音频，播报这个网页的内容。

图2-50　工作页面

我们复制一个新闻的链接发送给 Kimi，需要耐心等待一段制作时间，如图 2-51 所示。

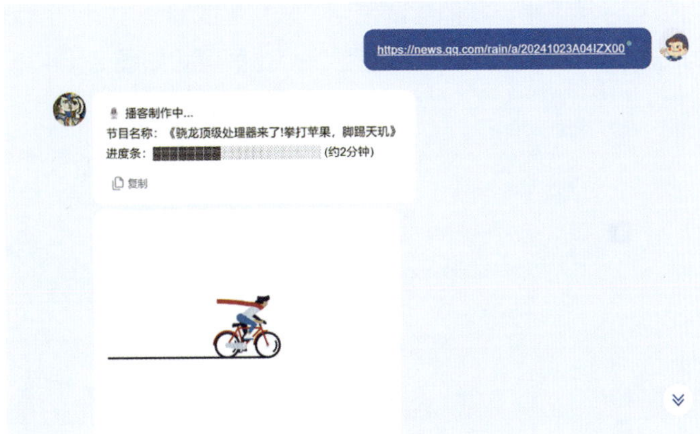

图 2-51　发送网页到对话框中

完成后，Kimi 会给我们发送一个网页链接，点击以后，就会跳转到一个页面，如图 2-52 所示。Kimi 还给我们生成了一个播客的封面，只需下载即可。

图 2-52　生成音频与封面

这里会有一个播放器，我们可以在这里点击播放，也可以下载音频，如图 2-53 所示。

图 2-53　下载音频

接下来，我们尝试使用“长文生成器”。Kimi 给我们生成了几个推荐话题，选中“中国新能源汽车行业研究”，点击即可，如图 2-54 所示。

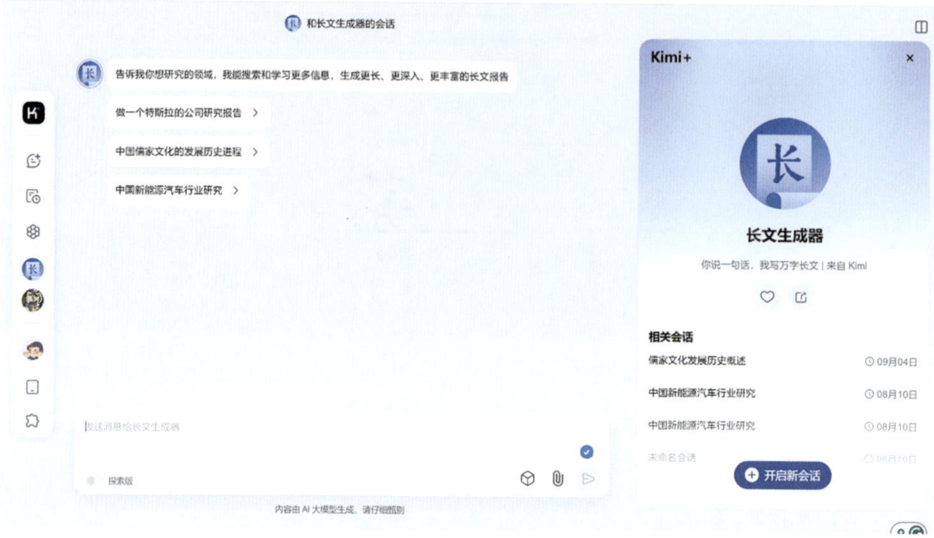

图 2-54　长文生成器

相比基础的 Kimi，长文生成器的 Kimi 生成的内容会更长，但是阅读的网页并不会变多，不像探索模式那样，如图 2-55 所示。

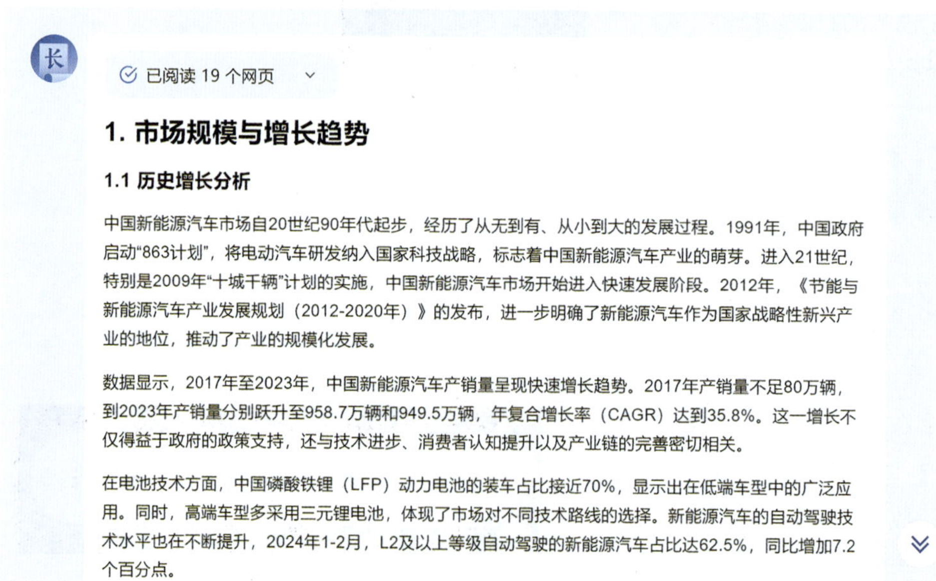

图 2-55　生成内容

“爆款网文生成器”可以快速生成网络小说，并且可以根据我们的需求快速调整。同样地，Kimi 也给我们提供了一些案例，只需点击，就可以让它帮我们生成网文了，如图 2-56 所示。

图 2-56　爆款网文生成器

由于学习过大量的网文，所以它可以很快地生成相似风格的内容，如图 2-57 所示。

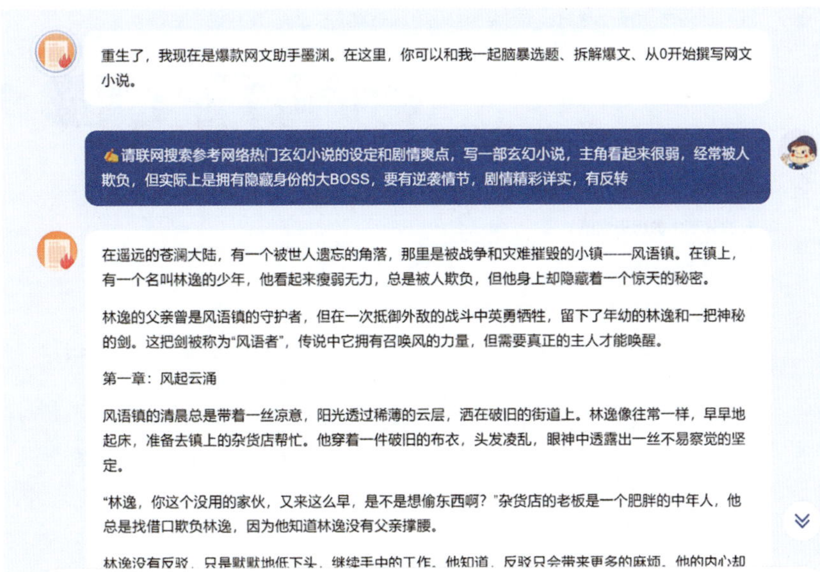

图 2-57　生成网文

在日常办公中，总结 PPT 大纲也是一件比较费力的事情，Kimi 可以快速给我们生成 PPT 大纲，我们可以借此来创建一个幻灯片，如图 2-58 所示。

图 2-58　PPT 助手

使用预设案例，可以看到 PPT 助手的用法，如图 2-59 所示。

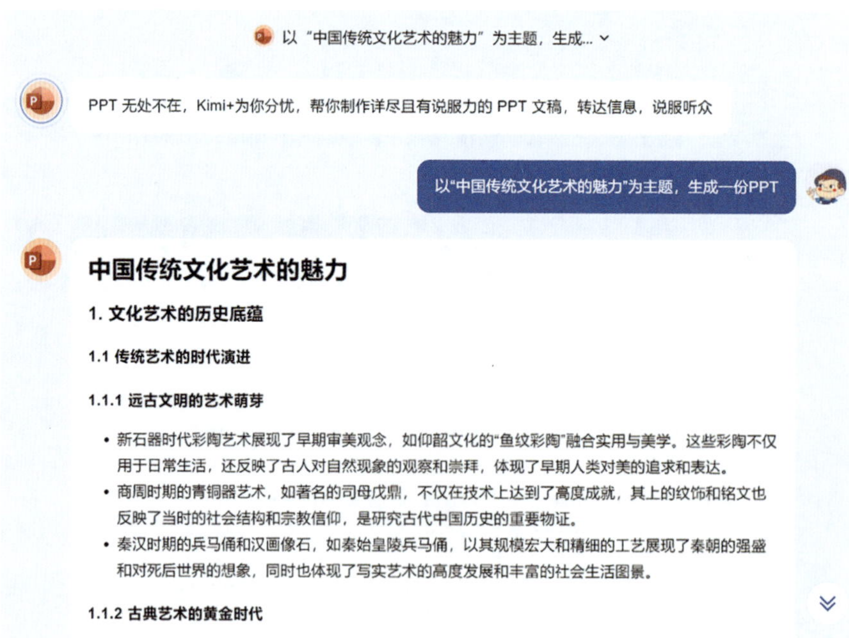

图 2-59　PPT 助手用法

以上就是对 Kimi+ 的简要介绍，若想要在电脑上更快地使用 Kimi，可以下载 Kimi 的桌面端，也可以安装 Kimi 的浏览器插件版本，如图 2-60 所示。桌面端可以确保更稳定的连接，浏览器插件版本可以快速查阅资料。

图 2-60　Kimi 桌面端、浏览器插件

下面来看看 Kimi 浏览器插件版本的内容，只需要点击“添加浏览器插件”按钮，就可以快速完成添加，如图 2-61 所示。这里的浏览器推荐使用微软 Edge 和谷歌 Chrome。安装完成以后，就可以看到插件版本的设置页面。

安装好插件版本后，每次在浏览器中划词的时候，就会弹出 Kimi 的一个快捷按钮，如图 2-62 所示。

点击这个按钮，就可以让 Kimi 帮我们解释选中部分的意思，如图 2-63 所示。

图 2-61　Kimi 插件版设置页

图 2-62　Kimi 插件快捷按钮

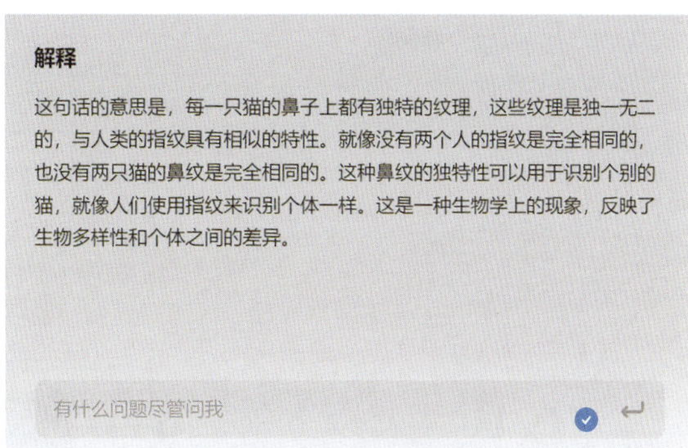

图 2-63　Kimi 解释

安装桌面端也比较简单，可以在官网下载 Kimi 的安装包，如图 2-64 所示。双击安装包，根据提示安装即可，如图 2-65 所示。

图 2-64　Kimi 桌面端安装包

图 2-65　安装 Kimi 桌面端

安装好以后，就会有一个新手引导页，教我们如何更好地使用 Kimi 助手，如图 2-66 所示。

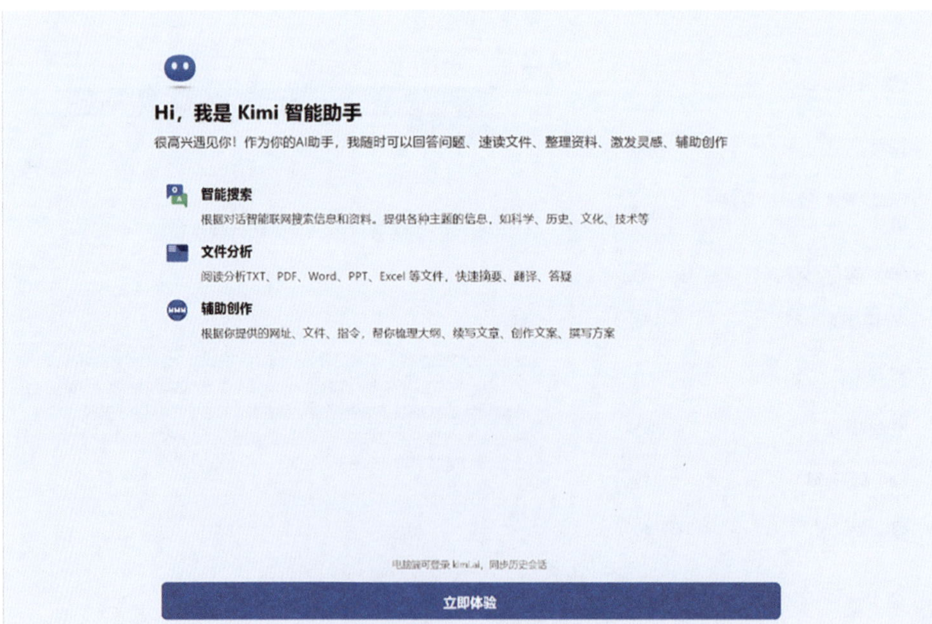

图 2-66　Kimi 新手引导页

进入主页面，会发现内容和网页端几乎一样。不过桌面端相比网页端性能更加稳定，如图 2-67 所示。

图 2-67　Kimi 桌面端

桌面端也能登录个人账号，登录以后，就能查看到历史会话，如图 2-68 所示。

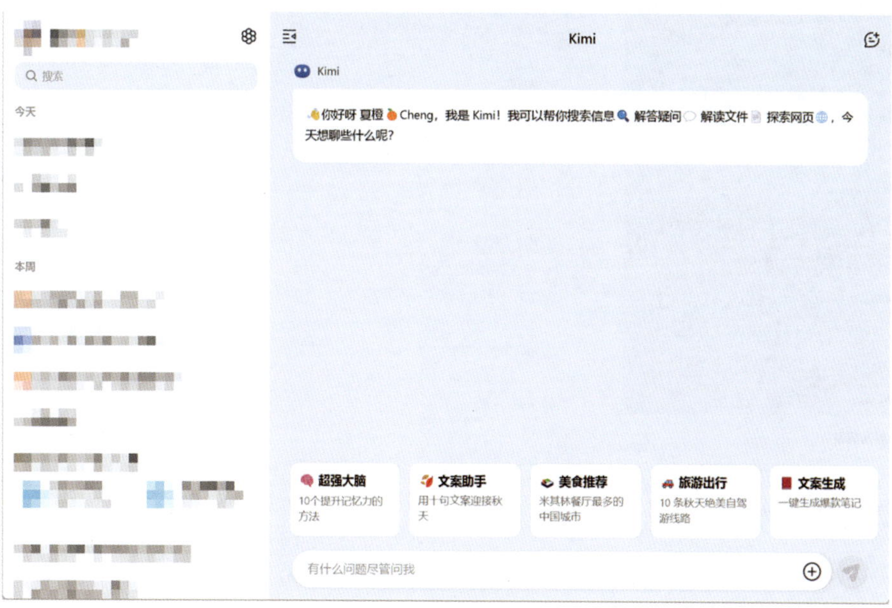

图 2-68　登录个人账号

除了桌面端以外，Kimi还有手机APP，如图2-69所示。它的用法与网页端会稍有一些小不同，总体来说是类似的。在手机中，可以借助语音的交互方式与Kimi进行互动。

还可以让Kimi帮我们识别照片中的文字信息，如图2-70所示。

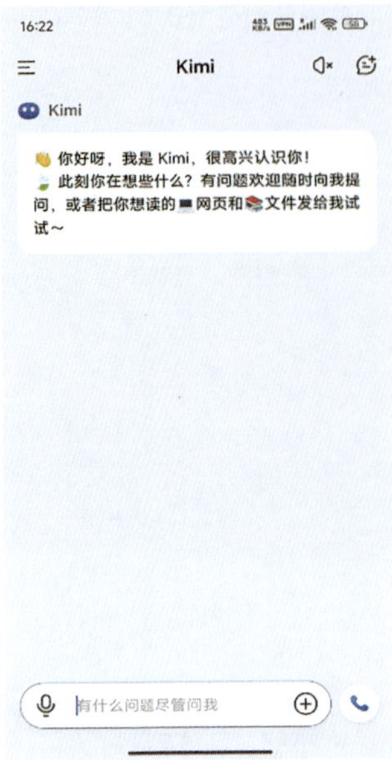

图 2-69　Kimi 手机版

图 2-70　识字功能

图 2-71　英语陪练与模拟面试

图 2-72　Kimi 语音交互的音色选择

点击“话筒”按钮，可以切换到语音会话模式。这个模式类似语音通话，在这里，可以让Kimi化身面试官与我们对练英文口语，也可以让它作为职场面试官来面试我们，如图2-71所示。

还可以切换Kimi的语音音色，如图2-72所示。官方提供了一些选项，我们还可以克隆自己的声音，只需要很短的时间，就能做一个数字版的自己。

2.2.3 豆包

豆包是字节跳动公司旗下的 AI 大语言模型，如图 2-73 所示。由于大语言模型有着比较多的相似部分，为了避免冗长的描述，后面将介绍它们的特色功能。

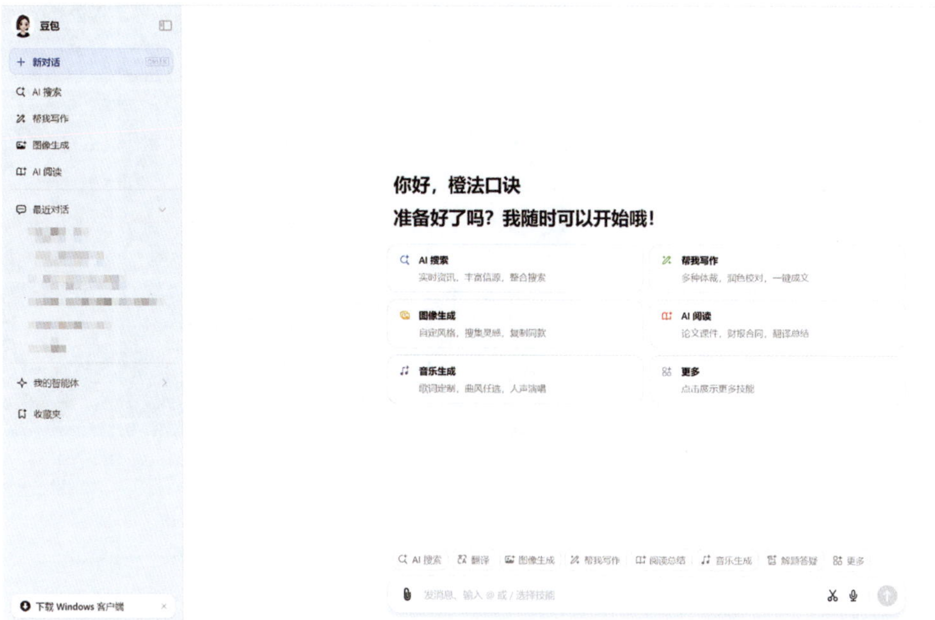

图 2-73　豆包官网

在主页面，我们可以看到豆包的主要特色功能：AI 搜索、帮我写作、图像生成、AI 阅读、音乐生成，如图 2-74 所示。AI 图像和影音的部分我们会放在后面的章节之中，此处只做简略介绍，本节重点介绍 AI 文字相关的内容。

图 2-74　豆包的主要功能

与前面的 AI 工具不同，豆包还能生成音乐。这个音乐是完整的、带有人声的歌曲。在工作中，我们可以用它来作为我们的背景音乐，也避免了版权纠纷，如图 2-75 所示。在这里，我们可以试听所有的音乐内容。在对话框中，豆包也帮我们填写好了大部分的提示词，我们只需要完成小部分的内容，点击发送就可以让豆包帮我们创作音乐歌曲。

图 2-75　豆包创作音乐

更为简单的步骤就是直接做同款。将鼠标箭头放在音乐封面上，就会出现“做同款”的按钮，如图 2-76 所示。

图 2-76　做同款音乐

点击以后，在对话框中，就会出现完整的提示词，我们还可以在提示词中更进一步地修改个性化需求，如图 2-77 所示。输入完成后，就可以点击右侧的发送按钮。

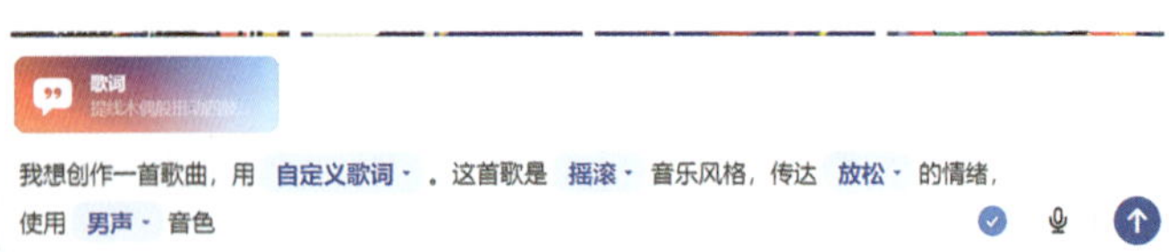

图 2-77　完善提示词

等待一段时间，就可以完成这首歌曲。豆包提供了歌曲下载功能，如图 2-78 所示。

图 2-78　完成歌曲

接下来介绍"AI 阅读"这个功能。在豆包的工作台主界面中，选择右侧"AI 阅读"，豆包提供了几个参考案例，如图 2-79 所示。我们也可以自己上传 PDF 或者别的文本格式的文件到豆包中，就可以让它来总结概括文章。点击其中一个参考案例。

图 2-79　参考案例

进入 AI 阅读模式以后，可以看到左侧是我们上传的 PDF 文件原文内容，右侧则是对话窗口，如图 2-80 所示。可以在这里查看到这个 PDF 文件的主要内容。

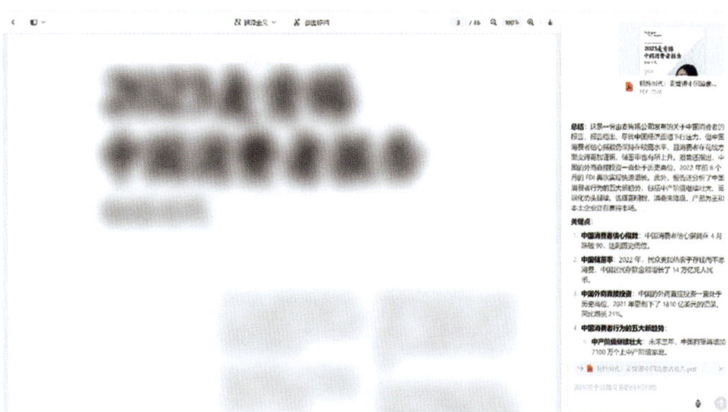

图 2-80　AI 阅读模式

AI 搜索也是一个非常实用的功能，我们可以搜索时下的热门信息、新闻，AI 会帮我们一键总结概括，如图 2-81 所示。

图 2-81　AI 搜索（1）

选择下方提供的预设。点击以后，就可以进入对话模式，在这里豆包会帮我们找到很多相关网页，并且总结概括，如图 2-82 所示。

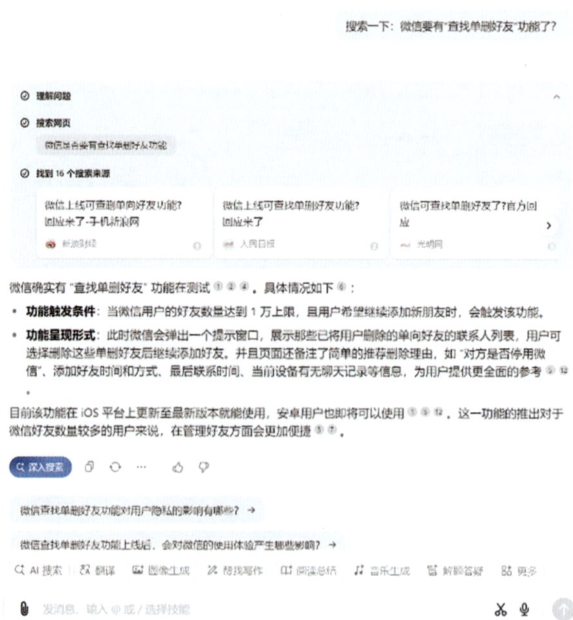

图 2-82　AI 搜索（2）

豆包还提供了客户端版本，相比起网页版本，客户端会更稳定，如图 2-83 所示。

图 2-83　豆包客户端

进入客户端主页面后发现其和网页端基本保持一致，如图 2-84 所示，降低了学习成本。

图 2-84　客户端

接下来介绍豆包的手机版本。进入手机 APP 以后，可以看到其和网页端有比较大的区别，如图 2-85 所示。可以在置顶的对话框中与豆包进行对话，也可以点击左上角的加号，添加新的对话。

这个会话功能和网页端就比较相近了，如图 2-86 所示。

图 2-85　豆包 APP 主界面

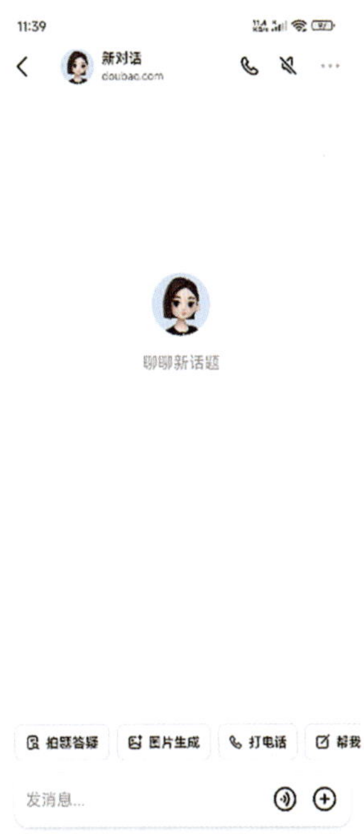

图 2-86　豆包 APP 对话框

由于是在手机上运行，所以可以很方便地进入“语音对话模式”。这个模式非常像我们与好友语音通话，如图 2-87 所示。

图 2-87　给豆包 AI 打电话

进入语音模式后，就可以和豆包对话了，如图 2-88 所示。只需要对着手机说出需求，豆包就可以向我们解答，也可以与豆包聊天。

我们可以让豆包进行英语陪练、模拟面试，也可以让它成为心情树洞等，如图 2-89 所示。

图 2-88　豆包 APP 语音交互界面

图 2-89　豆包 APP 功能

在底部菜单栏中，找到“发现”栏目，可以选择各式各样的具备不同功能的 AI 机器人，如图 2-90 所示。不同的 AI 功能针对不同领域。

图 2-90　豆包 APP 发现页面

除了使用别人制作好的智能体以外，我们还可以自己制作一个满足个人需求的 AI 智能体，如图 2-91 所示，做一个专属的豆包 AI。

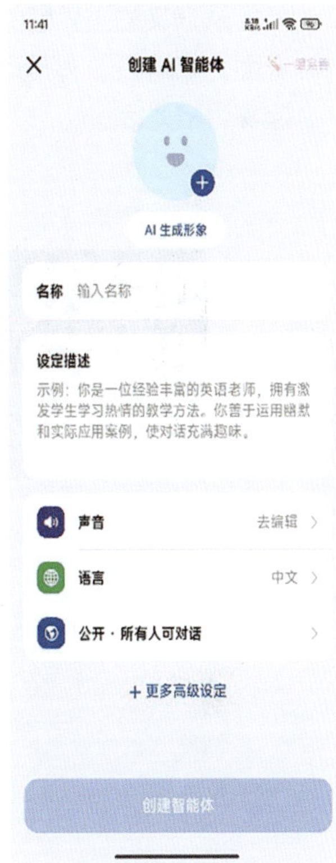

图 2-91　专属 AI 智能体

2.2.4　通义

通义是一款功能非常全面的 AI 工具，如图 2-92 所示是它的主界面。

图 2-92　通义主界面

从通义的主界面的右上方，可以找到“通通知道”按钮，点击就可以进入这个界面，如图 2-93 所示。在这里可以看到时下的热门资讯与信息，并且可以与通义一起探讨相关话题。

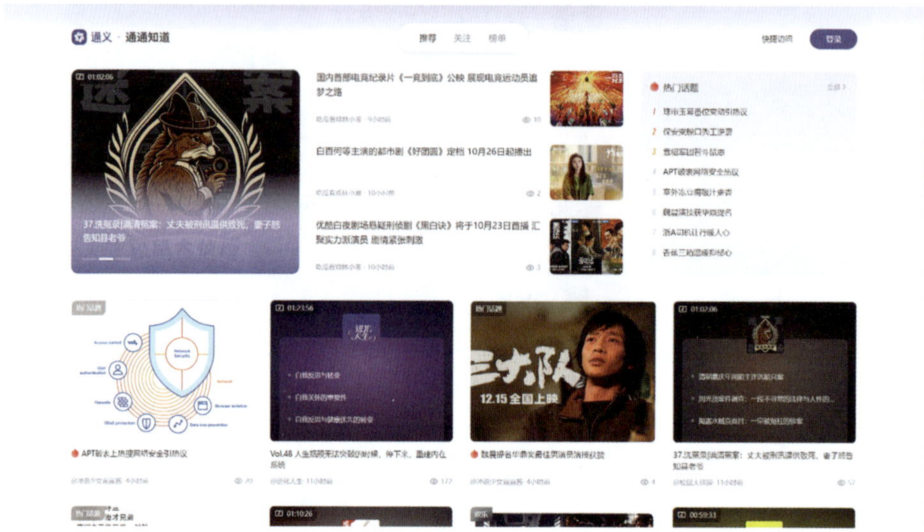

图 2-93　通通知道

在通义主界面的左侧，我们可以看到一列快捷菜单栏，点击“效率”按钮，可以发现三大工作学习助手：实时记录、阅读助手、PPT 创作，如图 2-94 所示。其中实时记录和 PPT 创作是通义的特色功能。

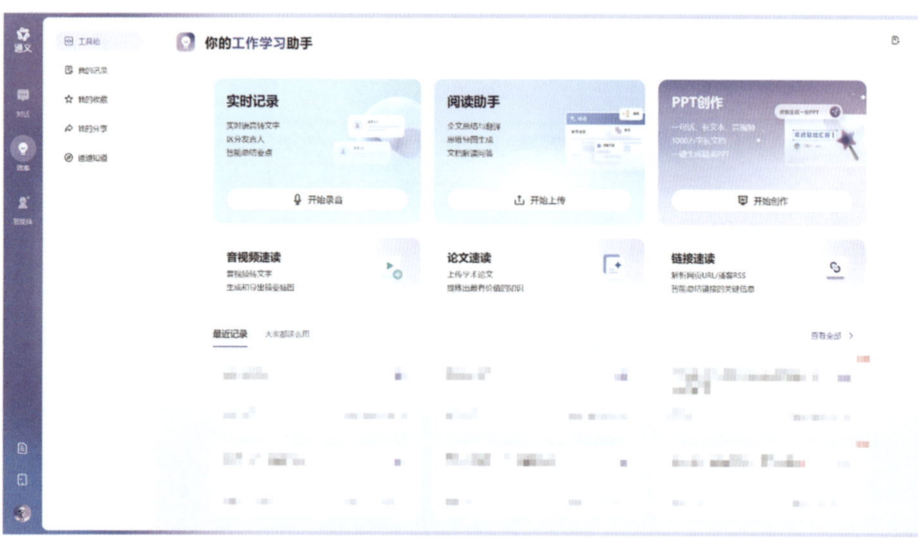

图 2-94　通义工作学习助手

首先来看看通义 PPT 创作功能。在这里，可以在完全没有素材的情况下，一键制作 PPT，如图 2-95 所示。可以在对话框中输入 PPT 的主题或主要内容，AI 会先帮我们生成 PPT 的文字版大纲，等到我们修改确认以后，就会帮我们生成 PPT 的画面内容。

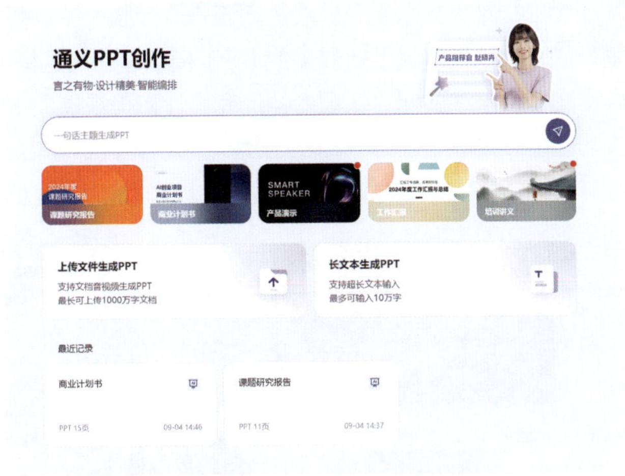

图 2-95　通义 PPT 创作

在对话框的下方，通义给我们提供了若干预设，如果是第一次使用，建议通过使用预设来学习通义 PPT 创作的用法，如图 2-96 所示。点击第一个预设，对话框中会生成提示词模板，可以对这个模板进行二次修改，以满足个性化需求，也可以不修改直接发送给通义 AI。

图 2-96　使用预设

发送消息之后，通义就会给我们生成一版文字大纲，如图 2-97 所示。此时，可以修改文字大纲中的任意细节。添加或者删减都是没问题的，直到满足我们自身的需求。

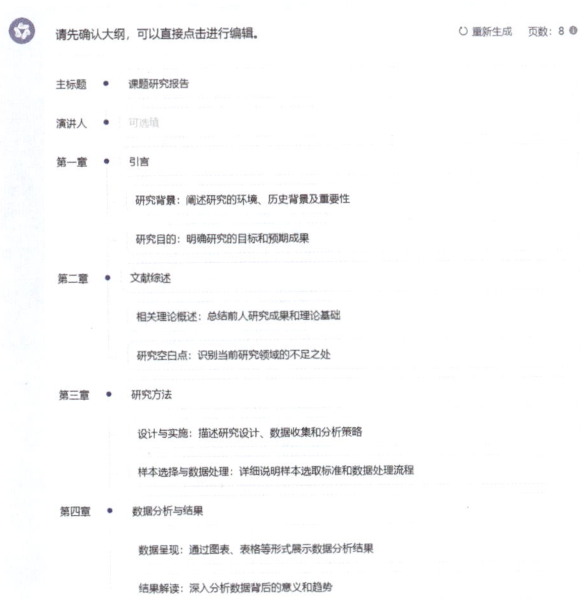

图 2-97　通义 AI 生成的 PPT 文字大纲

完成文字大纲以后，就会进入下一个步骤——选择模板，如图 2-98 所示。在这里，通义给我们提供了比较多的 PPT 模板，在挑选模板的过程中，AI 会帮助我们将内容和模板自动匹配，保证内容的完整性和美观性。

图 2-98　挑选 PPT 模板

挑选完成模板后，就可以看到整个 PPT 的内容，如图 2-99 所示。这个步骤可能需要花费一点时间，以便让 AI 生成 PPT 的细节内容。生成后，可以在线预览幻灯片效果，也可以将其下载到本地，进行多次修改。

图 2-99　通义生成 PPT

接下来，来看看另外一个特色功能——实时记录，如图 2-100 所示。这个功能是辅助我们记录课堂内容和会议的。我们可以在开会或者上课的时候，直接打开通义的实时记录功能，此时就可以让 AI 实时翻译、显示会议字幕等。会议结束后，AI 会帮助我们自动生成会议重点和大纲。

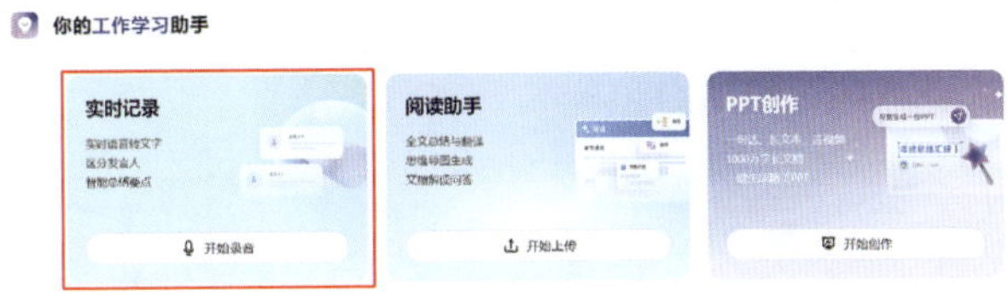

图 2-100　实时记录

在通话录制之前，需要先设定一下语言，并且还需设置是否翻译、是否区分发言人等，如图 2-101 所示。值得注意的是，通义也支持上传会议音频文件功能，最终也能生成会议纪要。

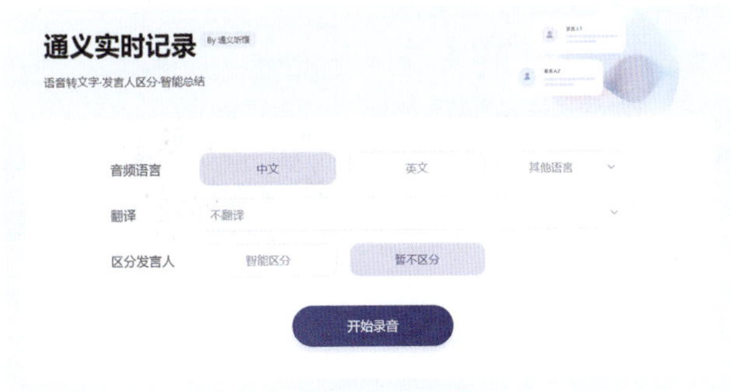

图 2-101　实时记录设置

下面介绍通义的智能体功能，如图 2-102 所示。在之前的 AI 介绍中，大多有对应的功能，通义也不例外。在主界面左侧快捷菜单栏中，可以找到智能体模块。

这个功能可以在基础功能之上进行定制，比如文本改写专家、古风小绘本等，如图 2-103 所示，能更有针对性地满足不同的需求。只需要点击“创建我的智能体”按钮，即可创建。

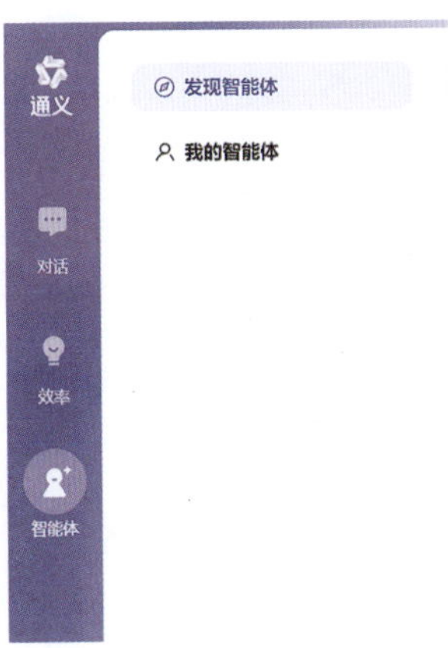

图 2-102　通义智能体（1）

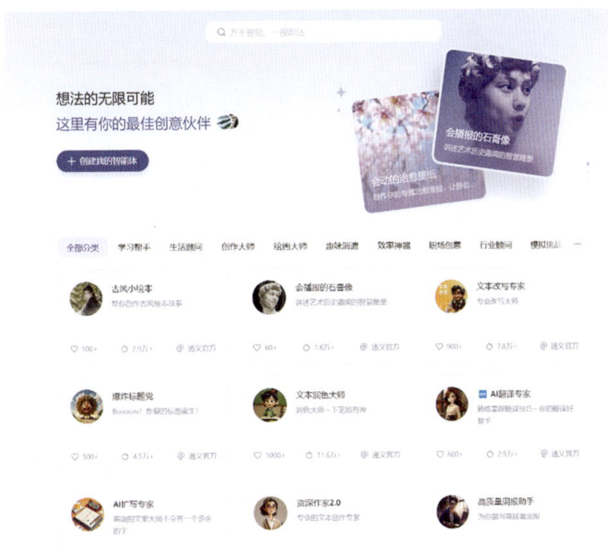

图 2-103　通义智能体（2）

在这里，我们可以使用别人制作好的智能体，也可以自己创建智能体，如图 2-104 所示。下面演示一下如何创建通义智能体。在点击“创建我的智能体”之后，我们可以从模板开始，也可以自由创建。我们选择从模板开始，选择第一个“MBTI 人格助手”模板。

图 2-104　利用模板创建智能体

进入这个模板以后，会让我们取一个名字，也可以为智能体添加一个头像，如图 2-105 所示。可以点击“创作模板”下方的大按钮，进一步设置智能体细节。

图 2-105　创建页面

在这里，可以找到更多的细节，如图 2-106 所示。这一步是必要的，如果不做修改，那么智能体则不被允许上传，这与模板智能体是一样的。

图 2-106　智能体设置

修改“人格类型”，如图 2-107 所示。这里没有所谓“标准设置”，因为是创建自己喜欢的智能体，所以只需要根据自己的喜好进行设置即可。设置完成后，点击右上角的保存按钮。

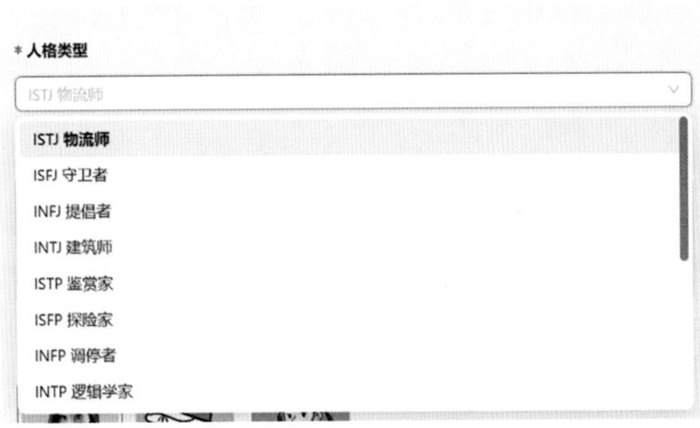

图 2-107　人格类型设置

再次回到创建页面，下方会有一个“高级设置”，在这里，可以给智能体添加“智能体简介、开场白、提问灵感、知识”等信息，如图 2-108 所示。如果还没想好，可以暂时不添加相关信息。在生成智能体之后，也能够随时修改。

图 2-108　添加智能体信息

添加好的智能体可以立即进行对话测试，如图 2-109 所示。如果有不满意的地方，可以及时进行相关内容的修改。

图 2-109　完成添加智能体

通义提供了多个平台的版本，我们可以在手机、浏览器、电脑、微信小程序等多种渠道使用通义，如图2-110所示。

接下来学习手机端的通义，如图2-111所示。由于硬件载体不同，手机端会与网页版、电脑端的设计有所区别。在手机端主界面中可以看到每日新鲜事，并且多了一些交互方式，比如通话。

图2-110 下载通义客户端

图2-111 通义手机端主界面

在顶部的菜单栏中，从默认“助手”切换到“工具”，可以看到海量针对手机端开发的通义工具，如图2-112所示。比如AI女朋友、成语接龙、文本创作等。实际上，这里就是AI智能体的手机端。在这个页面中，可以通过手机来创建AI智能体。

下面来看看“角色”面板，在这里可以创建“对话式智能体”，若是不了解这个功能，可以先使用已经被创建的智能体，了解不同的AI角色，如图2-113所示。

图2-112 通义工具

图2-113 角色智能体

切换到“频道”选项卡，在这里可以利用通义创建图片、视频。仅通过文字描述即可创建，如图2-114所示，点击这里的“万相AI生视频”。

跳转到创作视频页面。在页面底部有一个“立即创作”按钮，如图2-115所示。也可以在这个页面创作别人制作的同款内容。

图2-114 通义频道

图2-115 寻找同款视频

进入创作视频页面后，会出现一个信息比较多的页面。目前有两种模式生成视频：一种是文生视频，另一种是图生视频。顾名思义，文生视频可以直接输入文本生成视频，如图2-116所示。图生视频就是利用图片生成视频。在这里可以选择视频比例、是否添加视频音效。

切换到图生视频的模式，在这里需要手动添加一张参考图，如图2-117所示。系统给我们推荐了若干张参考图供选择。此处选择这张红色火烈鸟的参考图。

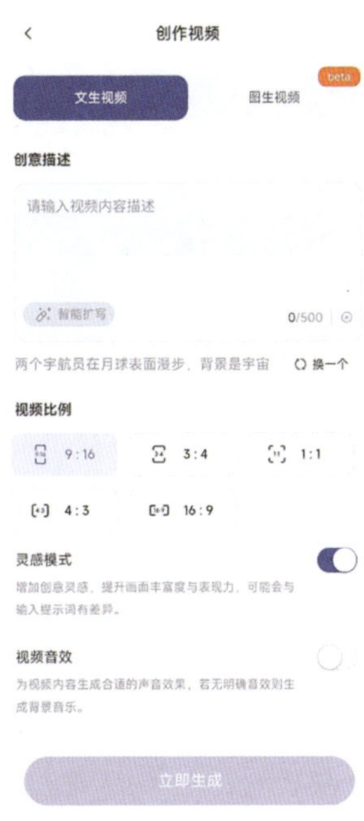

图2-116 创作视频设置页

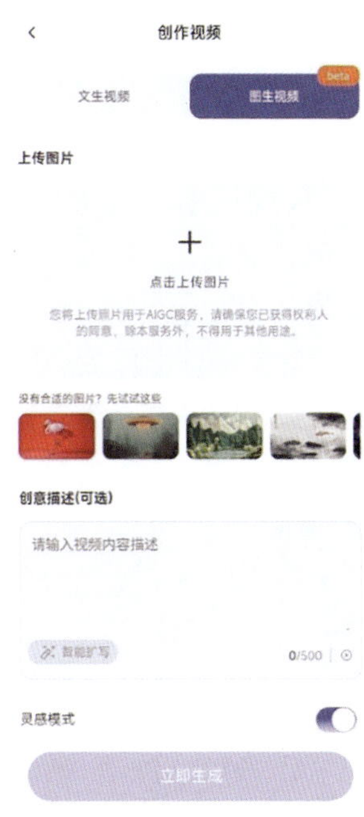

图2-117 图生视频模式

点击“用这张图”按钮，如图 2-118 所示。

选择完成后，系统会自动地添加好“创意描述”。这个部分是可以不用填写的，如图 2-119 所示。如果填写，AI 更能够理解图片中的内容，生成视频的时候更加真实。

图 2-118　选择参考图

图 2-119　完成图片上传

在这个页面中，打开“视频音效”按钮，可以让 AI 根据视频画面添加声音，让视频更加真实。点击“立即生成”按钮，如图 2-120 所示。

等待一段时间后，完成视频制作。这个等待是可以在后台进行的，其在云端制作，如图 2-121 所示。

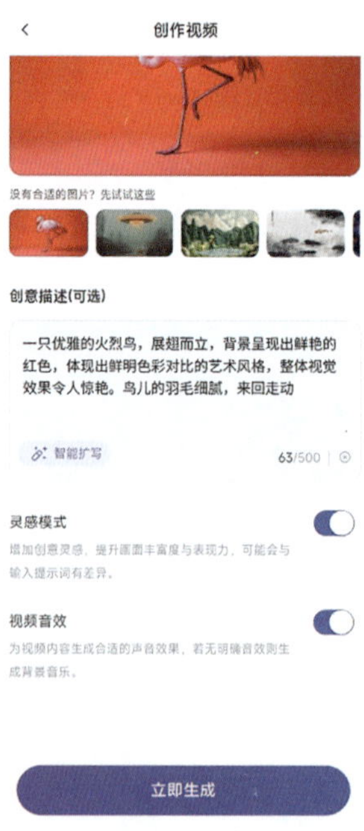

图 2-120　添加视频音效

图 2-121　等待视频生成

现在，介绍一些制作同款的功能。在频道页面，可以找到任意一个视频，点击进入，就可以进入同款视频创作页面，如图 2-122 所示。

选中一个想要模仿的视频，点击进入即可。点击右下方的“做同款”，如图 2-123 所示。

图 2-122　同款视频创作

图 2-123　做同款视频

此时会跳转到图生视频的页面，并且已经添加好了参考图与创意描述。直接点击下方的“立即生成”，就可以完成制作同款的工作，如图 2-124 所示。

在频道页面中，找到下方的“全民舞台”如图 2-125 所示，点击任意一个视频，即可跳转到全民舞台的页面。

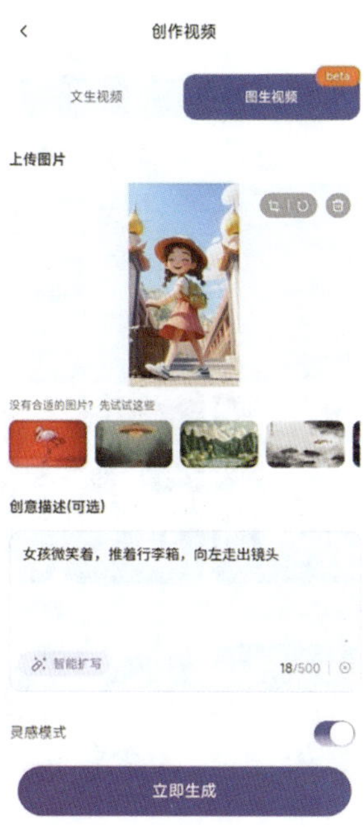

图 2-124　视频设置

图 2-125　频道页面

在全民舞台页面中，可以创作更为娱乐化的视频。有唱歌、跳舞、表情包等可供选择。本质上，这其实也是制作同款视频的工作流，所以就不再赘述过程，如图 2-126 所示。大家只需要根据操作提示即可完成同款视频制作。

接下来，再介绍一个实用功能——“万相 AI 生图”，如图 2-127 所示。在频道页面中下滑，可以找到该功能。

图 2-126　全民舞台页面

图 2-127　万相 AI 生图

在这里可以方便地制作自己的 AI 证件照，也可以生成属于自己的数字人形象，如图 2-128 所示。这个页面中，就是其他用户生成的数字人内容。可以点击下方的“制作数字形象”按钮。

进入制作数字形象页面后，可按要求上传照片，如图 2-129 所示。上传后，可以生成一个自己的数字人形象，之后再制作海量的 AI 视频。

图 2-128　创建数字人形象

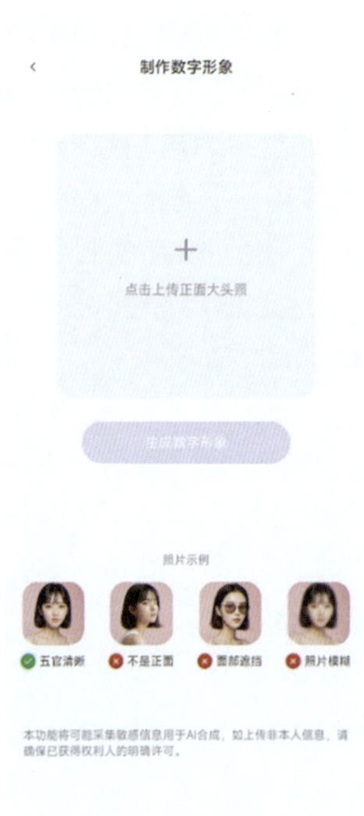

图 2-129　制作数字形象页面

下面来看“角色”页面中的内容。这个内容就是创建一个聊天机器人，如图 2-130 所示。我们可以给这个机器人添加特殊的性格。点击下方的“创建角色”按钮，跳转页面。

进入创建角色页面后，可以为角色创建名称、性别、角色设定等。这些属性可以使被创建的角色更加有个性，如图 2-131 所示。点击下方的“高级设置”，会有更多的设置内容。

图 2-130　角色页面

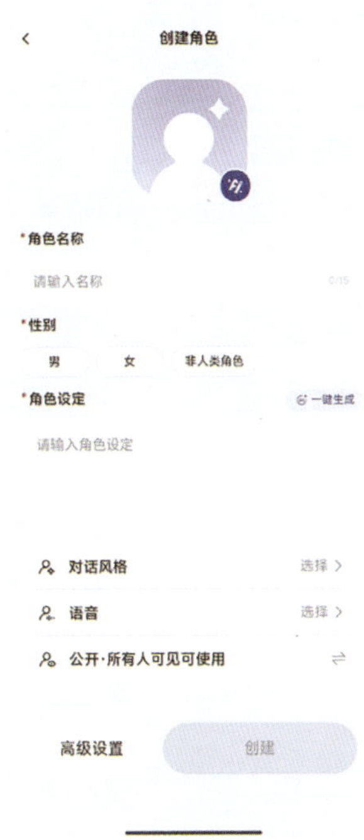

图 2-131　创建角色页面

在高级设置中，可以设定角色简介、开场白、提问灵感、性格描述等，如图 2-132 所示。

最后，再来看看手机端的通义的实时记录功能，这个功能在网页端同样存在，只是页面布局有所区别。可以把它理解为录音，但是这个录音非常智能，不仅能简单记录音频，还能做到实时翻译和总结，如图 2-133 所示。

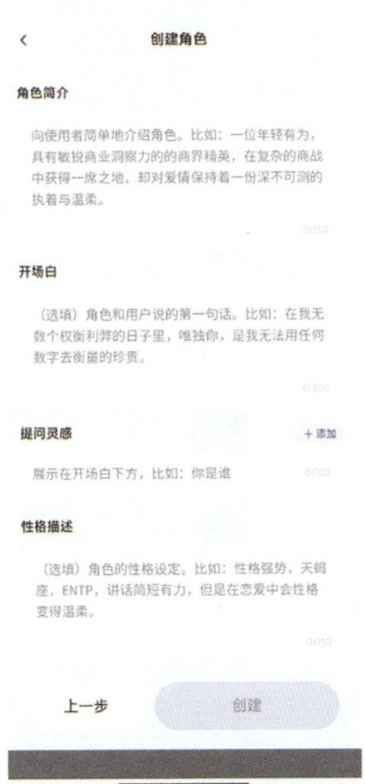

图 2-132　创建角色的高级设置

图 2-133　通义手机端实时记录

2.2.5 元宝

元宝是腾讯出品的一款大语言模型，它的主要特点是可以接入微信公众号、视频号等平台，如图 2-134 所示。通过前面的 AI 工具学习，相信大家对元宝的主界面并不陌生。左侧是菜单栏，右侧是对话框。先在左侧找到“发现”栏目，点击进入。

图 2-134　元宝主界面

在“发现”面板中，可以找到时下流行的新闻和话题，如图 2-135 所示。任意点击一个，AI 就会在网络上找到相似的文章，汇总后概括给我们。

图 2-135　发现面板

比如，在这里点击关于紫金山－阿特拉斯彗星的话题，元宝就会搜集相关资料，如图 2-136 所示，并且总结归纳后汇报给我们。

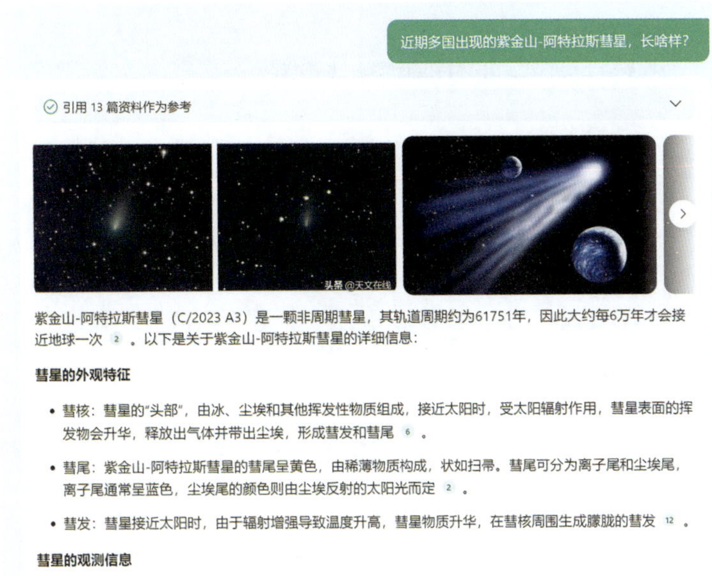

图 2-136　搜索话题

滑动到对话的末尾，可以看到有相关的问题推荐，点击问题，元宝即可回答，如图 2-137 所示。

图 2-137　问题推荐

同样的问题，深度研究模式会回答得更为细致，如图 2-138 所示，并且搜索的资料也会更多，元宝还会把资料分好章节。

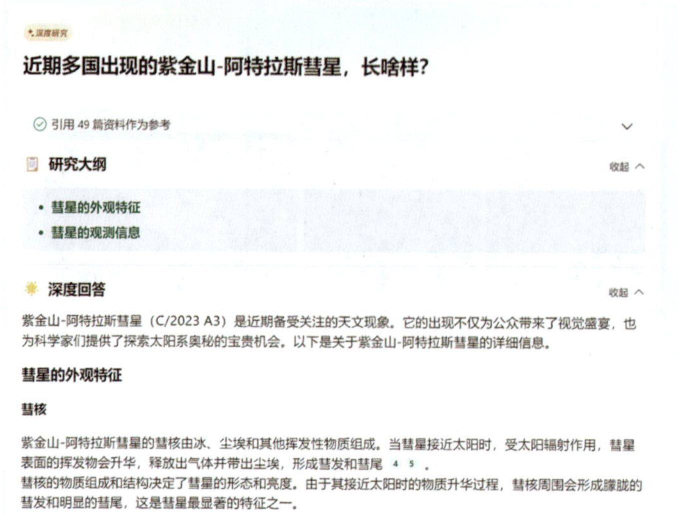

图 2-138　元宝的深度研究模式

翻到深度回答的末尾，可以看到一些更具特色的功能。元宝会生成一个脑图，方便我们快速了解大段文字的信息，如图 2-139 所示，这个脑图是可以下载的。除此之外，还有“相关组织及人物”的梳理，可以找寻本事件中的重要人和事。

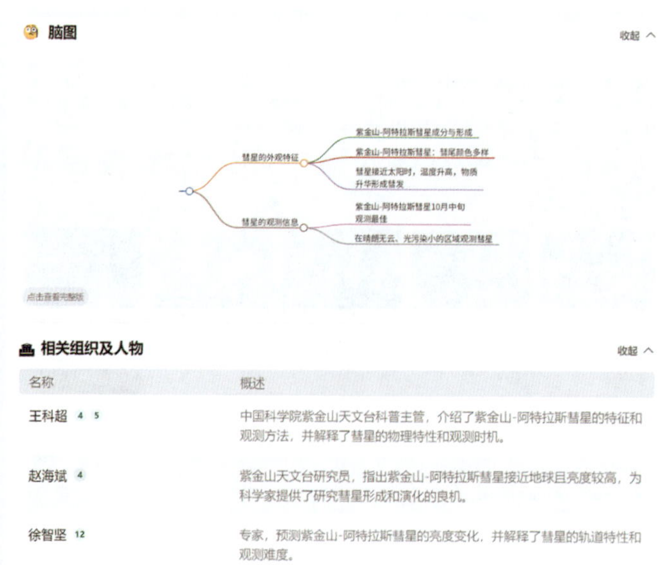

图 2-139　元宝总结的脑图与信息框架

下面来看元宝的手机端。打开后就是“元宝”的页面，如图 2-140 所示。在“发现好问题”中，可以看到最近的热门新闻和话题。

在顶部菜单栏中，切换到“发现”面板，如图 2-141 所示，可以看到更多的热点与新闻。

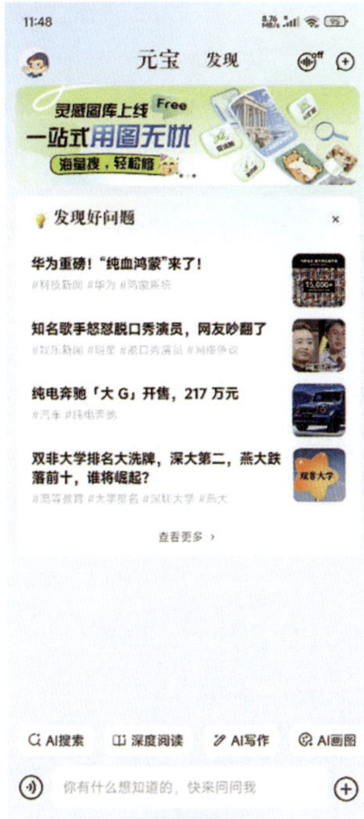

图 2-140 元宝手机端

图 2-141 元宝的发现页面

2.3 实用案例

2.3.1 视频脚本：扣人心弦的文案

利用 AI 进行视频脚本创作是一种有效提升效率并激发创意的方式。AI 可以通过自动生成内容和优化文本，帮助创作者简化脚本撰写流程，并使其更具条理和吸引力。

（1）自动生成脚本初稿：快速启动创作

AI 工具，如之前提到的 ChatGPT、Kimi、豆包、通义、元宝等，可以根据输入的主题、目标观众、时长要求和情感基调生成脚本初稿。这些工具通过关键词和简单提示，即可自动撰写视频大纲、场景对白或旁白。创作者可以在此基础上进一步润色和调整，使之更符合特定的需求和风格。

比如说，让 AI 做一个环保主题的幽默短视频脚本。可以设定一些需求，比如标题、目标观众、时长、基调等，如图 2-142 所示。

示例：环保主题的幽默短视频脚本初稿

标题：拯救地球，只需三秒！

目标观众：年轻人（18~30岁）

时长：3分钟

基调：幽默、有趣

图 2-142 明确视频脚本需求

此时 AI 帮我们生成了 4 个场景：

场景 1：开场——主角与垃圾桶的对话（0:00—0:30）

（画面：一个年轻人站在公园的垃圾桶前，手里拿着一罐空饮料。）

垃圾桶（拟人化语音）："嘿，兄弟！这是可回收的，我在这儿可等你半天了呢！"

主角（无奈地笑）："你什么时候开始说话了？"

垃圾桶："从你往我肚子里丢脏袜子的那天开始。"

（主角瞪大眼睛，将空饮料罐丢进了正确的可回收垃圾桶。）

场景 2：朋友聚会讨论环保（0:30—1:30）

（主角与两个朋友在咖啡馆聊天。）

朋友 A："你知道吗？一个塑料瓶要 500 年才能降解。"

主角："500 年？天啊，这比我活得都久！"

朋友 B："环保其实没你想得那么复杂，随手分类垃圾就行。"

主角（摸着头）："听起来像是拯救地球的超级英雄任务！"

场景 3：环保行动展示（1:30—2:30）

（快节奏剪辑，主角尝试垃圾分类、减少塑料使用、带自己的水杯去咖啡馆。）

——主角向陌生人展示如何正确丢垃圾："这叫环保一小步，地球一大步！"

——主角在超市挑选环保商品："这个买回去，连猫都感谢我。"

场景 4：结尾与行动呼吁（2:30—3:00）

（主角对着镜头微笑，画面切换到可爱的地球卡通形象。）

主角："拯救地球其实很简单——三秒钟分类垃圾就够了。记得，垃圾分类，你我同行！"

（字幕弹出："加入我们，一起成为环保达人！"）

（背景音乐逐渐增强，画面变暗，显示环保组织的二维码。）

（2）内容规划与结构设计：保持剧情连贯

AI 在内容规划和结构设计方面也能提供极大的帮助。利用常见的叙事框架，如三幕式结构或 AIDA 模型（吸引注意、激发兴趣、产生欲望、行动呼吁），AI 能够生成清晰连贯的脚本大纲，确保剧情发展符合逻辑，流畅自然。同时，AI 还能自动拆分场景并给出转换建议，使脚本的结构更合理。

（3）个性化对白生成：为角色赋予真实感

在创作对话时，AI 可以根据不同角色的性格生成个性化台词。通过为每个角色设定背景、语气或语言风格，AI 能够模拟不同角色之间的互动对白，使对话更加真实生动。这种方式尤其适用于复杂剧情和多角色故事，为创作者节省大量时间，提升对白的质量和自然度。

（4）场景描述与画面指引：增强视觉效果

AI 不仅能生成对白，还能帮助创作者撰写详细的场景描述和画面指引。通过 AI 提供的视觉元素生成建议，创作者可以更清晰地设想拍摄角度、光线设置和背景音效。例如，在一段森林保护主题的视频中，AI 能够建议合适的镜头语言和音效，为观众提供更好的沉浸式体验。

（5）智能润色与字幕生成：确保专业呈现

AI 作为智能编辑工具，可以帮助检测脚本中的语法和逻辑错误。此外，AI 还能自动生成带有时间戳的字幕文件（如 SRT），并通过语音合成工具将文字转换为自然的旁白音频，为视频添加专业效果。这部分我们会在视频相关内容中展示给大家。

2.3.2　微信公众号：撰写深度好文

微信公众号的内容结构一般分为：标题、摘要、正文、排版设计、封面、结尾引导、评论设计、转发文案。其中大多数的内容都是纯文字的。这些恰好是 AI 擅长的部分。使用 AI 工具的过程中，特别要注意，千万不要盲目相信 AI 生成的内容，但也不要拒绝。它是一个非常高效的工具，合理使用 AI 能够提升效率。

有些情况下，一部分作者可能没有仔细检查 AI 生成的内容，结果就造成了错误。还有一些情况，也是大多数人面临的，就是无法给出合适的提示词。给 AI 描述自身需求的时候越详细越好，但是也要了解 AI 并非万能，它不能无条件地满足我们的需求。有很多需求，AI 是无法完成的。要想了解哪些是 AI 可以做到的，哪些是不太行的，就必须要经常性地使用 AI 工具。

比如，一个好的微信公众号标题需要满足：符合品牌调性、提炼文章亮点、强调吸引点击、简明扼要、抓住用户痛点、与用户记忆强挂钩等。于是，我们可以提供给

AI 如下提示词，如图 2-143 所示。

图 2-143　标题的提示词

接下来分析微信公众号摘要的特点，如图 2-144 所示。一般是简单直接，比标题长一点即可，更贴合用户的生活，作为标题的诠释衍生，不要超过三行，排版要好看。

如果想要 AI 帮助我们写摘要，首先需要复制原文给 AI，并且让它了解我们的需求。提示词可以写成如下：

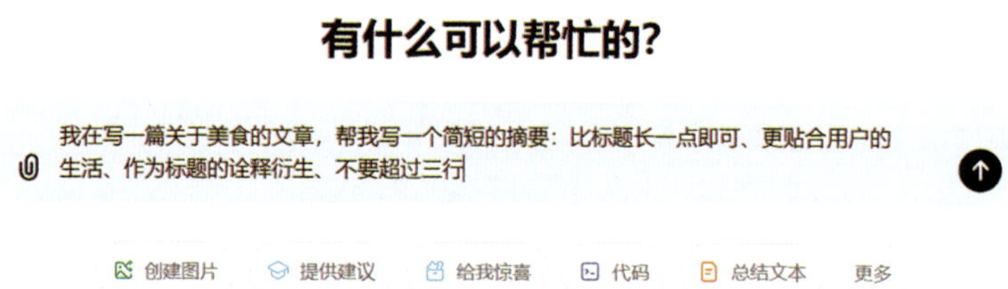

图 2-144　写摘要的提示词

至于正文写法，也可以将需求输入到 AI 对话框中，与它一同探讨如何写。

关于文章，AI 还有一个常用的功能，就是帮助我们润色、修改、拓展、缩写文字内容，如图 2-145 所示。比如，我们现在写了一个非常冗长的内容，可以将其复制到 AI 文本框中，让它帮忙缩减，图 2-145 中的提示词供大家参考。

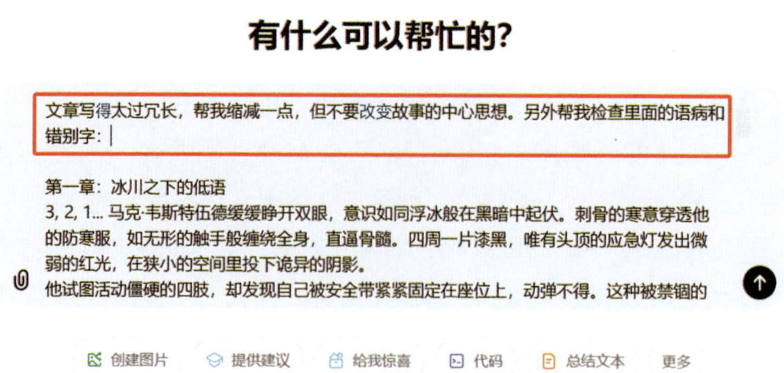

图 2-145　利用 AI 帮忙修改文字内容

关于灵感寻找，除了搜索热门榜单以外，其实也可以从AI中找寻，如图2-146~图2-148所示。在这些榜单中，AI可以非常快速地汇总相关信息，并且生成一篇比较完整的文章。这能够给我们提供不少的创作灵感。

图 2-146　豆包发现

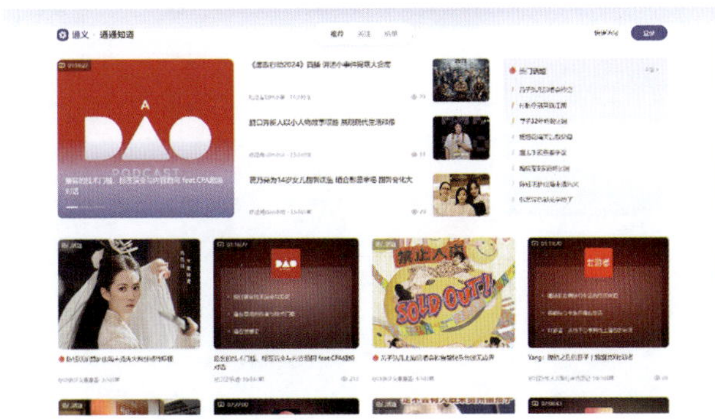

图 2-147　通义通通知道

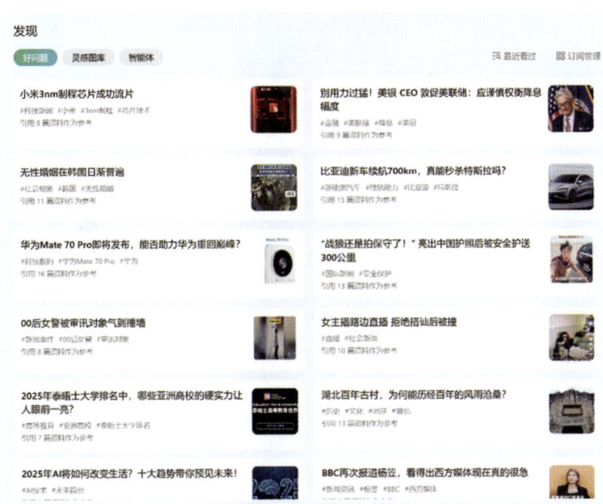

图 2-148　元宝发现

2.3.3 小红书文案：打造爆款笔记

相比长文本来说，小红书笔记一般比较短。在之前的介绍中，我们提到过特殊的 AI 智能体，其能满足特定的需求，如图 2-149、图 2-150 所示。现在就可以使用专属的小红书智能体了。豆包和 Kimi 都有专门的小红书文案撰写工具。

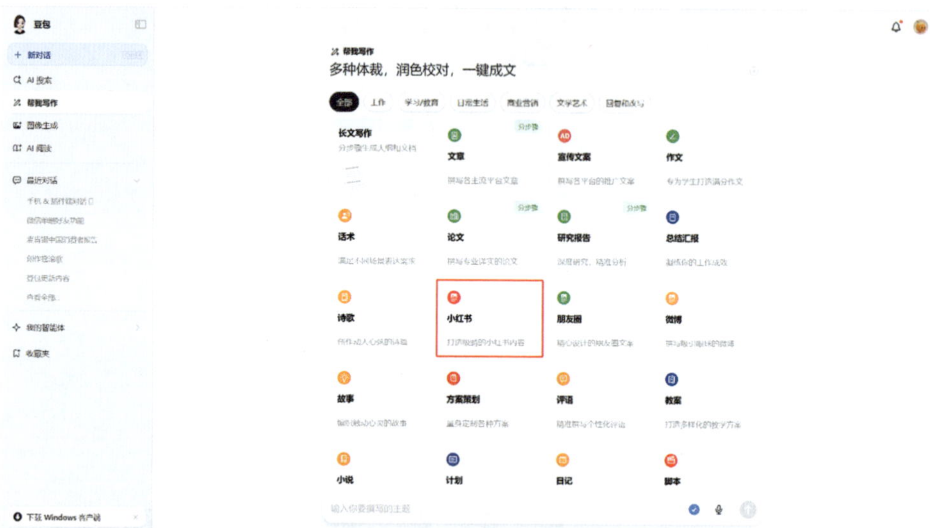

图 2-149　豆包小红书文案

图 2-150　Kimi 小红书文案

在 Kimi 小红书爆款生成器工作台中，输入相关需求，就可以快速生成小红书的文案，如图 2-151 所示，比如让它写一篇火锅店探店文案。

图 2-151　Kimi 小红书爆款生成器工作台

等待一段时间，Kimi 就能帮我们生成相关的文案，生成以后，可以复制出来手动修改，如图 2-152 所示。也可以输入提示词，让它根据提示词进行修改。

图 2-152　Kimi 生成的小红书文案

如果再次生成其他类型的文案，Kimi 也可以立刻重写，如图 2-153 所示。

图 2-153　重新生成

也可以修改其中的一些细节。比如，让文案更加凸显价格的优势，输入的提示词如图 2-154 所示。

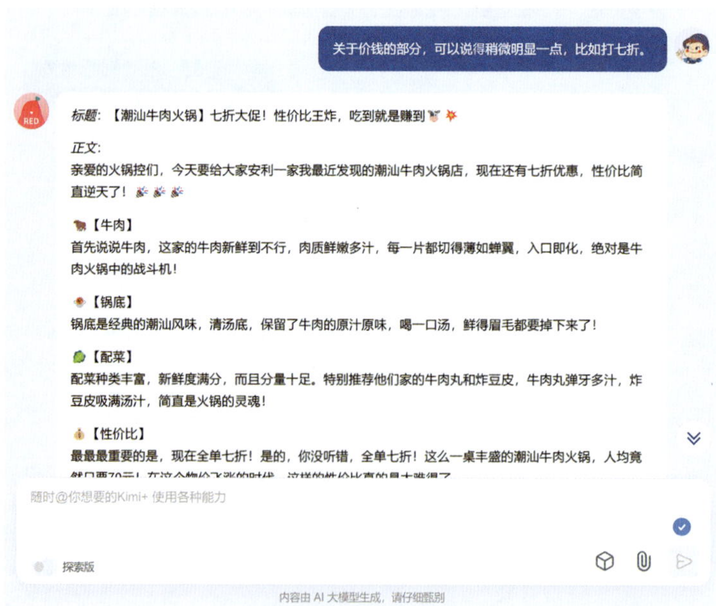

图 2-154　修改细节内容

接下来我们看看豆包的小红书文案工具。在“帮我写作”面板中，我们点击“小红书”，如图 2-155 所示。

此时，豆包会帮助我们自动填写大部分提示词。剩下的具体需求，需要我们手动添加，如图 2-156 所示。

我们在主题中输入“湘菜馆”，点击发送。之后，对话框会变为左右两侧的布局，如图 2-157 所示，左边是对话框，右边是最后的结果，方便我们复制文案。

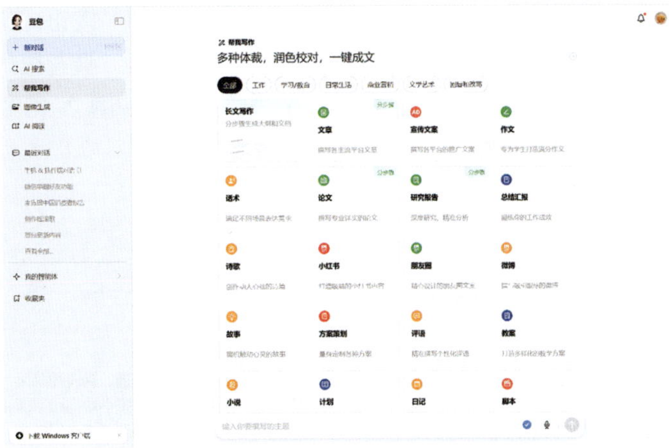

图 2-155　豆包小红书文案生成工具

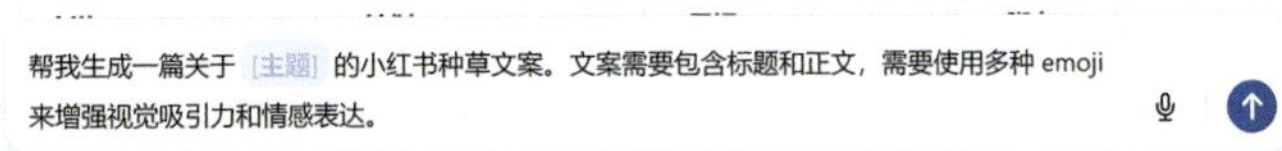

图 2-156　自动填充的提示词

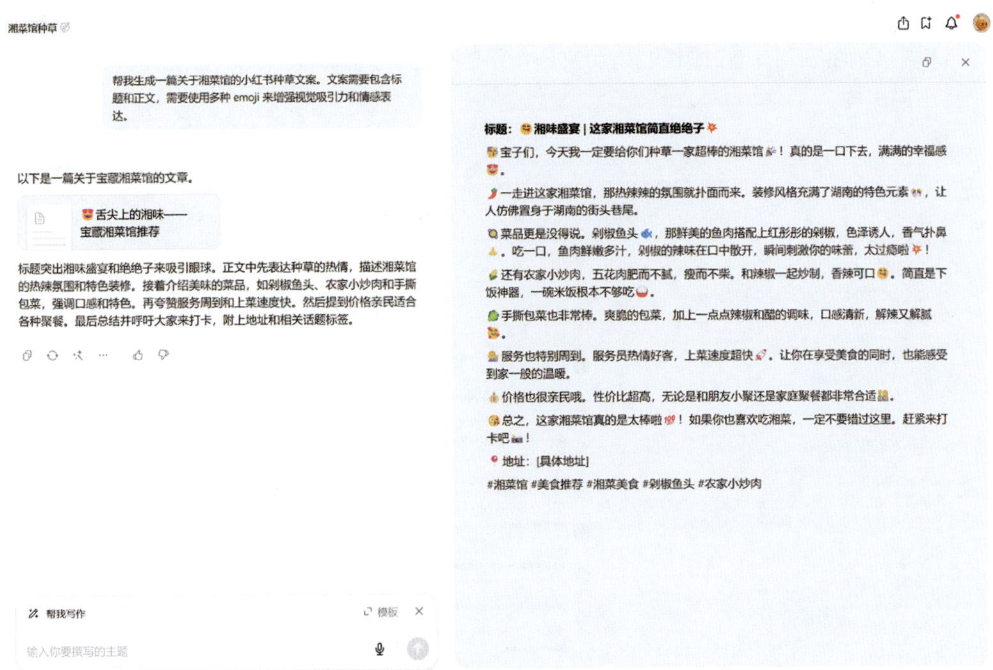

图 2-157　豆包生成的小红书文案

生成好以后，可以点击下方的“魔方棒”按钮，在这里可以细致调整文字调性，如图 2-158 所示。比如更加简洁、更长内容、调整语气、更改语言等。

在调整语气中，提供了多样的语气，如图 2-159 所示。如果没有我们需要的，也可以手动输入，AI 也能理解。

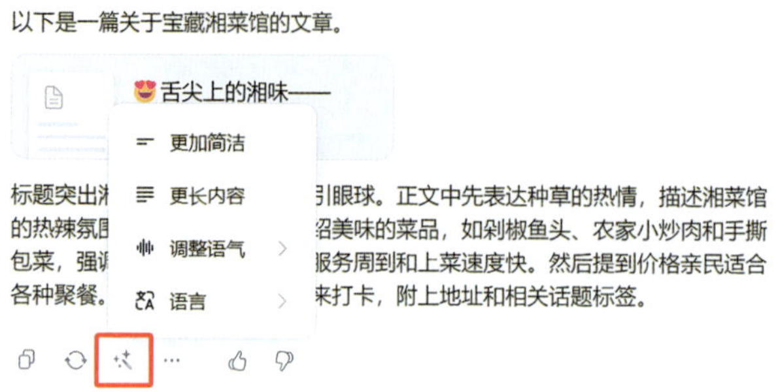

图 2-158　调整文字调性

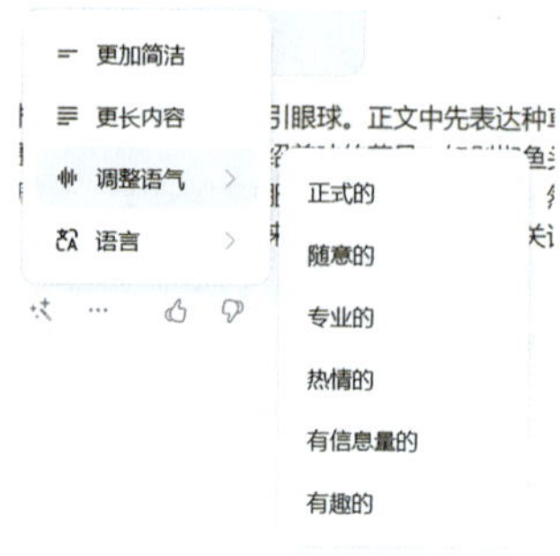

图 2-159　调整语气

2.3.4　小说故事创作：跌宕起伏的情节

我们可以利用 AI 工具轻松创作长文，这就包含了热门的网络小说。ChatGPT、Kimi、豆包、通义等 AI 工具都有独立的智能体用来创作热门小说，如图 2-160 所示。其中 ChatGPT 比较擅长的是英文语境下的内容。选择“Novel Writer”智能体进行小说创作。

图 2-160　GPT 小说智能体 Novel Writer

选择以后，会弹出介绍页。点击下方的“开始聊天”按钮，进入对话，如图 2-161 所示。

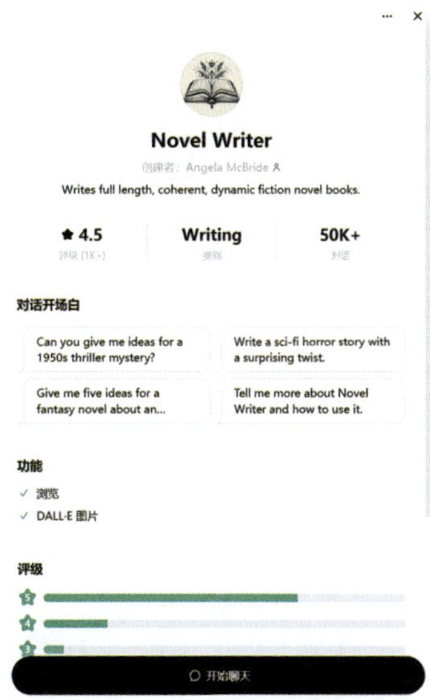

图 2-161　智能体介绍页

进入 Novel Writer 智能体工作台，由于它训练的语料库大多来自英文数据库，所以最好是让它处理英文相关的内容，如图 2-162 所示。点击下方的第一个提示，发送到对话框，让它生成一篇小说的灵感。

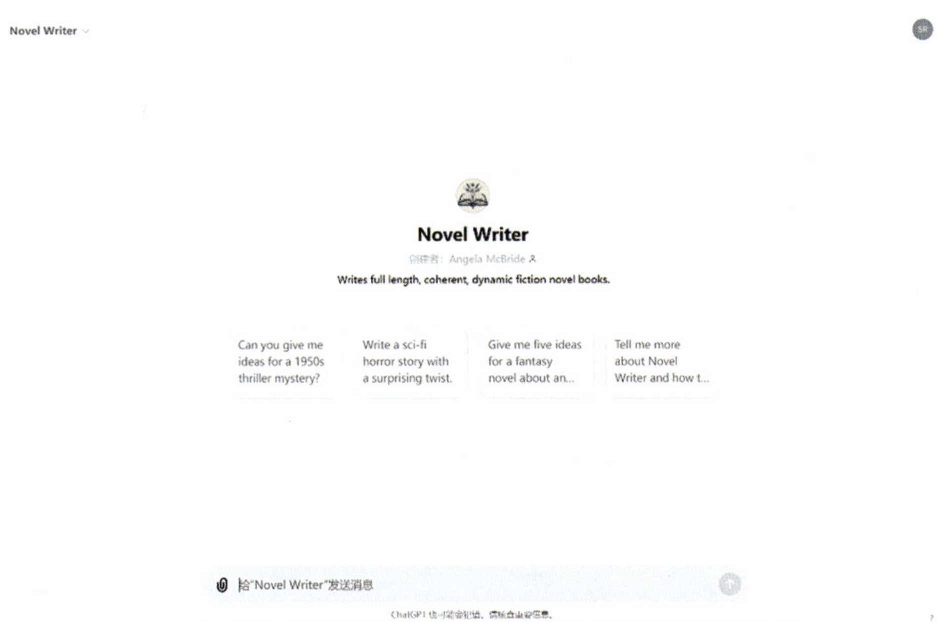

图 2-162　Novel Writer 智能体工作台

此时ChatGPT就会立刻生成一篇小说的灵感，如图2-163所示。如果需要中文版，就跟ChatGPT说明“帮我生成中文版”即可。

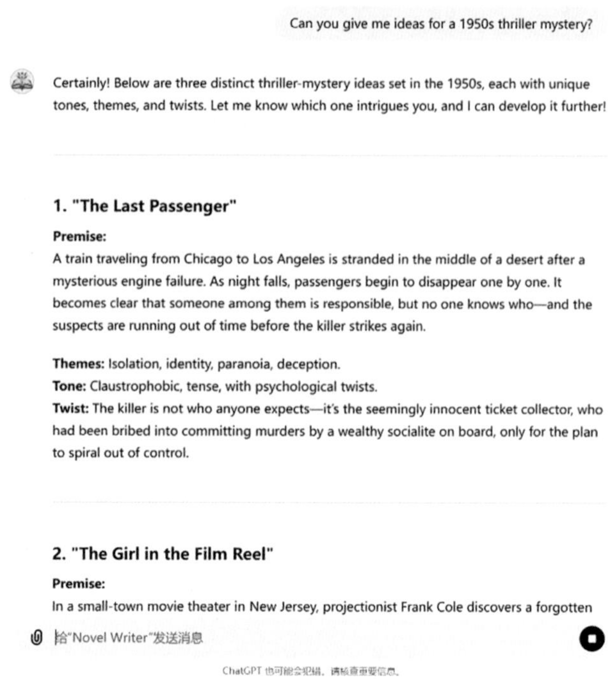

图2-163　ChatGPT生成的小说灵感

ChatGPT的语言能力很强，但是能否生成合适的内容取决于训练用的数据库，如图2-164所示。

图2-164　将英文内容翻译为中文

接下来使用 Kimi 创作小说。通过左侧菜单栏，进入 Kimi+，如图 2-165 所示，找到“爆款网文生成器”。点击以后就可以使用 Kimi 来写网文了。

图 2-165　Kimi+

Kimi 提供了若干预设提示词，方便我们快速上手操作。我们可以点击这些提示词，让Kimi生成内容，如图2-166所示。在学会如何使用后，我们就可以根据需求，来与 Kimi 进行对话。

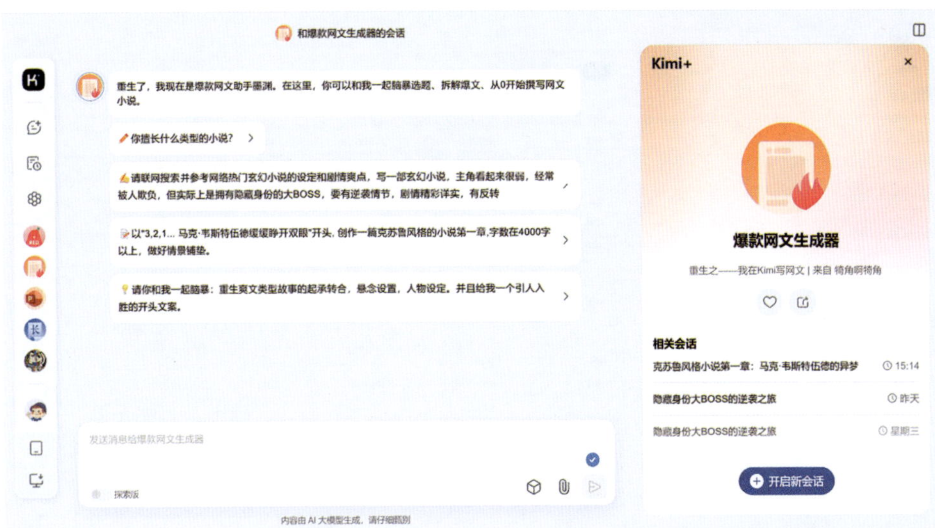

图 2-166　爆款网文生成器会话界面

生成后的内容如图 2-167 所示。如果对内容满意，可以复制到其他地方使用。

图 2-167　生成结果

豆包也具备写小说的能力，如图 2-168 所示。在左侧的“帮我写作”栏中，找到“小说”。

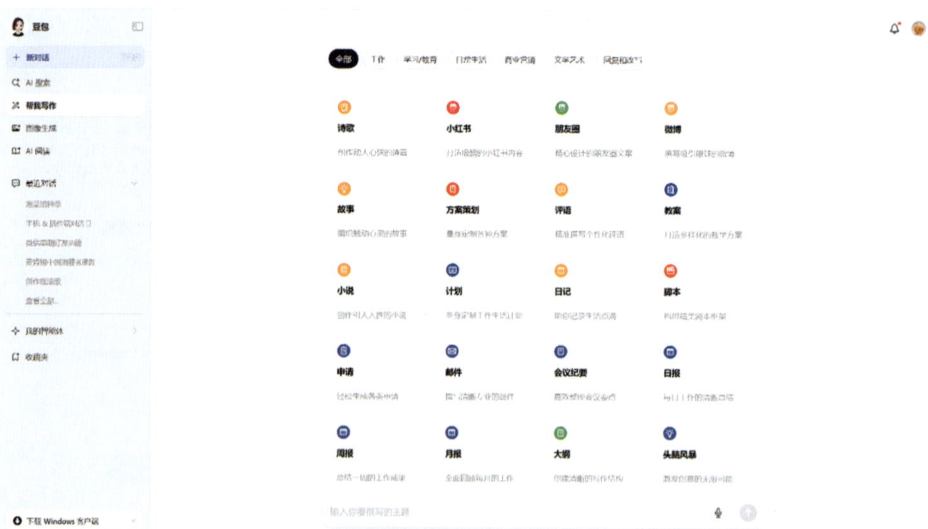

图 2-168　豆包“帮我写作”面板

点击以后，会出现提示词的模板，可以根据给定的模板，来完成个性化需求，如图 2-169 所示。学会了模板的描述需求方式后，可以直接输入提示词，并不需要使用这个模板。

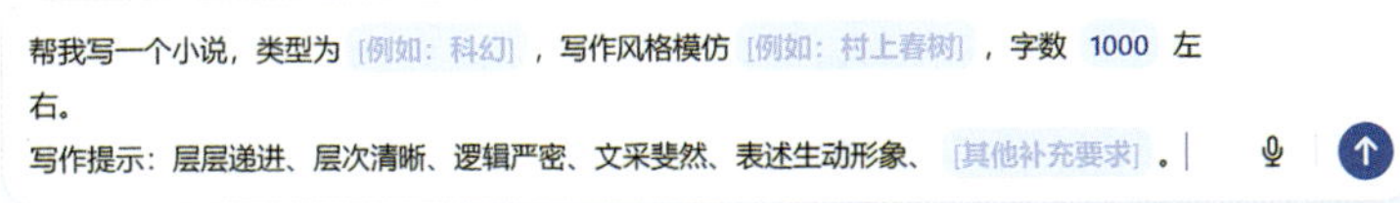

图 2-169　提示词模板

当豆包生成内容的时候，界面布局会发生变化，如图 2-170 所示，变成左右两侧的布局。左侧显示的是对话内容，右侧则是小说长文内容。

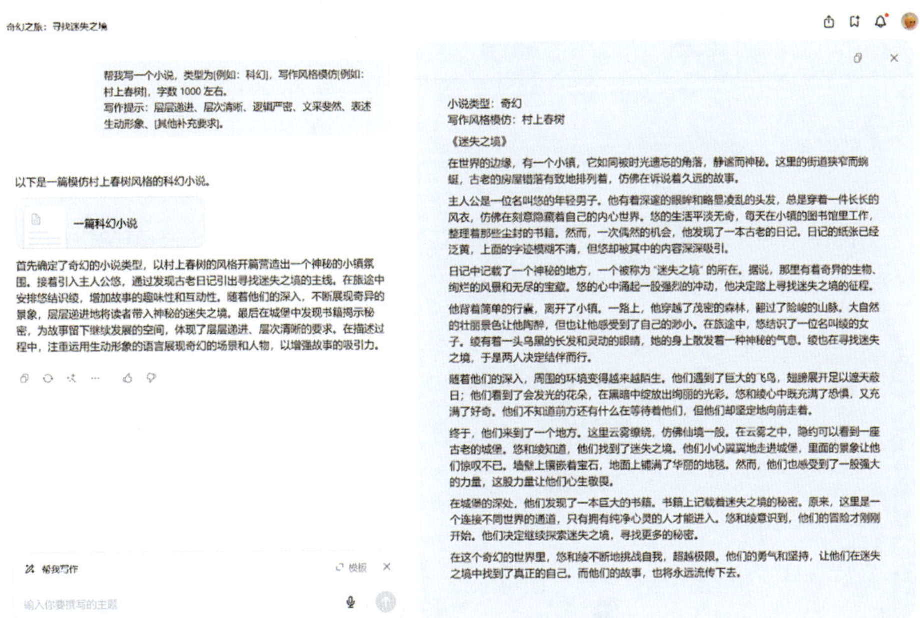

图 2-170　小说生成结果

除了写小说以外，还可以让豆包写更多类型的文章，如图 2-171 所示。点击这个“模板”按钮，即可切换文章类型。

图 2-171　帮我写作模板切换

这里显示的内容，和“帮我写作”页面中的内容是保持一致的，如图 2-172 所示，只需要点击即可切换功能。

图 2-172　帮我写作模板内容

下面使用通义来写一个小说章节，如图 2-173 所示。首先在左侧菜单栏中找到“智能体”，在搜索栏中搜索“小说”。

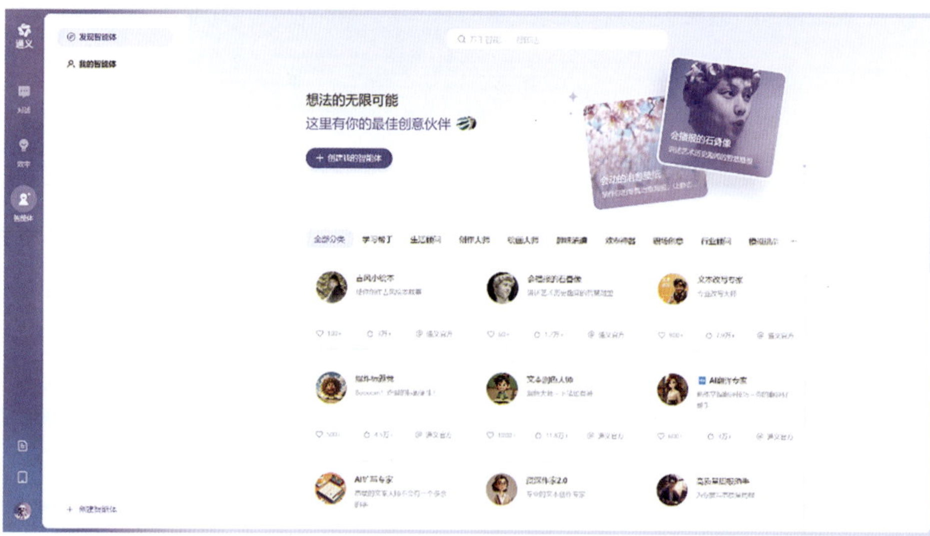

图 2-173　通义智能体

可以在这些智能体中选择符合自身需求的，如图 2-174 所示。比较简单的方法就是选择用户量较多的智能体，或者符合主题的。

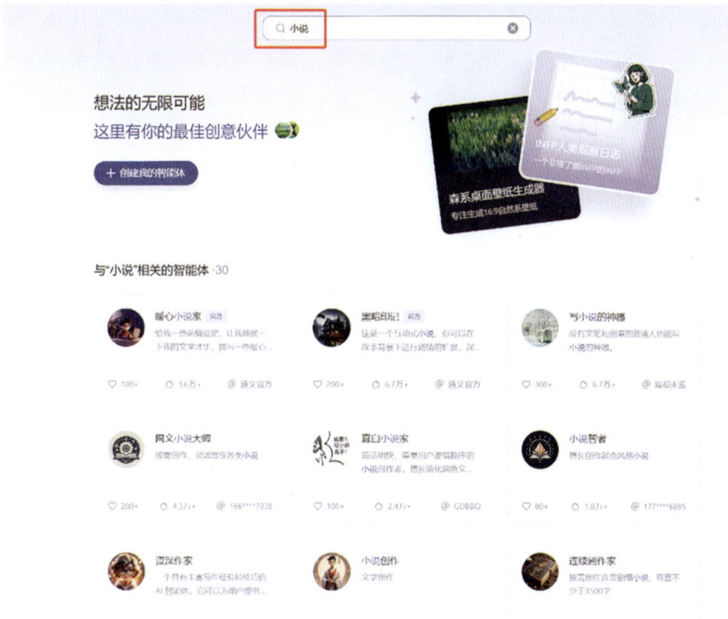

图 2-174　选择通义智能体

选择通义特色功能——互动式小说，即每回答一个问题就会产生新的情节，如图 2-175 所示。

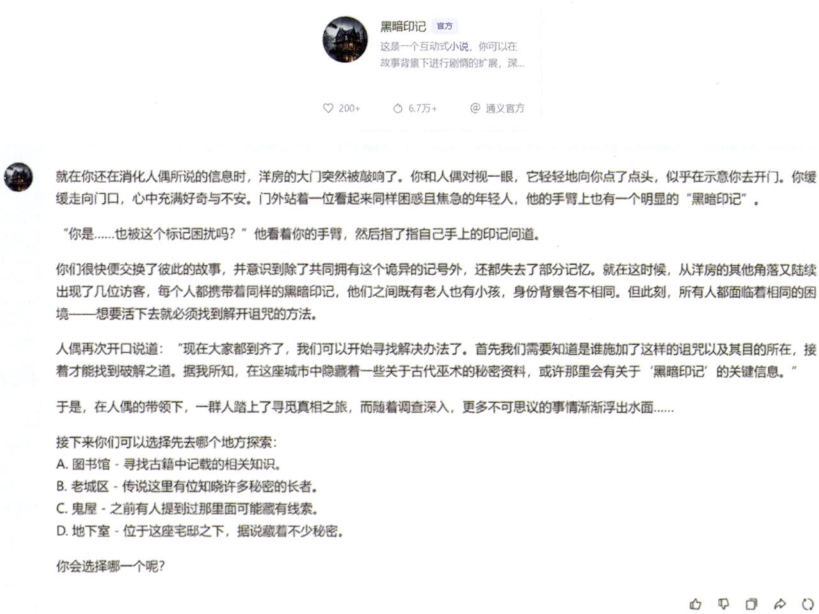

图 2-175　互动式小说

通义提供了大量的智能体，关于小说的智能体也非常多。我们可以选择“暖心小说家”，如图 2-176 所示，用法和之前类似，点击预设的参数或者自己输入需求。这里就点击其中的一个参数。

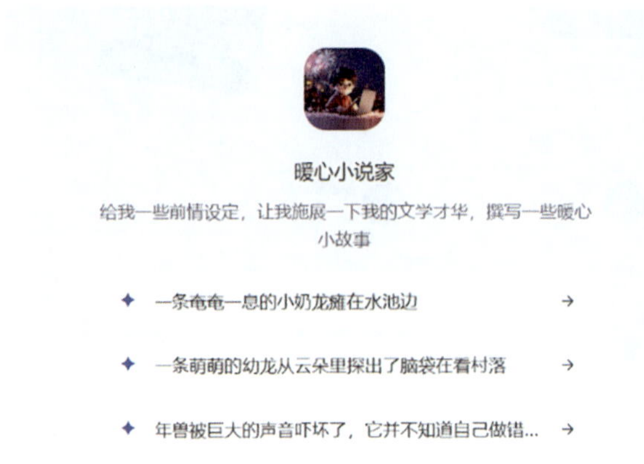

图 2-176　通义小说智能体

生成好内容，就可以复制保存。也可以继续与通义产生对话，让它接着继续往下写，如图 2-177 所示。

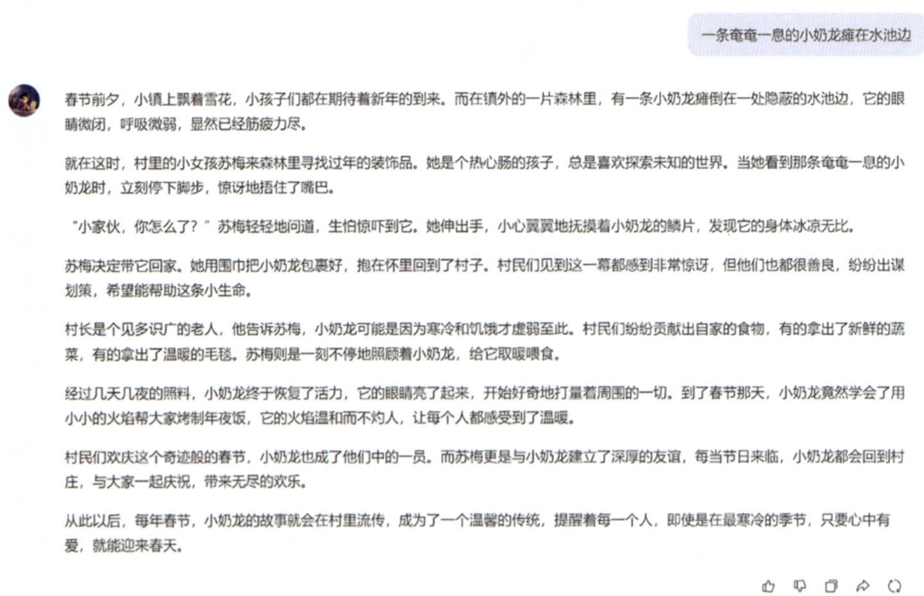

图 2-177　通义生成小说内容

2.3.5 知乎文章：高效引入专业资料

若是要深度查阅资料，或者写科普类型的文章，AI 工具也是非常好用的。特别适合用在知乎、公众号、哔哩哔哩等科普类型的平台。

在 Kimi 中，我们可以开启“探索版”功能，如图 2-178 所示。此时 Kimi 就会进入深度搜索和归纳的模式，也会出现一些推荐案例，选择其中的一个，用于学习和测试这项功能。

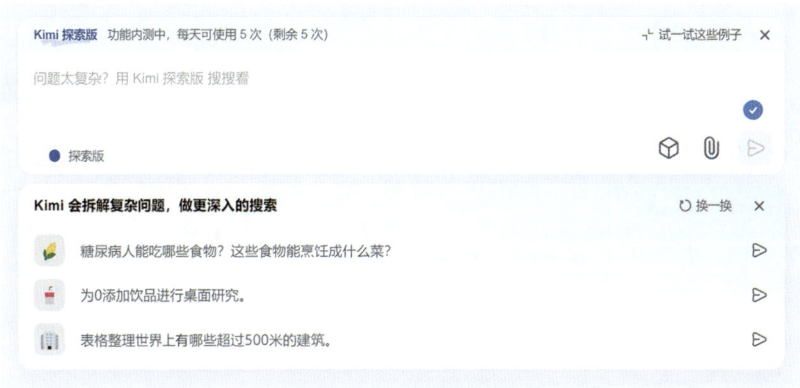

图 2-178　Kimi 探索版

在过去没有 AI 归纳的情况下，想要获取和整理相关的资讯是需要耗费比较多时间的，如今，Kimi 探索版可以在非常短的时间内，快速高效地罗列出有用信息，如图 2-179 所示，并且图文并茂地展现给我们。这样的内容非常适合做科普文章和视频。

图 2-179　汇总信息

我们尝试给 Kimi 探索版提出另外一个问题，回答的结果也非常有启发性。值得注意的是，目前为止 AI 并不能自我验证信息是否准确无误，如图 2-180 所示，依然需要人类甄别信息。不过，Kimi 生成的内容可以提供一个很好的思路，并且在它的参考文章中，能找到非常多有价值且相关的资料。

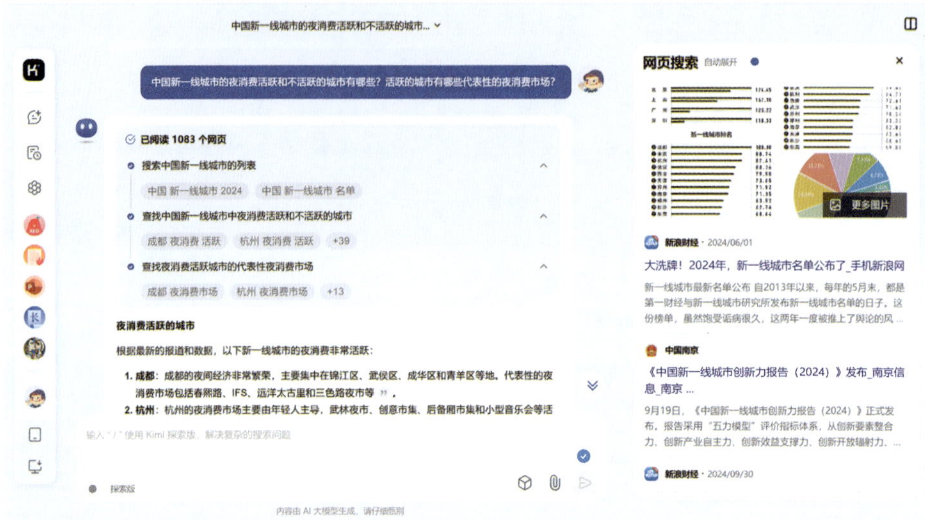

图 2-180　Kimi 探索版深度回答问题

还有一点值得注意，就是 Kimi 探索版提供了非常多不错的选题，如图 2-181 所示。在灵感枯竭的时候，不妨参考一下 Kimi 提供的选题，进行自媒体相关的创作。

图 2-181　Kimi 拆分复杂问题

ChatGPT 的长文功能也非常强大，我们需要切换到 GPT-4o with canvas 模型，来创作长文内容，如图 2-182 所示。

让 ChatGPT 写一篇关于自媒体领域的博客文章，文章内容包含如何入门、热门平台的分析、内容创作技巧、流量变现的方法等，如图 2-183 所示。

图 2-182　切换模型

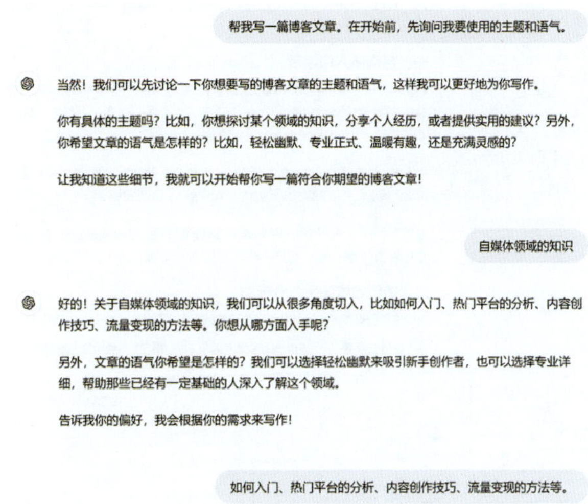

图 2-183　与 ChatGPT 对话

生成后，页面布局会变为左右两栏，左侧是对话，右侧是结果，如图 2-184 所示。

图 2-184　生成完毕

在右下角，还隐藏了一个工具栏，如图 2-185 所示。

选择最下方的“编辑”功能，双击鼠标，即可智能添加修改建议，如图 2-186 所示。

图 2-185 右下角工具

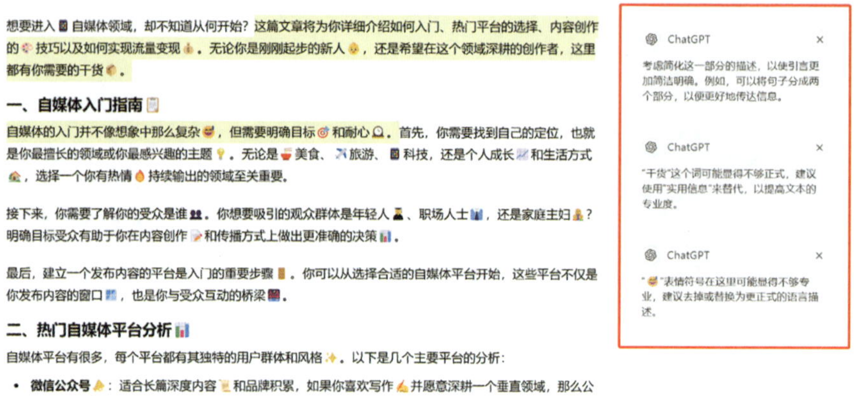

图 2-186 GPT 建议批注

写完文章以后，如果觉得篇幅不够，或者太长，都是可以通过“调整长度”的功能改变的，如图 2-187 所示。单击鼠标以后，就会弹出这个滑块，默认是保持长度，往上滑动就是拓展长度，往下拉则是精简篇幅。

图 2-187 调整文章长度

ChatGPT 还能非常智能地针对不同文化水平的读者设置阅读难度，如图 2-188 所示。默认是当前水平，往上推则是研究生水准，往下降则是幼儿园水平。其中也包含了小学、中学、大学等不同阶段的阅读难度。

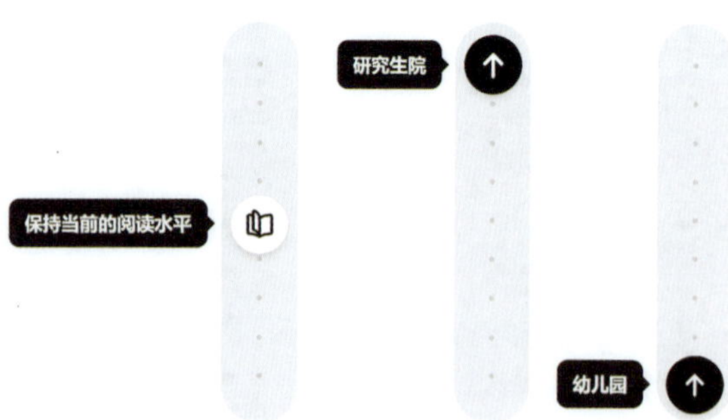

图 2-188 设置文章的阅读难度

最后，我们还可以对文章整体进行润色，如图 2-189 所示。

接下来可以给文章添加表情符号，让文章更具有吸引力，如图 2-190 所示。

ChatGPT 还为我们保留了历史版本，可以撤回到任意步骤，如图 2-191 所示。

图 2-189　添加润色

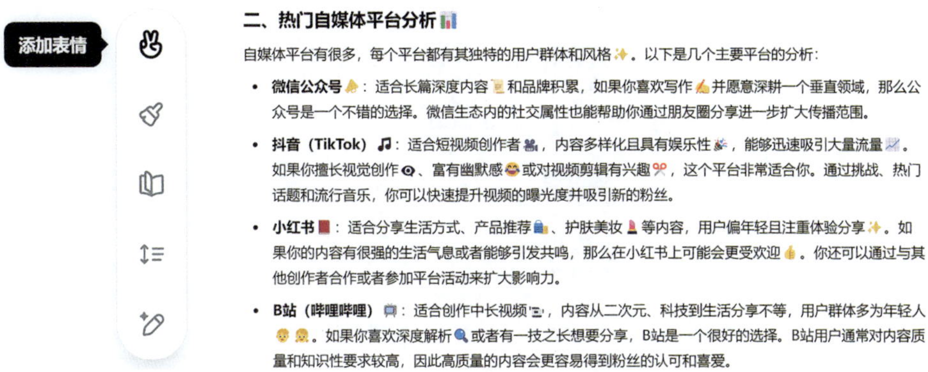

图 2-190　为文章添加表情符号

图 2-191　历史版本

豆包也提供了非常强大的“深入搜索”模式，可以深度挖掘和整理网页中的信息，如图 2-192 所示，方便我们做深度文章。在左侧菜单栏中，找到“AI 搜索”，在右侧开启“深入搜索”开关。

图 2-192　豆包“深入搜索”功能

深入搜索的结果一般会更长，并且回答更加详细，如图 2-193 所示。

图 2-193　深入搜索回答内容

可以在回答的前方找到信息来源，方便追本溯源，如图 2-194 所示。

图 2-194　搜索来源

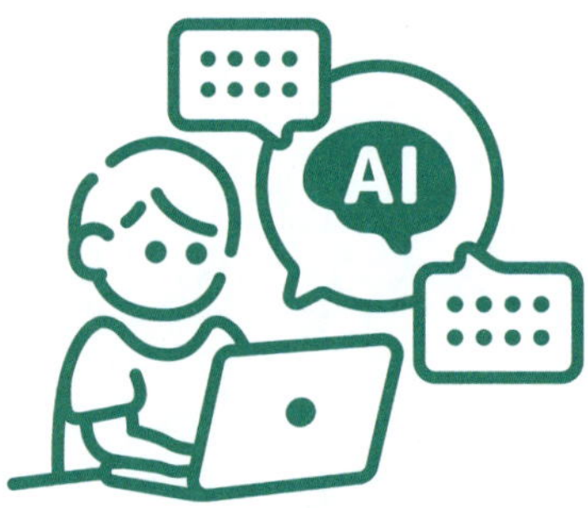
AI

第 3 章

AI 与图像的融合

Command Prompt :

Chat AI

3.1 自媒体人如何利用 AI 工具创作图像

在自媒体创作的浪潮中，AI 图像生成工具正逐渐成为创作者的得力助手。随着这些工具的崛起，越来越多的自媒体人开始利用 AI 进行内容创作，从而提升创作效率，降低制作成本。本节将探讨当前主流 AI 图像工具在自媒体内容创作中的应用，展示其如何帮助创作者在日常工作中高效创作，如图 3-1 所示。

图 3-1　创作浪潮

目前，自媒体人常用的 AI 图像生成工具包括 DALL · E 3、豆包 AI、堆友 AI 和稿定设计。这些工具各有特点，满足了不同类型的创作需求。DALL · E 3（ChatGPT 内置）是一种直观易用的文生图工具，用户只需输入提示词，即可生成多样风格的图像。DALL · E 3 在细节调整和风格变换方面具有很高的灵活性，适合需要快速生成高质量图像的创作者。豆包 AI 提供了多种图像生成的模板选择，用户可以通过简单操作生成所需的图像。此外，豆包 AI 还具备图像擦除和区域重绘功能，能够帮助创作者对图像进行细致的修改，使其更加符合内容需求。堆友 AI 则主要面向电商领域的自媒体人，提供了针对电商图片创作的解决方案。堆友 AI 还支持模型训练和融合渲染功能，可以生成具有独特风格的图片，满足商业宣传的需求。稿定设计则是一个非常适合自媒体内容创作者的平台，能够快速生成小红书封面、电商宣传图等视觉素材，配合 AI 文案撰写功能，极大地提高了创作效率。

AI 图像工具不仅提供了强大的功能，还在实际应用中显著提高了创作效率。以稿定设计为例，创作者只需输入简单的文字描述即可快速生成高质量的小红书、公众号等设计物料。这不仅节省了传统设计的时间成本，还使得封面图等视觉元素风格统一，提升了品牌形象。稿定设计提供了丰富的模板和风格选择，创作者可以在短时间内生成多种设计物料，从而有效提升整体视觉效果。堆友 AI 的高级 AI 设计工具也为电商自媒体人提供了低成本的解决方案，让他们能够生成符合商业需求的图片，减少了对专业设计师的依赖。使用堆友 AI，创作者可以避免烦琐的设计步骤，一键生成多样化的图片，显著降低创作成本并提高工作效率。

AI 图像工具的广泛应用，对自媒体创作者产生了深远的影响。首先，AI 工具通过自动化生成图像与素材，帮助创作者大幅缩短了内容制作的时间，尤其是在需要大量图片素材的情况下。其次，AI 工具提供了多样的风格和模板，创作者可以通过不同的提示词和设置来获取创作灵感，增加内容的多样性。此外，即使是没有设计背景的创作者，也可以使用这些 AI 工具轻松创作出高质量的图像，大大降低了内容创作的技术门槛。然而，虽然 AI 工具在生成图像方面表现出色，但对生成内容的精确控制仍然是一个挑战，创作者需要不断调整提示词以获得理想的效果。同时，随着 AI 生成内容的普及，版权问题也逐渐成为关注的焦点。创作者在使用 AI 生成图像时，需要注意潜在的版权风险，如图 3-2 所示。

图 3-2　注意潜在的版权风险

未来，AI 图像工具将更多地倾向于个性化与场景化，进一步满足创作者的多样化需求。从理论到实践，如何将这些 AI 图像工具高效地应用到内容创作中，是每个自媒体创作者都关心的问题。接下来介绍具体的操作步骤与案例实践，帮助创作者快速上手这些工具，实现创作效率的最大化。

3.2　自媒体 AI 图像案例

3.2.1　直观易用的文生图工具—— DALL · E 3（ChatGPT）

在上一章中，我们已经详细地介绍过 ChatGPT 的文本功能，本章的侧重点是它的图片功能。进入 OpenAI 官网，在顶部菜单栏中，将鼠标放置在“Research”上，会弹出次级菜单，点击“DALL · E 3”，如图 3-3 所示。

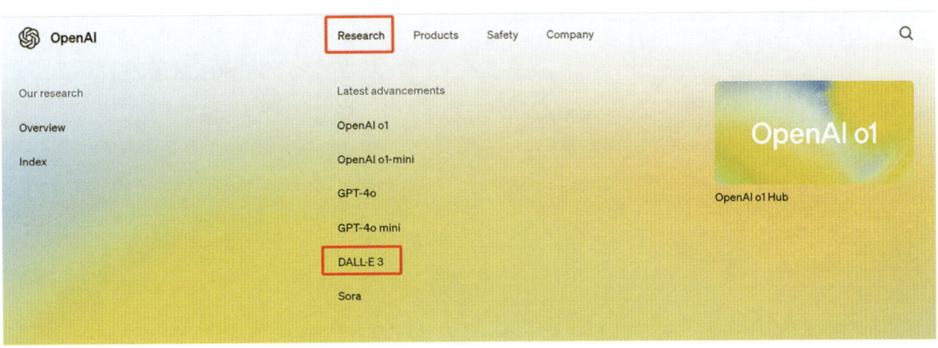

图 3-3　OpenAI 官网

此时可以浏览DALL·E 3的介绍，简单地说DALL·E 3是内置在ChatGPT中的一个AI图像生成引擎。我们可以在ChatGPT的平台中，使用该工具来生成各种风格的图片。如图3-4所示的图片都是由DALL·E 3生成的。

图3-4 DALL·E 3官方介绍

在介绍页中，可以看到“Try in ChatGPT”按钮，点击之后，会跳转到ChatGPT工作台，如图3-5所示。

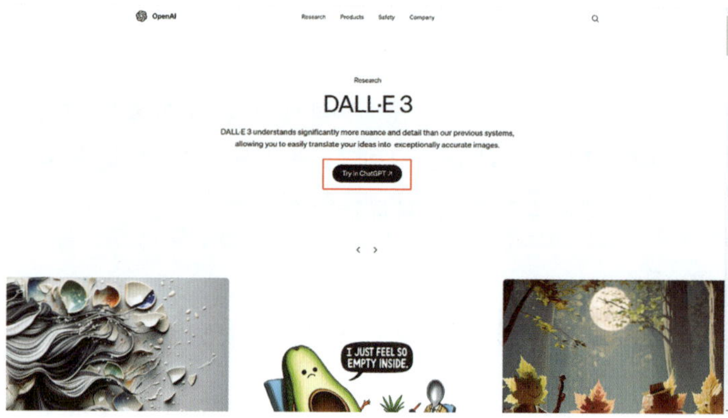

图3-5 进入DALL·E 3工作台

在工作台的左侧菜单栏，点击“探索GPT”栏目，在这里可以找到DALL·E，如图3-6所示。

图3-6 探索GPT

进入以后，在搜索框中输入“DALLE”，如图3-7所示。

图3-7　搜索DALLE

此时会出现DALL·E的结果，以及其他相关的搜索结果，如图3-8所示。选择DALL·E，点击后跳转界面。

图3-8　选择DALL·E

此时会弹出一个介绍页。点击“开始聊天”按钮，进入 DALL · E，如图 3-9 所示。

图 3-9　开始聊天

进入 DALL · E 后，可以在对话框上方找到一些快捷按钮，用于调整图片的属性，如图 3-10 所示。

图 3-10　快捷按钮

另外还能在最右侧找到图片的宽高比设置，如图 3-11 所示。

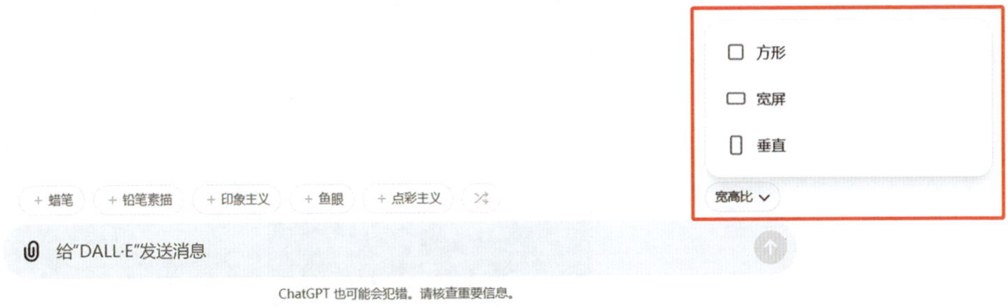

图 3-11　宽高比设置

在这里，如果想要 DALL · E 生成图片，只需要输入自然语言即可，如图 3-12 所示。不过，我们应尽可能地把自己的需求描述得更为准确，这样得到的结果可能会更加符合预期。

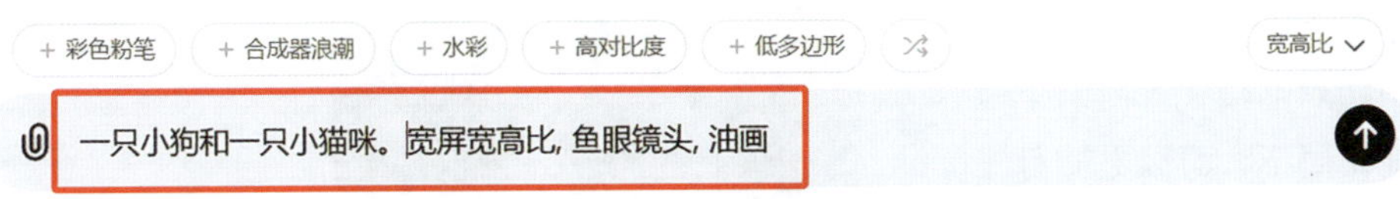

图 3-12　自然语言风格的提示词

发送给 DALL · E 以后，等待片刻，即可得到若干张风格相近的图片，如图 3-13 所示。我们可以任意选择并进行下载保存。

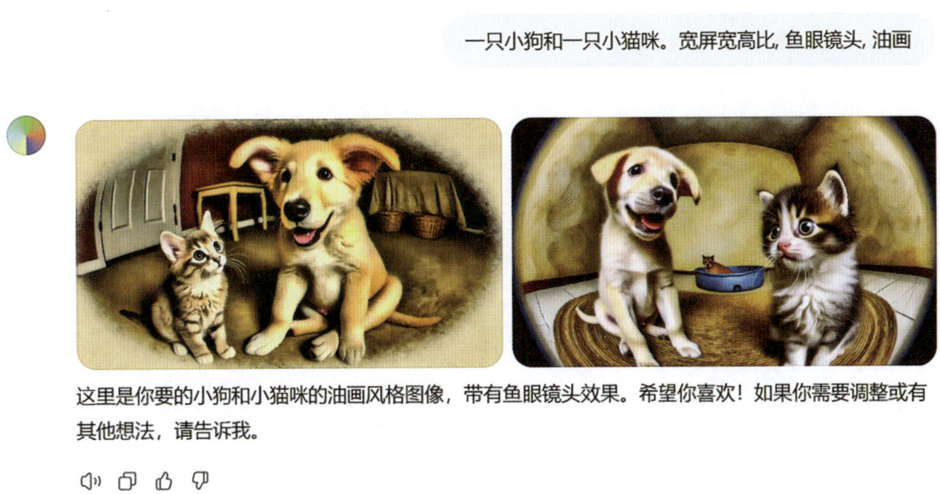

图 3-13　图片生成结果

接下来，再次尝试生成其他风格的图片，提示词如图 3-14 所示。

图 3-14　生成图片

点击其中一张图片，此时界面会发生变化，左侧是大图预览模式，右侧则是对话模式。在这个界面布局下，可以更加专注地围绕图片创作，如图 3-15 所示。

图 3-15　大图预览

在图片预览区域的右上方，有一个感叹号小按钮，点击以后，可以反向查找到这张图片的提示词，如图 3-16 所示。将来若是想要得到类似风格的图片，就可以使用这个提示词。由于这个提示词更为详细，所以生成出来的图片也就更为稳定。

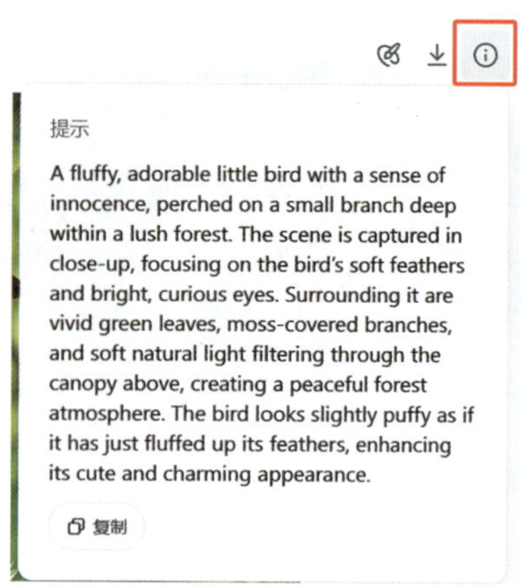

图 3-16　DALL · E 生成的提示词

在右上角的工具栏中，还有一个非常重要的“画笔”工具，如图 3-17 所示。可以理解为手动选择一个区域，在不影响选区外画面的情况下，对选区内的图像进行修改、调试。

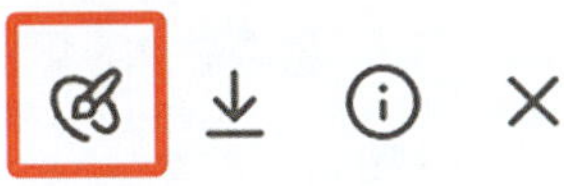

图 3-17　画笔工具

图 3-18　输入细节提示词

比如，可以让这个小鸟的眼睛稍大一点。在右下角的对话框中输入内容即可，如图 3-18 所示。

DALL · E 会给我们提供两个相似的结果，如图 3-19 所示。

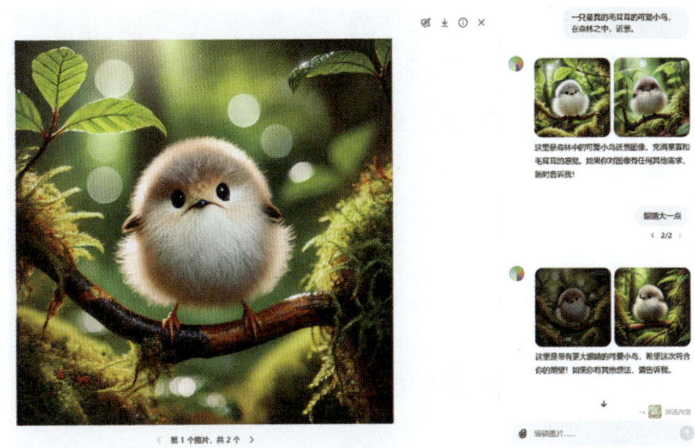

图 3-19　完成细节调整

下面演示 DALL · E 更换图片风格的功能。首先，让 DALL · E 生成一张图片，如图 3-20 所示。

图 3-20　生成图片

接下来输入提示词，让这张图片变为水彩风格，如图 3-21 所示。

图 3-21　修改图片风格

在对话框的左侧，还有一个回形针的按钮，可以点击此按钮手动添加参考图，也可以将参考图文件拖曳到 GPT 的工作界面中，如图 3-22 所示，让这张图片作为依据和参考。

图 3-22　上传参考图文件

上传完成后，输入提示词，如图 3-23 所示。这一次让风格变化剧烈一些。

图 3-23　输入提示词

此时，DALL · E 将原来写实的风格转换为了科幻的风格，如图 3-24 所示。

图 3-24　转换图片风格

除了基础版 DALL · E 以外，还可以使用第三方提供的基于 DALL · E 开发的生图工具，如图 3-25 所示。在“探索 GPT”页面中，找到热门趋势，点击“image generator”。或者在搜索栏中手动输入名称。

跳转到介绍页后，点击下方的“开始聊天”按钮，如图 3-26 所示。

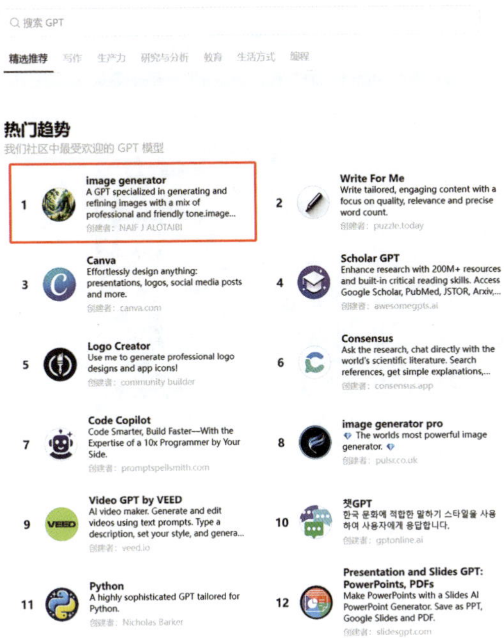

图 3-25　点击 image generator

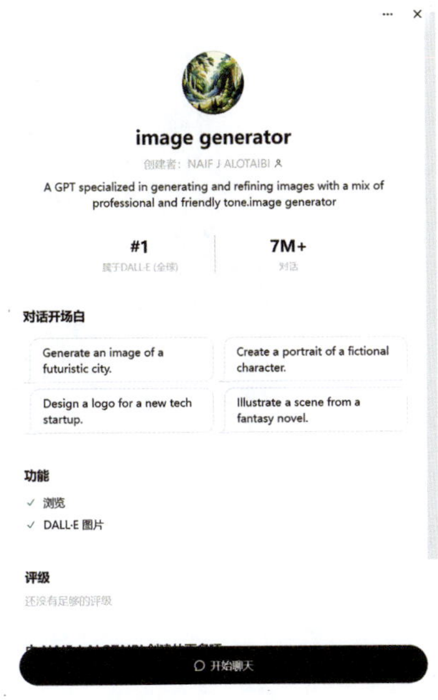

图 3-26　介绍页

进入以后，同样可以输入提示词，如图 3-27 所示。也可以点击系统推荐的提示词作为新手引导，学习它的用法。

图 3-27　工作台

输入系统预设提示词以后，就会生成一张图片。不过此时它是英文的，如图 3-28 所示。

Generate an image of a futuristic city.

Here's the futuristic cityscape you requested! Let me know if you'd like any adjustments or additions—maybe more greenery, different lighting, or specific architectural features.

图 3-28　英文对话

如果用中文与它进行对话，DALL · E 也能用中文回答，如图 3-29 所示。

帮我生成一张攀越高山的图。

这是攀越高山的场景！如果你想调整某些细节，比如天气、环境或者登山者的装备，请告诉我，我可以为你进行修改。

图 3-29　中文对话

3.2.2 万能自媒体图片素材——豆包 AI

在之前的章节中，已经介绍了豆包强大的文字处理功能。本节，我们进一步了解它的图片功能。进入豆包的工作台以后，在左侧的工具列表中，找到“图像生成”栏目，右侧会有海量的模板可供选择，如图 3-30 所示。

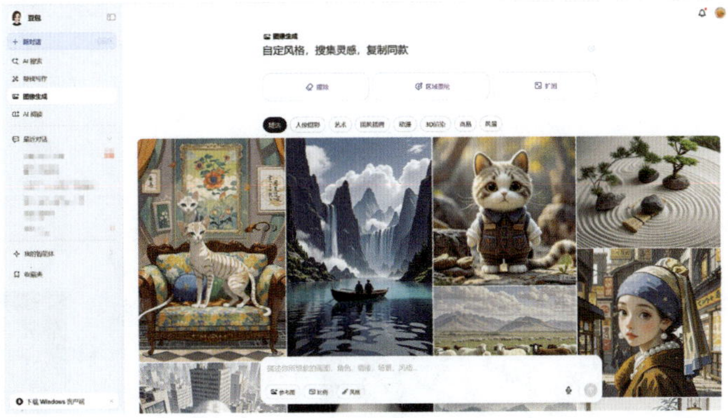

图 3-30　豆包图像生成

在右侧的上方，有三个按钮，这也是豆包图像的重要功能，分别是擦除、区域重绘、扩图，如图 3-31 所示。

图 3-31　豆包图像的主要功能

点击三个按钮中的任意一个，都会提示我们从本地上传一张图像，如图 3-32 所示。因为这是图像修改功能，需要基于一张图像才能完成操作。此处选择“扩图”功能。

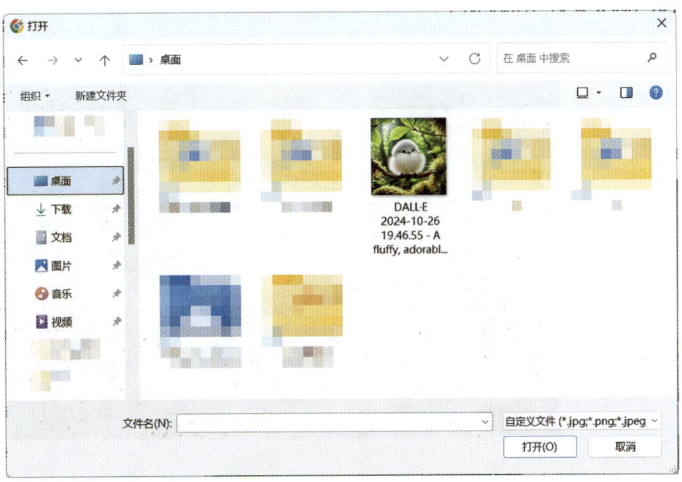

图 3-32　上传本地图像

上传完成以后，我们可以拖曳图片上的方框，任意扩展图片，也可以点击右上方的图片比例修改图片尺寸，如图 3-33 所示。

选择 16：9 的比例以后，选框的左右两侧是空白的内容，豆包 AI 会根据给出的参考图内容，自动填充这个空白区域，如图 3-34 所示。

图 3-33　扩展图片

图 3-34　选择图片比例

填充完成以后，可以看到效果是非常自然的，如图 3-35 所示。

图 3-35　图片空白填充完成

下面演示“擦除”功能。顾名思义，这个功能可以移除图片中的某些物体，并且保留其他的内容，如图 3-36 所示。

图 3-36　擦除功能

图 3-37　涂抹区域

选择“擦除”功能以后，鼠标会变成画笔工具，可以在图像上涂抹，以选择修改的区域，如图 3-37 所示。涂抹完成以后，点击下方的“擦除所选区域”按钮。

涂抹完成以后，可以看到树枝上的叶子被自然地移除了，如图 3-38 所示。

图 3-38　移除后的图片效果

豆包提供了非常多的模板，将鼠标移动到图片上方，就会出现该图片的提示词，下方会有一个“做同款”按钮，如图 3-39 所示，点击这个按钮，对话框就会出现一个提示词模板。

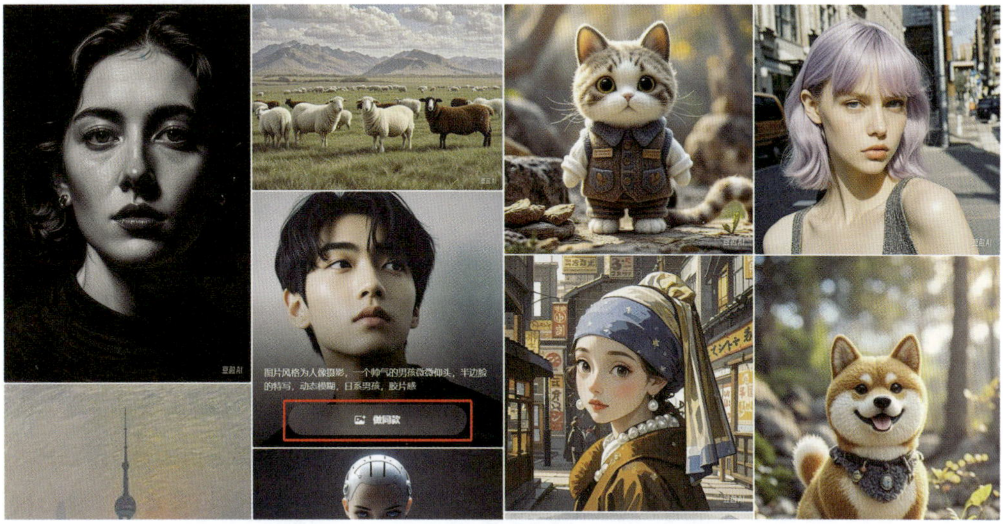

图 3-39　做同款模板

这个模板可以进一步修改。增加或删除里面的提示词内容都是可以的，如图 3-40 所示。

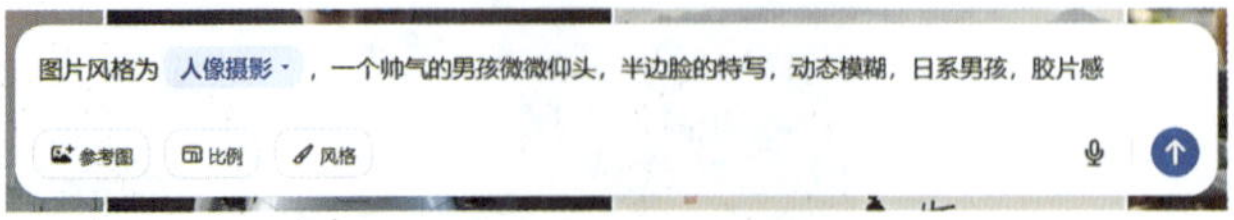

图 3-40　提示词模板

点击提示词上的“人像摄影”按钮，可以切换图像的视觉风格，如图 3-41 所示。豆包提供了非常多的风格品类，并放上了该风格的效果图，方便我们挑选。

图 3-41　图像风格设置

在对话框的下方，有三个按钮，分别是“参考图、比例、风格”，之前已经讲过参考图与风格的内容，接下来点击“比例”，如图 3-42 所示。

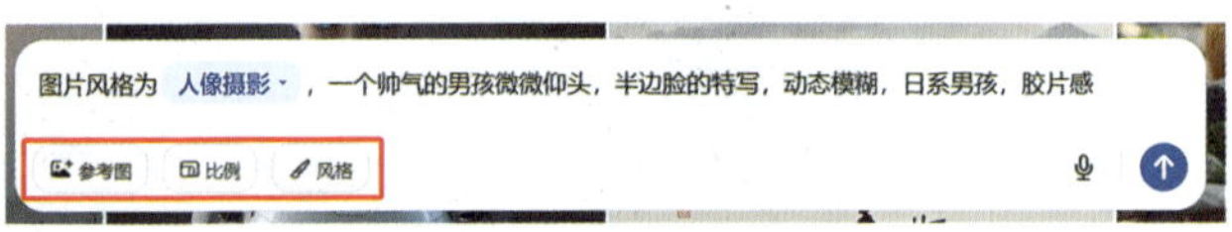

图 3-42　功能按钮

若是对图片比例不够了解，在豆包的比例设置中，会对每一个比例进行解释。根据描述，选择适合自己的比例，如图 3-43 所示。这里选择 4 : 3 的比例。

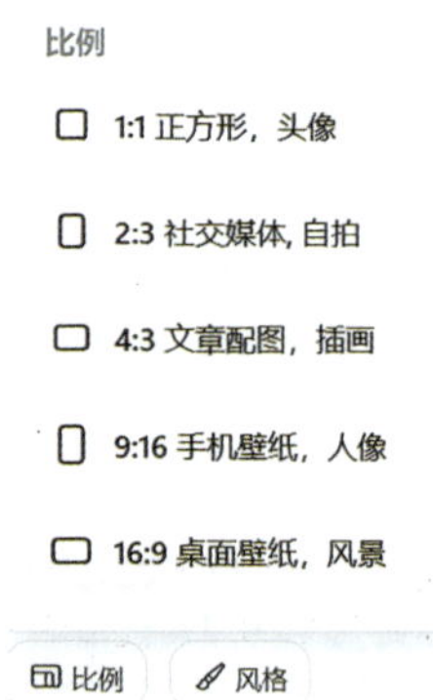

图 3-43　选择图片比例

点击发送以后，豆包会生成四张图片，如图 3-44 所示，尽可能地满足我们的需求。每一张图片都是可以下载、修改的。

图 3-44　图片生成结果

豆包的图像画廊根据图像的类型进行分类，包括：人像摄影、艺术、国风插画、动漫、3D 渲染、商品、风景。每一个门类下的图片效果有所不同，以方便理解豆包图像的能力，如图 3-45～图 3-51 所示。

图 3-45　人像摄影

图 3-46　艺术

图 3-47　国风插画

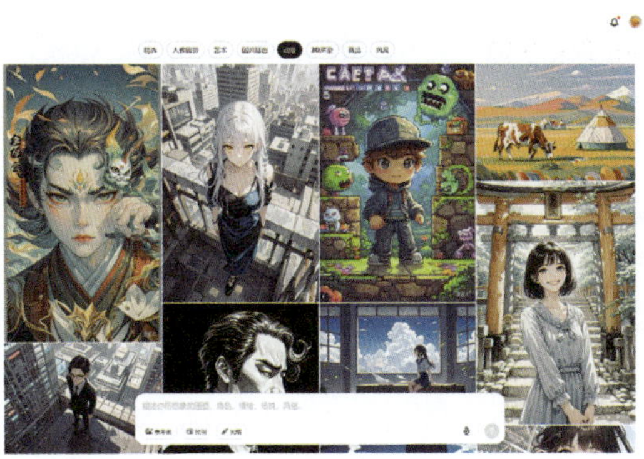

图 3-48　动漫

图 3-49　3D 渲染

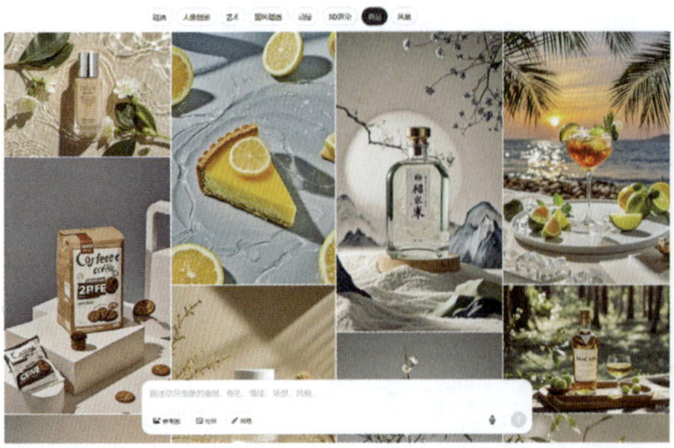

图 3-50　商品

图 3-51　风景

接下来了解一下豆包的智能体。在豆包中，可以利用第三方的智能体创作图片，如图 3-52 所示。在工作台的左侧找到“我的智能体”，点击“发现 AI 智能体”，在右侧的分类中，点击“绘画”，就可以找到当前的绘画智能体。

图 3-52　豆包绘画智能体

选择“王家卫风格头像”智能体，点击下方提供好的提示词“长发女性”，如图 3-53 所示。

图 3-53　选择智能体

此时，豆包智能体会生成4张相近风格的图像，如图3-54所示。

图3-54　生成结果

从绘画智能体中，再挑选另外一个智能体——“国风山水画”。点击下方的“寺院”，或者手动输入寺院，发送给豆包，如图3-55所示。

图3-55　输入提示词

完成后的效果如图3-56所示。由于选择的是有针对性的智能体，所以并不需要输入复杂的提示词来限定图像的风格。这就是智能体的方便之处。

图3-56　图像生成

3.2.3 电商神器——堆友 AI

堆友是一个非常强大的 AI 图像解决方案，如图 3-57 所示，它主要针对的是电商领域的 AI 创作，但绝不仅仅是服务于电商行业。因为它拥有强大且灵活的各类工具，非常适合生成各式各样的图像。本节会更全面地介绍堆友的绝大多数功能。

图 3-57 堆友官网

如果想要全面深入地了解堆友的使用方式和技巧，官方也编写了非常详细专业的教程，如图 3-58 所示。在教程页面中，可以根据自身需求，选择学习的部分。相比之前学习的豆包和 ChatGPT 来说，堆友会更加复杂、专业，因为它基于多种 AI 工具开发，比 如 Stable Diffusion。原本需要将其部署到本地，并且需要使用强大的本地显卡算力才能正常使用，如今，只需要打开堆友的网页就可以使用。

图 3-58 堆友官方教程

首页最为常用的模块是“AI 反应堆”，也是用 AI 生成图像的模块，如图 3-59 所示。

图 3-59 AI 反应堆

进入之后，会有一个比较复杂的工作台（相比前面介绍的AI工具）。但是，使用逻辑还是较为简单清晰，并且功能要更为强大，如图3-60所示。工作台分为经典生图、专业创作、工作流模式、模型训练4个模式。由于篇幅有限，我们重点讲述的是“经典生图”模式，也是最为简单和常用的模式。

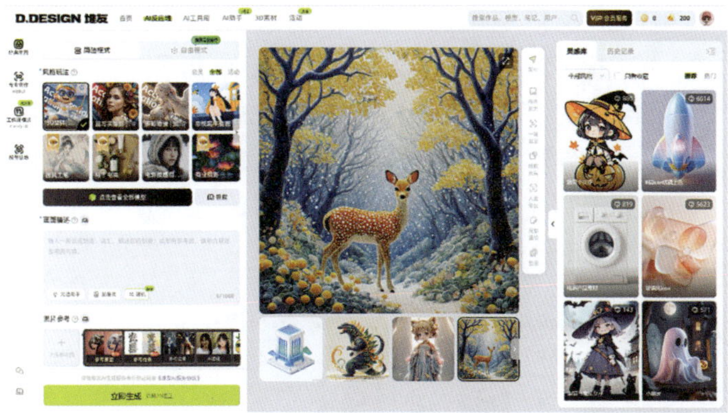

图3-60　经典生图的工作台

在左侧，可以切换到专业创作模式，也称为WebUI模式，如图3-61所示。在这个模式中，最大的区别就是新融入了“反向词”的概念，虽然经典生图模式中也有这个功能，但是大多数情况下可以不使用。在专业创作模式中，我们可以选择Stable Diffusion的不同模型、生成参数、LoRA等。这部分内容相对复杂，可以先了解最为基础的经典生图，之后再去学习它。

图3-61　专业创作WebUI模式

WebUI的布局是传统的页面布局，并不具备灵活部署和调整的功能。基于此，就诞生了工作流模式Comfy UI，如图3-62所示。在这个模式下，我们可以快速地看到各类参数之间的关系，也可以很

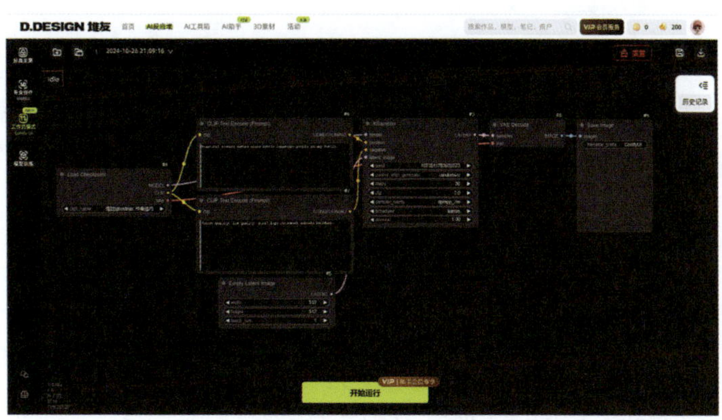

图3-62　工作流模式Comfy UI

快地调整和转换各模块之间的关系。优点就是更为灵活，但是难度也更大。

模型训练是一个比较特殊的工作流程。当市面上现有的模型无法实现我们想要的效果时，可以使用这个功能。比如，我们想要 AI 帮忙生成一些具有未来主义粗犷风格的建筑设计，市面上并不一定能够找到满足我们需求的 AI 模型。这时就可以将类似的图片上传到模型训练，如图 3-63 所示。通过学习，让它生成和我们参考图风格类似的图像。

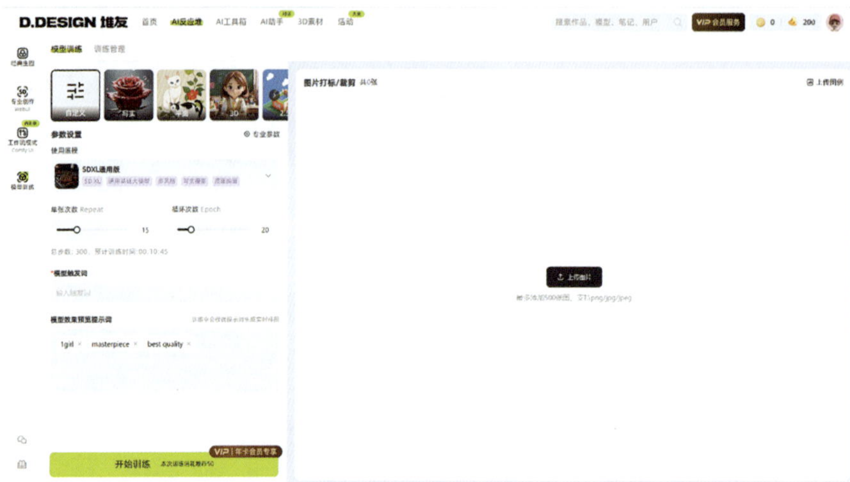

图 3-63　模型训练

介绍完整个 AI 生图的功能以后，我们正式开始经典生图模式的学习，如图 3-64 所示。在经典生图的工作流中，有简洁模式和自由模式两种。前者更为简单，后者则融入了更多的参数。

为了让 AI 理解我们的需求，我们需要通过提示词（“咒语”）与 AI 进行沟通。不同于对话式 AI 的直觉式沟通，在这里，我们需要对 AI 提示词进行一定的优化。第一次上手时，不一定能够掌握提示词的运用方式。贴心的是，堆友给我们提供了“咒语助手”功能，方便我们通过点击选择咒语的方式，快速理解书写提示词的方法和规范。咒语助手功能分为画质提高、镜头构图、人物及主体等。根据自身需求，挑选咒语即可，如图 3-65 所示。

图 3-64　经典生图模式

图 3-65　咒语助手

此外，堆友还提供了“随机”的功能，我们可以点击这个按钮，让 AI 一键生成“咒语”，如图 3-66 所示。根据 AI 生成的内容，我们可以多多学习书写“咒语”的方法。

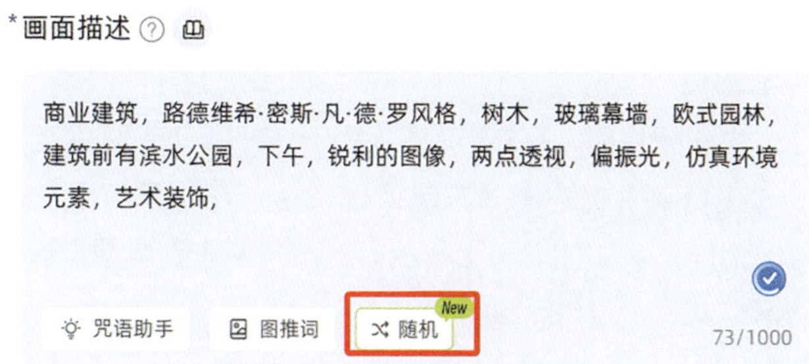

图 3-66　随机咒语功能

在下方按钮中，还有一个“图推词”的功能，在 ChatGPT 中也有类似的功能。上传一张图像，AI 可以反推提示词。下面我们在本地上传一张图片，如图 3-67 所示。

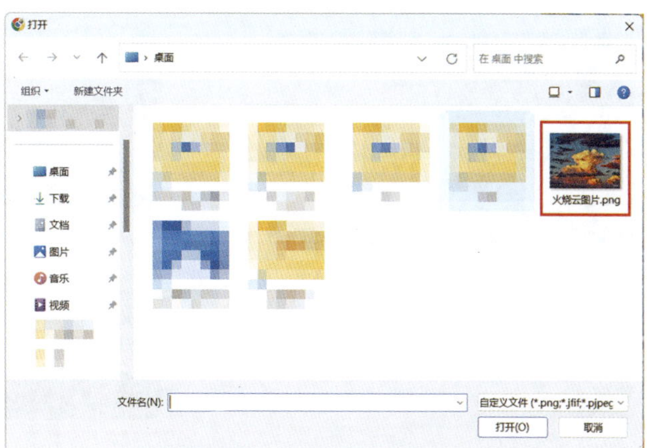

图 3-67　上传本地图片

此时堆友就会根据这张图片，反推出提示词，如图 3-68 所示。可以根据这个提示词，生成相似的图片。

紧接着，可以在下方选择图片的尺寸，以及生成图片的数量，如图 3-69 所示。之后，我们可以点击下方的“立即生成”按钮。

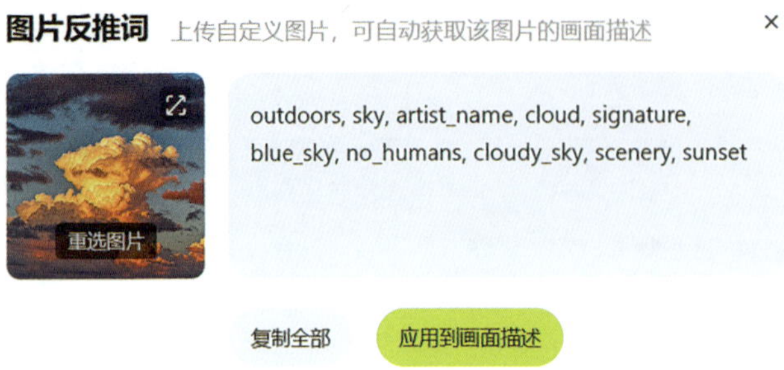

图 3-68 图片反推提示词

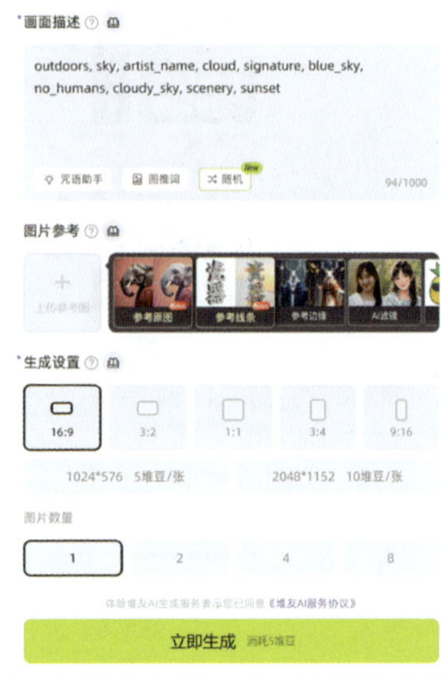

图 3-69 图片尺寸与数量

生成图片后，在右侧可以进一步修改，如图 3-70 所示。

在简洁模式的最上方是风格玩法。在这里可以选择不同的模型，可以理解为图片风格样式，如图 3-71 所示。点击“点击查看全部模型”按钮，可以挑选不同类型的模型。

图 3-70 生成图片

图 3-71 查看全部模型

可以根据自身需求挑选不同的模型，前面大致解释过，模型可以被简单地理解为 AI 学习一系列类似图像后，总结出来的规律，如图 3-72 所示。在这之后，AI 会通过这个规律，生成类似风格的图像。所以选择一款符合自己需求的模型，更有可能得到满足自身需求的图像。

现在来介绍“自由模式”。这个模式是介于简单与复杂之间的模式，参数更多，操作却不算复杂，如图 3-73 所示。可以理解为和“简洁模式”比较接近，但是参数稍微多了一些。

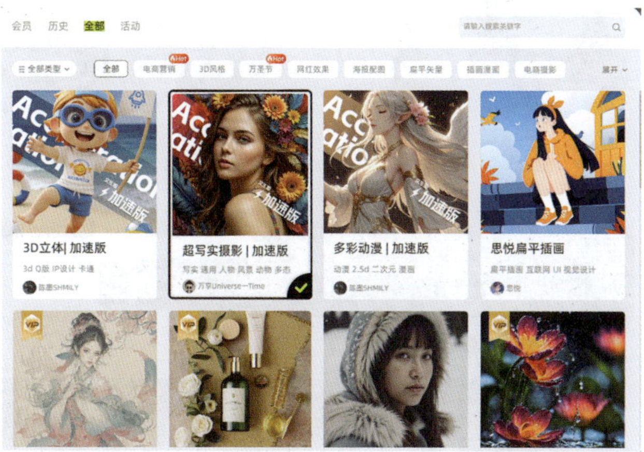

图 3-72　挑选模型

图 3-73　自由模式

在一开始，我们需要选择一个底层模型，它是指特定内容 / 风格的预调模型，能较好地产出与对应模型描述相关的图片，如图 3-74 所示。

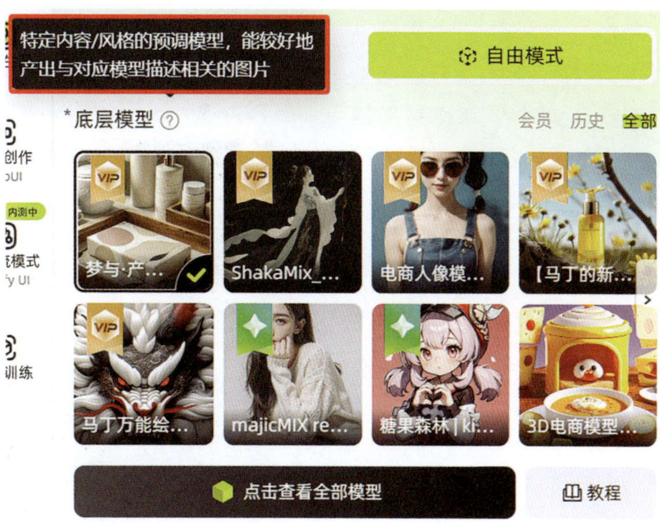

图 3-74　底层模型

底层模型有非常多不同的选择，我们先选择与产品包装摄影相关的模型，如图 3-75 所示。

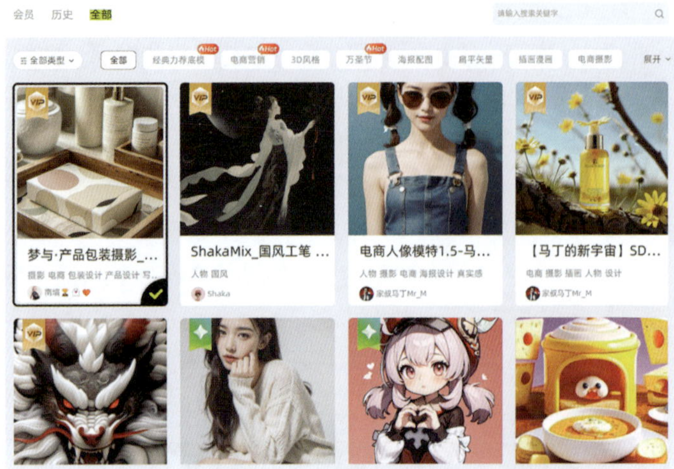

图 3-75 选择一个底层模型

接下来可以选择增益效果，在底层模型基础之上更好地调用特定的人、物、风景、设计内容、画面风格等的模型，对所需的图片效果做精准调用，如图 3-76 所示。

图 3-76 选择增益效果

增益效果本身也是模型，可以在这里挑选不同类型的模型，如图 3-77 所示。

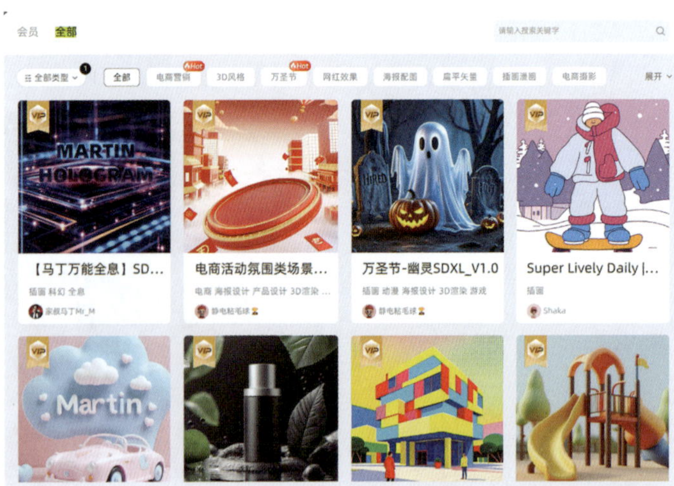

图 3-77 增益效果模型

挑选一个电商活动氛围模型，如图 3-78 所示。选择以后，可以手动设定参考的程度，当前是 0.8。

输入如图 3-79 所示的提示词，也可以点击“随机”按钮。完成后就可以生成图片了。

图 3-78　设定参考程度

图 3-79　输入提示词

生成后的结果如图 3-80 所示。

在画面描述的下方，有一个“负面描述”版块，在这里可以添加负向提示词，如图 3-81 所示。负向提示词可以理解为希望场景中不要出现的内容。完成后，再次生成图片。

图 3-80　生成图片

图 3-81　负面描述

可以看到，场景中已经没有了杂物、自然和草地，如图 3-82 所示，取而代之的是整洁的场景。

在高级参数中，包含了采样方法，如图 3-83 所示。在这里可以设置不同的采样方法。堆友给每一个采样方法都标记了中文的描述，方便我们根据需求挑选采样方法。

图 3-82　负向提示词的作用

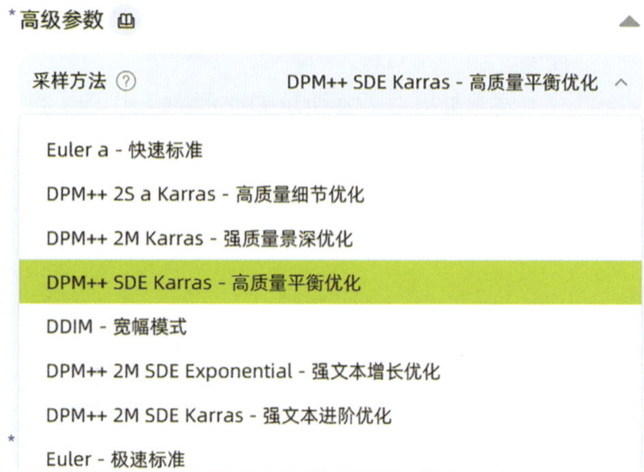

图 3-83　采样方法

接下来，重点介绍堆友的“AI 工具箱”特色功能，这些功能原本是为电商从业人员设计的，但现在已经得到了许多行业的青睐。这里有顽兔抠图、一键消除、AI 商品图、鹿班营销图、模特换肤、创意融合、AI 艺术字、高清放大、堆友相机，如图 3-84 所示，每一个功能都能应用到日常的图片处理工作中。

图 3-84　AI 工具箱

首先，来了解“顽兔抠图”这项功能。本质上，它就是保留主体物，去除杂物和背景，但是堆友的这项功能不仅效果好，而且非常容易上手。图 3-85 中就有它的图文介绍，三步就能搞定抠图。

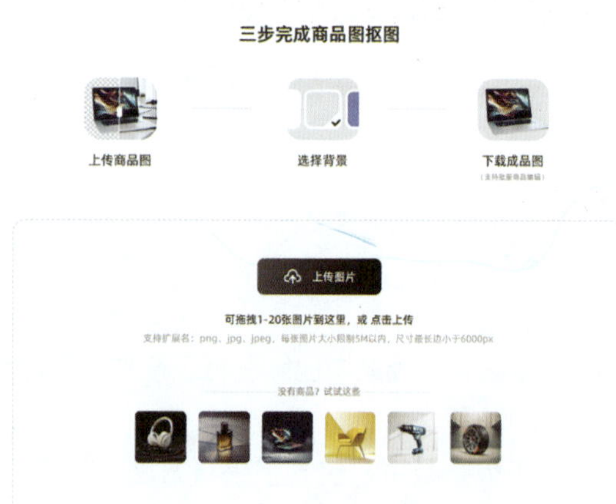

图 3-85　顽兔抠图

首先上传一张图片，如图 3-86 所示，可以一次性上传 20 张。

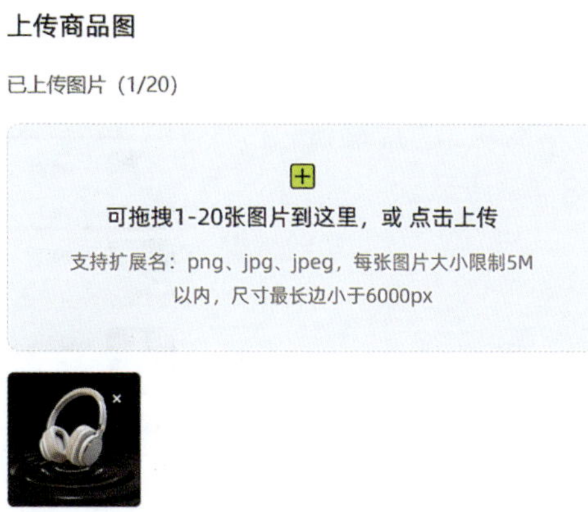

图 3-86　上传本地图片

抠图完成之后，可以选择新的背景图进行融合。如图 3-87 所示，点击“继续加工”按钮。

图 3-87　融合新背景

可以看到，堆友不是简单地添加一个背景图，而是将物体和背景进行了深度融合，我们能看到物体在背景上的阴影，如图 3-88 所示。

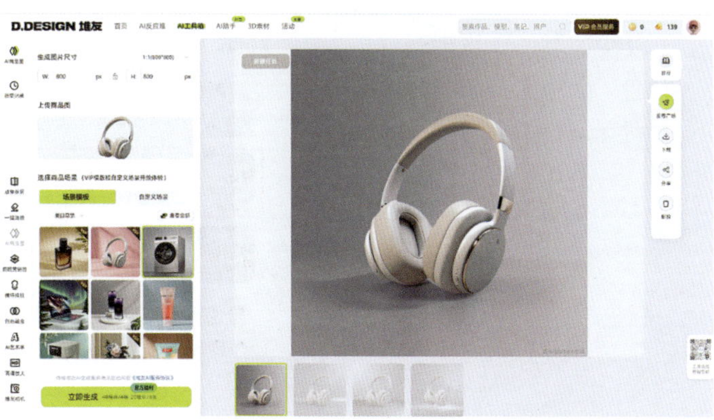

图 3-88　深度融合

下面介绍“一键消除”的功能，这个功能可以去除水印、图片瑕疵，如图 3-89 所示。

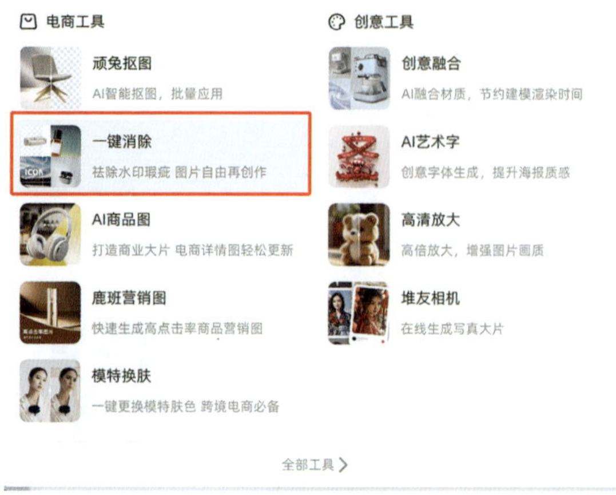

图 3-89　一键消除

选择一张有水印的图片上传到堆友中，就可以让 AI 去除这个水印，得到一张清晰无水印的图片，如图 3-90 所示。

图 3-90　去除水印

利用“AI 商品图”可以快速制作一张电商详情图，丰富图片的效果，如图 3-91 所示。

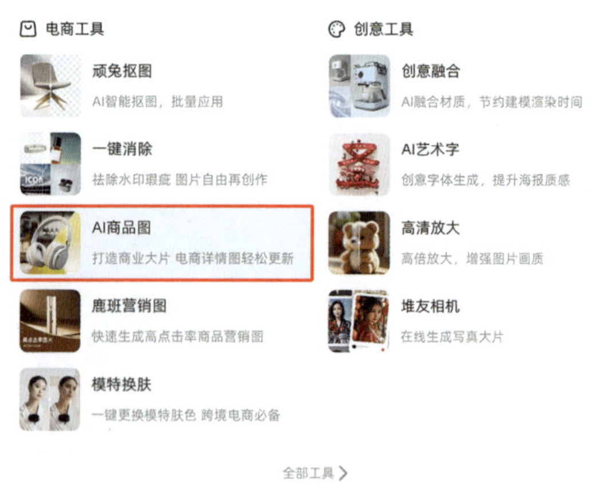

图 3-91　AI 商品图

需要上传一张背景比较纯净的商品图，如图 3-92 所示。如果没有，可以使用堆友的抠图功能制作，再选择场景，最后使用 AI 融合创作。

图 3-92　商品图制作流程

“鹿班营销图”是一个快速制作商品海报的功能，如图 3-93 所示。原本需要设计师、美工花费较长时间制作的内容，如今只需要一键就能完成。

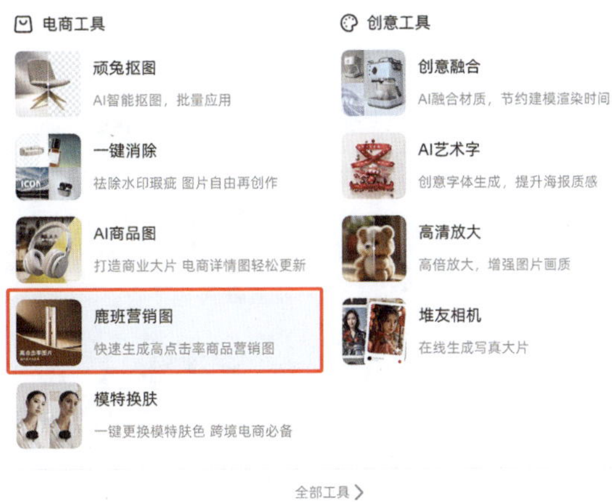

图 3-93　鹿班营销图

图 3-94 就是鹿班制作出来的商品营销图，我们只需要上传一张耳机图片即可。

图 3-94　一键生成商品营销图

除了对商品进行修图和处理以外，AI 工具箱还提供了对模特的修改功能，如图 3-95 所示。

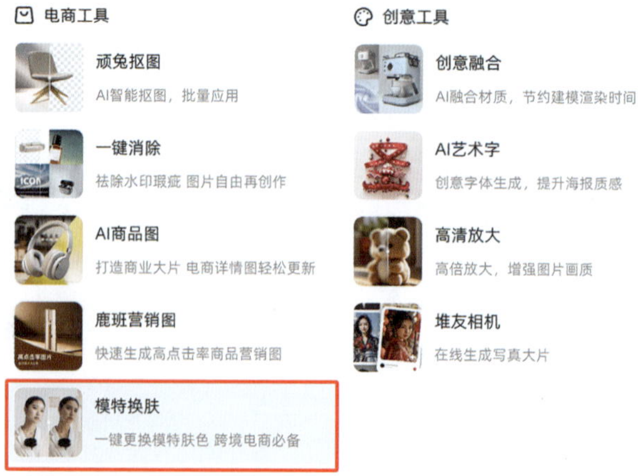

图 3-95　模特换肤

在这里可以选择不同的模特、发色、场景，能够非常自然地融合，如图 3-96 所示。

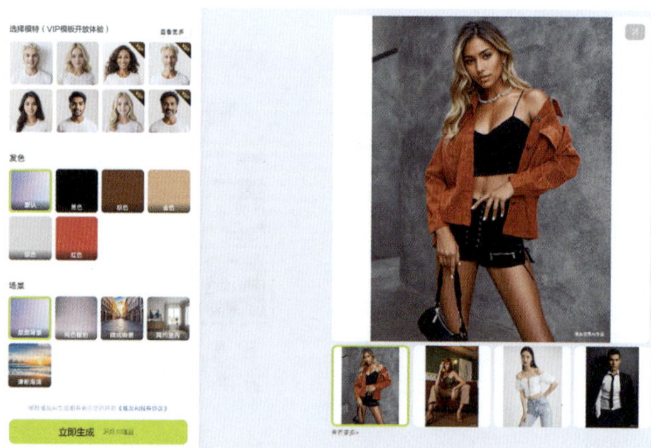

图 3-96　选择模特、发色、场景

在 AI 工具箱中，还能对 3D 元素进行处理。在创意融合功能中，可以融合材质，节省建模渲染时间，如图 3-97 所示。

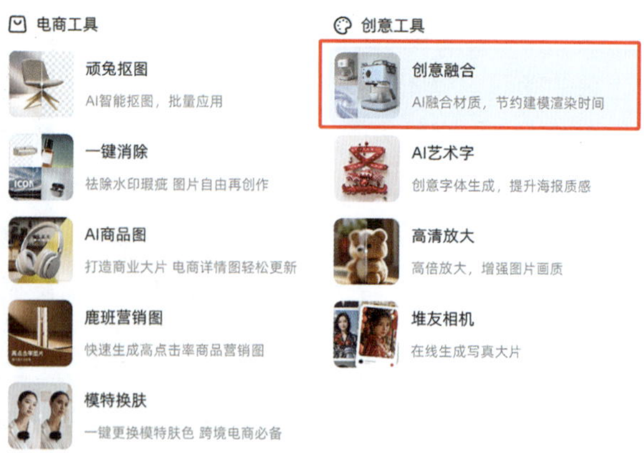

图 3-97　创意融合

首先需要选择渲染模式，然后再选择融合的风格，如图 3-98 所示。

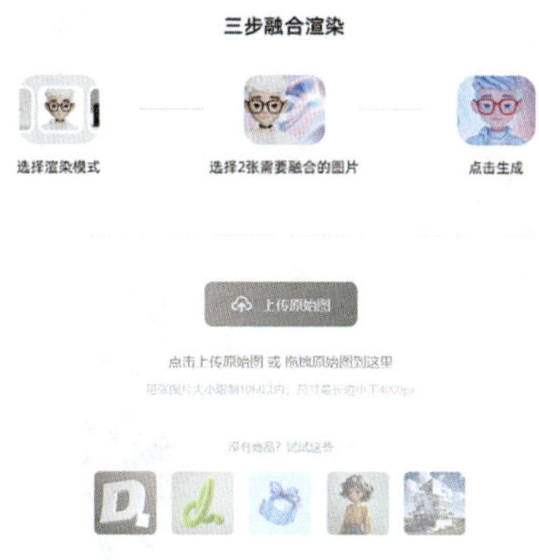

图 3-98　融合渲染

在这里可以选择不同的渲染模式，选择“融合渲染”，选择原始图，再选择融合目标图，如图 3-99 所示。堆友已经给了许多参考的案例和样式。一开始可以遵循这些样式进行融合练习，一旦了解了它的大致用法，就可以自己上传图片融合内容。可以看到原始图经过 AI 计算以后，已经拥有了融合目标图的气球褶皱感。

图 3-99　上传图片

再来试一组。可以仔细观察原始图、融合目标图与最后的生成结果之间的关系，如图 3-100 所示，有助于日后举一反三。

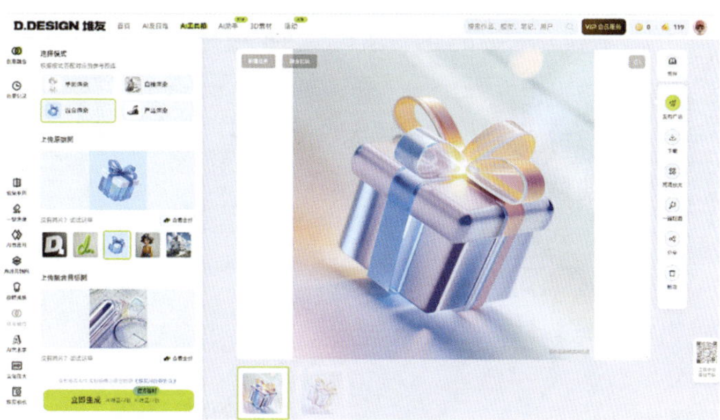

图 3-100　融合图片

在设计海报的过程中，艺术字是一个非常重要的元素，如图 3-101 所示。往往需要花费大量的时间构思与制作。如今，设计师可以通过 AI 工具快速创作艺术字。

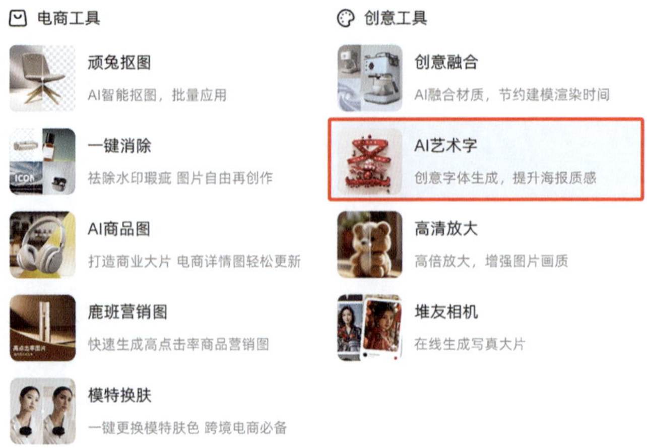

图 3-101　AI 艺术字

如图 3-102 所示就是利用 AI 生成的艺术字，如果运用传统的方式去制作，将耗费大量的时间。

图 3-102　艺术字生成结果

高清放大的用法相对简单，也非常实用，我们可以将模糊的图片上传后，使其更清晰，细节也更多，如图 3-103 所示。可以将原始图片分辨率提升 4 倍、9 倍、16 倍。

图 3-103　AI 高清放大

堆友相机是一个创作个人数字人的功能，如图 3-104 所示。我们可以利用这个功能快速创作个人写真。

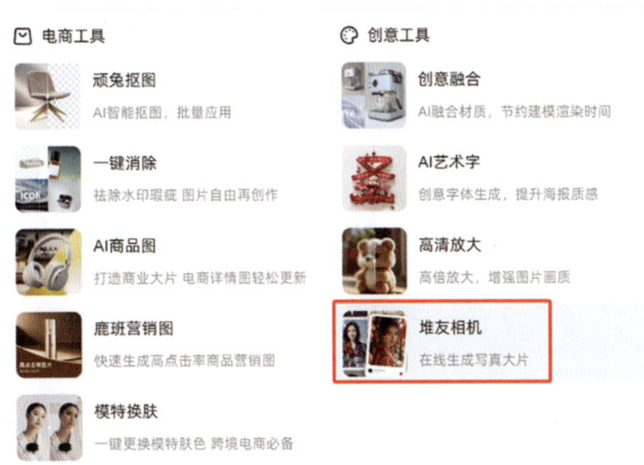

图 3-104　堆友相机

堆友相机的使用流程同样是分为三步，如图 3-105 所示，包括制作分身上传照片、选择分身模板、生成完成查看照片。

图 3-105　堆友相机的使用流程

选择不同类型的主题，如图 3-106 所示。只需要上传个人照片，就可以生成非常漂亮精致的写真。

图 3-106　创建数字分身

堆友还有专门的AI助手，类似于ChatGPT，但是它专门服务于设计行业的从业人员，如图3-107所示。

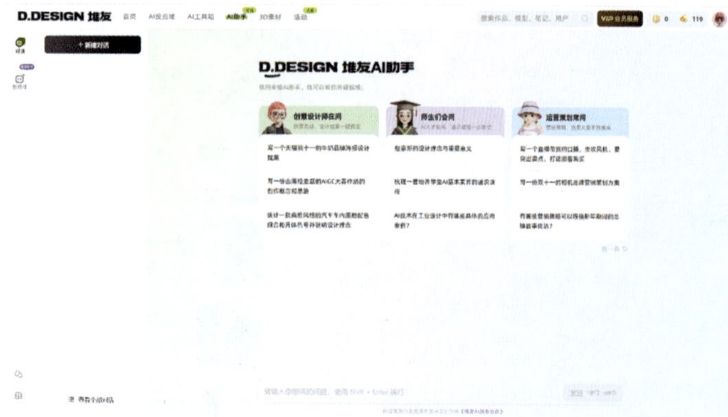

图 3-107　AI 助手

如图3-108所示是与AI之间的对话，我们可以咨询堆友关于设计的问题。

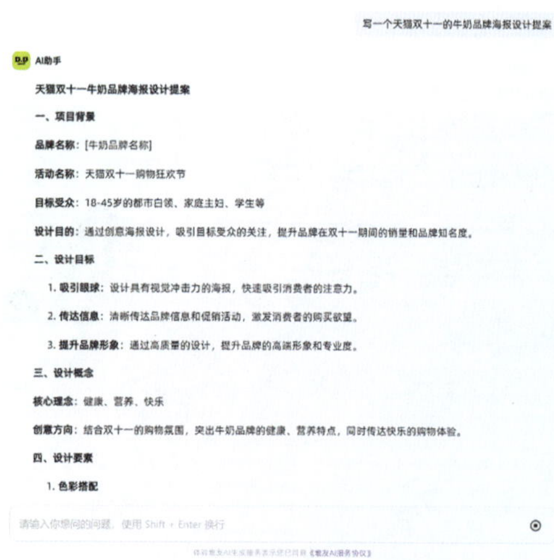

图 3-108　与 AI 对话

3D素材也是堆友的一个特色功能，如图3-109所示。在这里可以快速调用3D模型，并下载图片效果图。

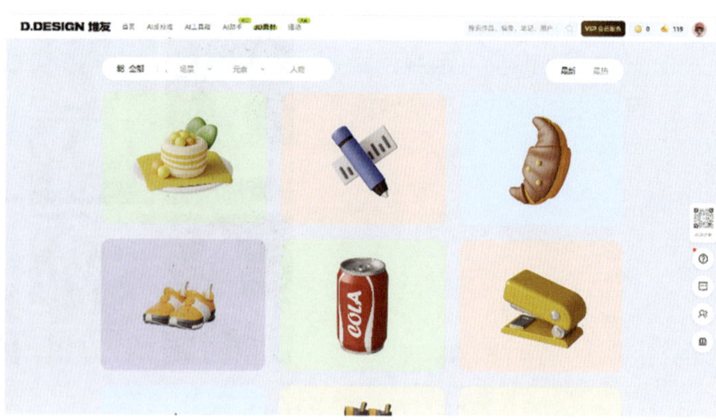

图 3-109　3D 素材

点击一个模型以后，我们可以选择不同颜色的背景、曝光等属性，如图3-110所示。调整好角度以后，可以点击右下方的“下载图片”按钮。

图 3-110　调整 3D 素材

还可以调整3D人物，堆友提供了许多3D角色供选择，如图3-111所示。我们就选择默认的第一个。

图 3-111　3D 人物

在这里可以任意调整人物的各种造型和角度，如图3-112所示，包括表情、发型、眉毛、眼镜、衣服、配饰等。

图 3-112　调整人物造型

调整后的样子如图3-113所示。这个功能在许多游戏中经常出现，如今可以通过一个网页程序快速使用。

图 3-113　调整完成 3D 角色

堆友还提供了3D场景，其中也包含了角色，如图3-114所示。在界面的左侧，可以选择不同的场景。

图 3-114　3D 场景

场景中的所有元素，都是可以任意移动的，如图3-115所示，可以根据自身需求调整到合适的位置和角度。

图 3-115　移动 3D 元素

堆友推送的当下热门的 AI 活动如图 3-116 所示，方便快速查阅相关活动和比赛。

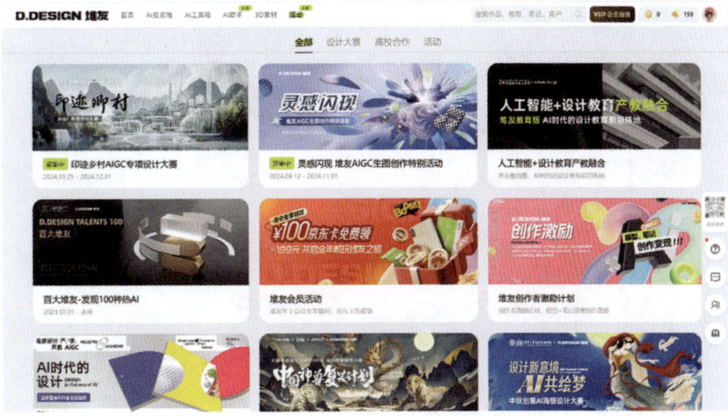

图 3-116　AI 热门活动

3.2.4　新媒体 AI 排版——稿定设计

稿定设计原本是针对设计师制作宣传物料而诞生的网页工具，不过，随着这些年的迭代和发展，已成为越来越方便和快捷的工具，使得更多行业的用户开始使用。

比如如果想要制作宣传册、请帖、小红书笔记、微信插图等内容，自己却不是很擅长设计，就可以借助稿定设计的平台，快速使用大量素材和模板，制作出精美的物料。简单来说，就是让设计这件事情变得更容易，让没有设计基础的人也能立刻制作海报。

本节重点介绍稿定设计的 AI 功能，加入 AI 功能以后的稿定设计，会进一步根据用户的需求，生成适合我们的内容，如图 3-117 所示。下面，让我们进入稿定设计的学习。

图 3-117　稿定设计官网

在首页，我们能看到稿定设计已经发展到了针对不同的平台，有不同的素材内容和功能可供选择。这些平台包括小红书、公众号、电商、教育培训、短视频、金融保险、政务媒体、粉丝应援、个人生活等，如图 3-118 所示。

紧接着在下方罗列了稿定设计中常用的工具：创建设计、AI 设计、AI 绘图、AI 素材、AI 文案、批量抠人像等，如图 3-119 所示。

常用物料包括：海报、LOGO、公众号首图、PPT 模板、小红书配图、长图海报等，如图 3-120 所示。

在左侧的工具栏中，选择“稿定 AI”，在右侧可以看到当前稿定设计提供的大量 AI 工具，如图 3-121 所示。

其中就包含了小红书大字封面、小红书科普攻略、小红书人物封面、小红书插画封面、小红书图文封面、公众号首图、LOGO 等，如图 3-122 所示。

图 3-118　稿定设计的应用平台

图 3-119　常用工具

图 3-120　常用物料

图 3-121　稿定 AI

图 3-122　AI 设计分类

在下方，还有“AI 灵感精选”模块。在这里有许多 AI 生成的图片。一方面可以了解 AI 生图的强大功能；另一方面可以快速选择自己喜欢的风格，立刻使用 AI 制作同款，如图 3-123 所示。

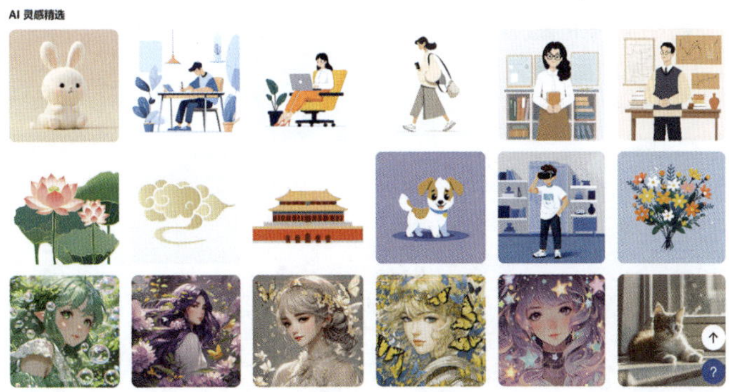

图 3-123　AI 灵感精选

在左侧工具栏中，点击“稿定模板”，可以看到非常多样的海报模板，如图 3-124 所示。上方有筛选工具，可以根据渠道、物料、行业等条件筛选不同的海报。当我们不太会平面设计或者快速出图的时候，可以使用模板功能。

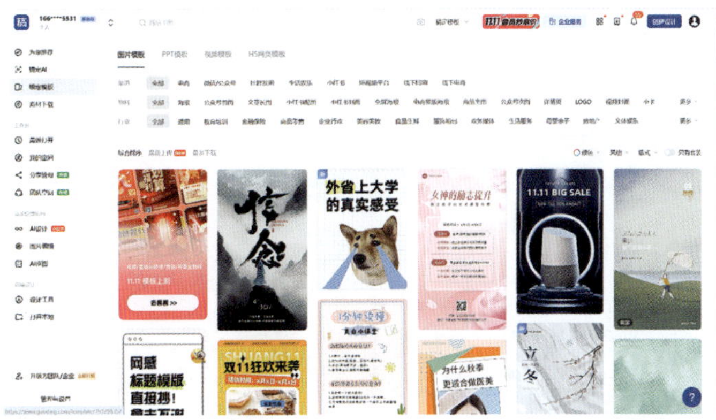

图 3-124　稿定模板

除了制作完整海报以外，还可以在稿定设计中，挑选大量的行业新潮素材，如图 3-125 所示。这些素材都是针对时下热门话题、活动所推送的，从而可以避免选择过时的素材制作出一些不太新颖的内容。

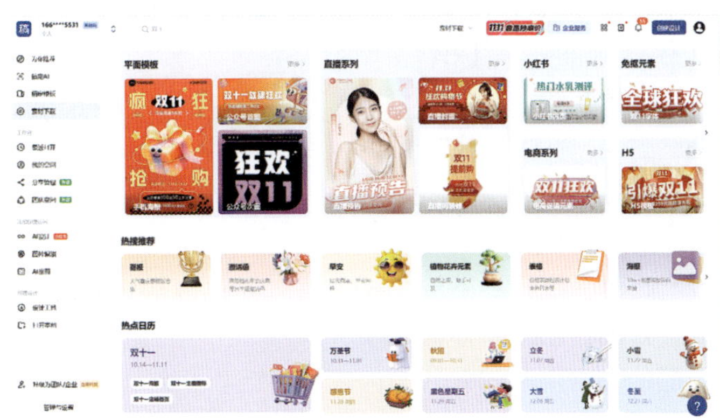

图 3-125　素材下载

图 3-126　AI 设计栏目

在左侧的菜单栏中找到“AI 设计”栏目，如图 3-126 所示。

在“稿定 AI”页面中，一共分为四类：设计、绘图、素材、文案，如图 3-127 所示。接下来重点讲解这些内容。

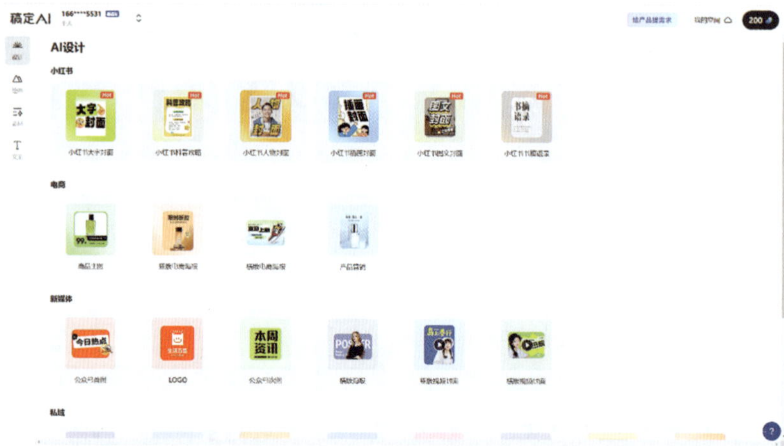

图 3-127　稿定 AI 的分类

在 AI 设计中，专门有针对小红书、电商、新媒体、私域的工具。首先来讲解 AI 设计中的小红书素材工具，如图 3-128 所示。在这里，将常用的小红书笔记进行了分类：小红书大字封面、小红书科普攻略、小红书人物封面、小红书插画封面、小红书图文封面、小红书书摘语录。我们先点击第一个“小红书大字封面”。

图 3-128　小红书笔记分类

此时会跳转到下一个页面，如图 3-129 所示。这个页面的左侧用来输入封面内容，下方有一个开始生成按钮，右侧是生成的海报结果。

图 3-129　小红书大字封面

可以任意选择其中的一个封面，如图 3-130 所示。鼠标放在上方，就会出现编辑、下载和更多的按钮，点击“编辑”按钮。

图 3-130　封面

图 3-131　编辑工作台

这时会跳转到一个“工作台”，这个工作台是稿定设计的主要功能，如图 3-131 所示。我们可以在这里修改、编辑设计物料。

再返回，在主标题输入框的上方，可以看到“AI 帮我写”的按钮，如图 3-132 所示。点击后，可以让 AI 帮我们撰写相关内容。

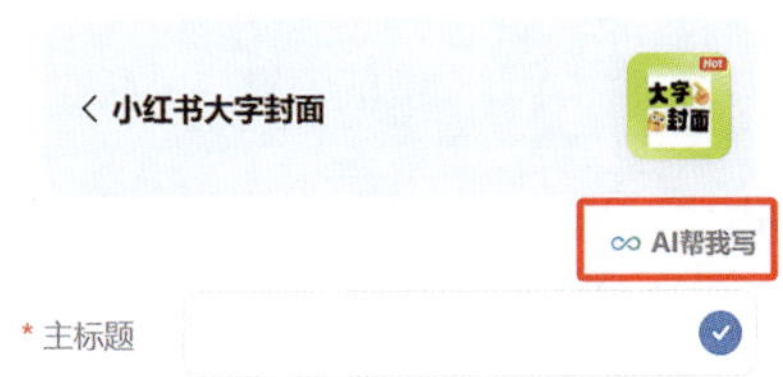

图 3-132　AI 帮我写按钮

在这个页面中输入提示词，让 AI 为我们生成相关的文案，如图 3-133 所示。或者选择下方预设好的提示词，我们点击下方的“每日金融知识科普”。

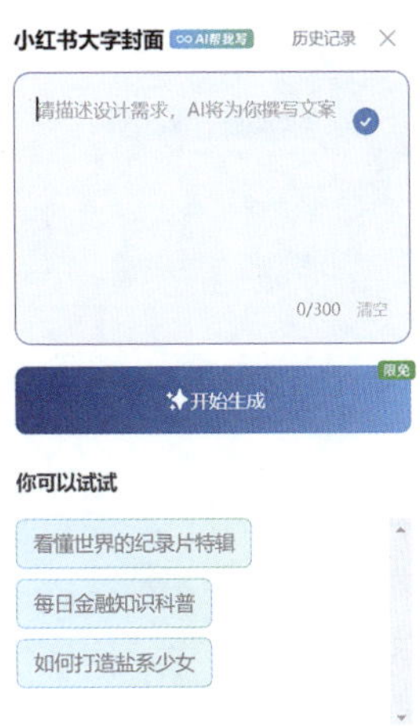

图 3-133　AI 帮我写页面

此时，AI 就给我们生成了文案。点击下方的“生成设计”按钮，如图 3-134 所示。

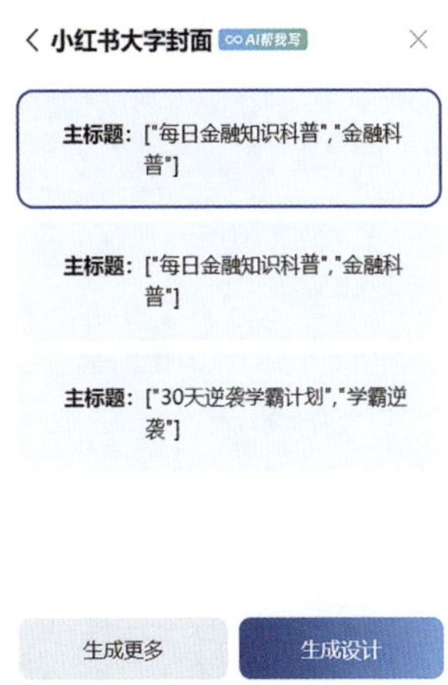

图 3-134　生成设计

稿定设计可以一次性生成10个备选方案，如图3-135所示。如果不满意，可以点击下方的“换一批结果”按钮。

图3-135 AI生成结果

下面来了解一下小红书科普攻略的AI制作方式，如图3-136所示。

图3-136 选择小红书科普攻略

点击进入以后，发现与大字封面制作最大的区别就是左侧的栏目，如图3-137所示。根据格式填写好相关的标题和内容。

图3-137 AI制作小红书科普攻略页面

在这个页面中，同样点击“AI帮我写”按钮，选择“阅读理解答题技巧”，如图3-138所示。

此时，AI会根据格式，迅速撰写所有的内容。只需要轻松点击“生成设计”按钮即可完成设计，如图3-139所示。如果对生成的内容不够满意，可以在方框中修改任意的文字内容，也可以点击灰色的“生成更多”按钮。

生成的物料是严格按照文案设计的，如图3-140所示。如果后续还想要调整设计，可以点击设计稿进行细节修改，这也是稿定设计的传统强项。

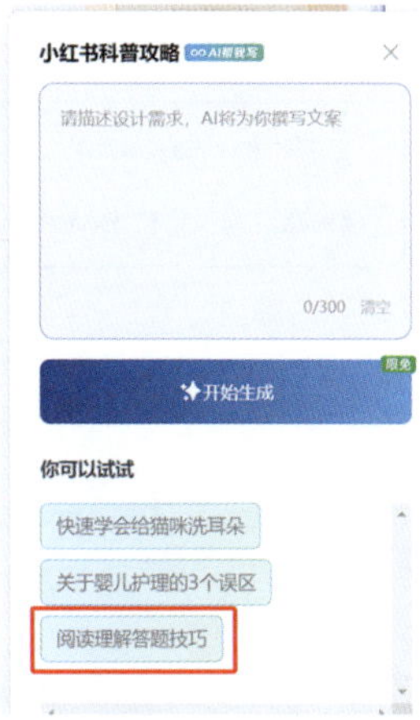

图 3-138　AI 帮我写 - 选择预设提示词（1）

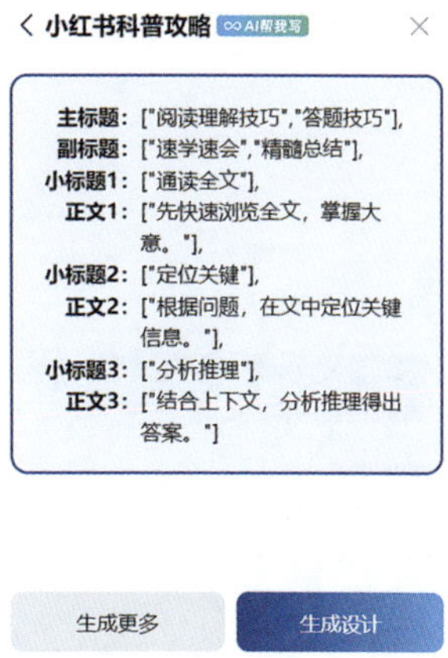

图 3-139　AI 生成文案

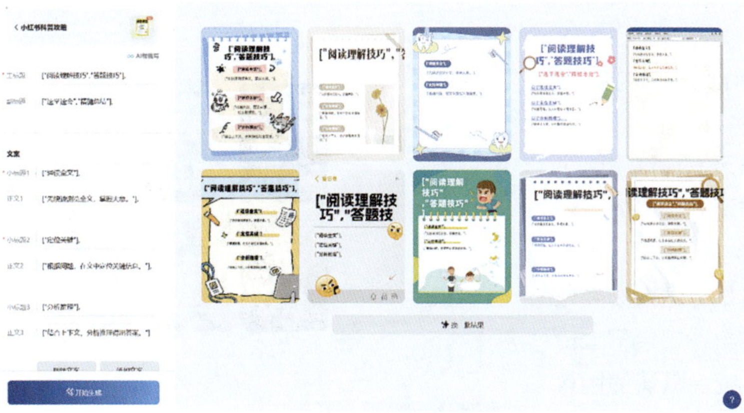

图 3-140　生成设计（1）

下面来演示“小红书人物封面”的功能，如图 3-141 所示。

图 3-141　小红书人物封面

每个模块都可以使用“AI 帮我写”的功能，如图 3-142 所示。这里选择下方给出的示例——“18 节家庭教育培训课”。

生成完成后，点击“生成设计”按钮，如图 3-143 所示。

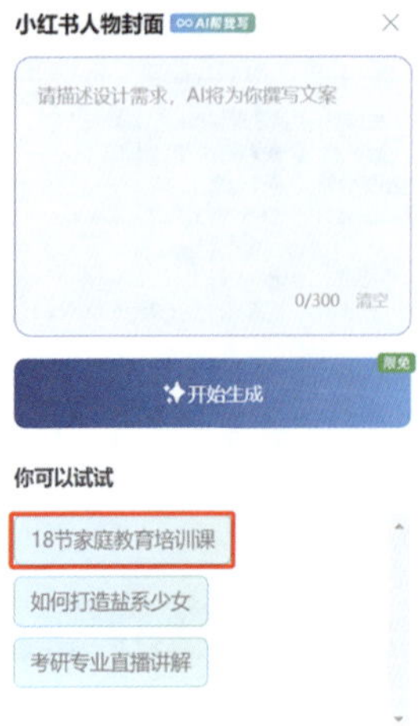

图 3-142　AI 帮我写 - 选择预设提示词（2）

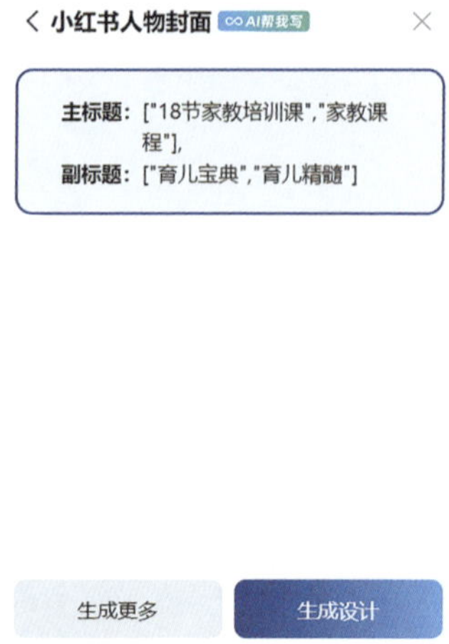

图 3-143　生成设计（2）

左侧部分的内容布局会有些许不同，如图 3-144 所示。在这里除了主标题与副标题以外，还可以上传“人物图”。因为这毕竟是一个人物类型的宣传物料，如果不上传素材，系统会默认使用素材库中的内容。

图 3-144　AI 生成设计

可以点击上传按钮上传人物图，上传方式可以是从电脑本地上传或从手机端上传，如图 3-145 所示。

图 3-145　人物图上传方式

下面来了解“电商”栏目中的内容，如图 3-146 所示。一共分为四个大类别：商品主图、竖版电商海报、横版电商海报、产品营销。

图 3-146　AI 设计电商栏目

先来学习一下商品主图的用法，如图 3-147 所示。

图 3-147　商品主图

使用 AI 帮我写的功能生成文案，再点击“生成设计”按钮，如图 3-148 所示。

生成好的文案和海报会在右侧展现出来，如图 3-149 所示，并且针对电商进行了优化，并不会像之前的笔记风格。

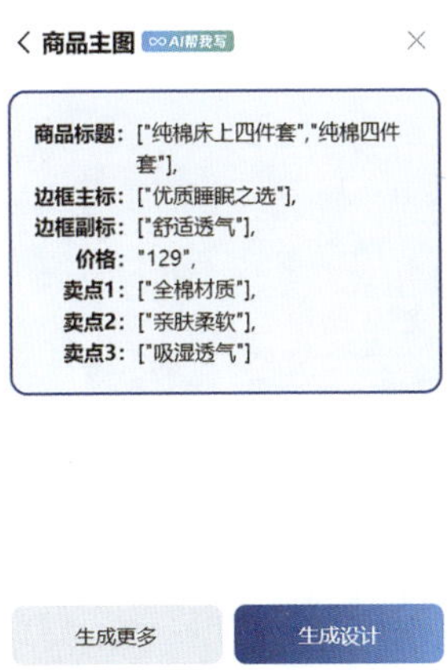

图 3-148　AI 帮我写

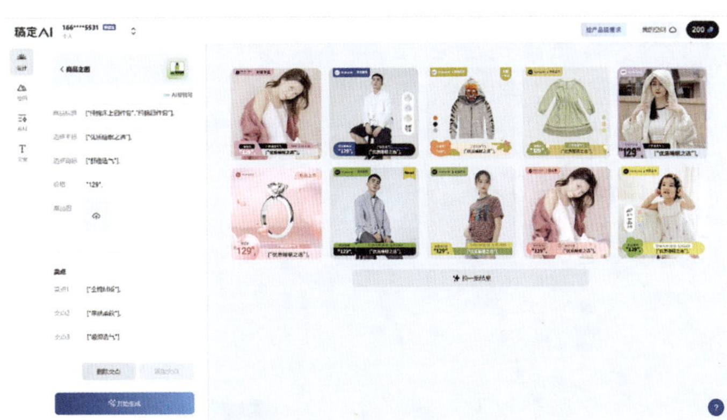

图 3-149　AI 生成电商海报

再来看看竖版电商海报，其同样有丰富的样式，在左侧也可以上传自己的商品图，如图 3-150 所示。

图 3-150　AI 竖版电商海报

横版电商海报也能够一键快速设计完成，如图 3-151 所示。

图 3-151　AI 横版电商海报

产品营销图也是可以快速制作完成的，如图 3-152 所示。关于产品特点的文案可以让 AI 一键完成。

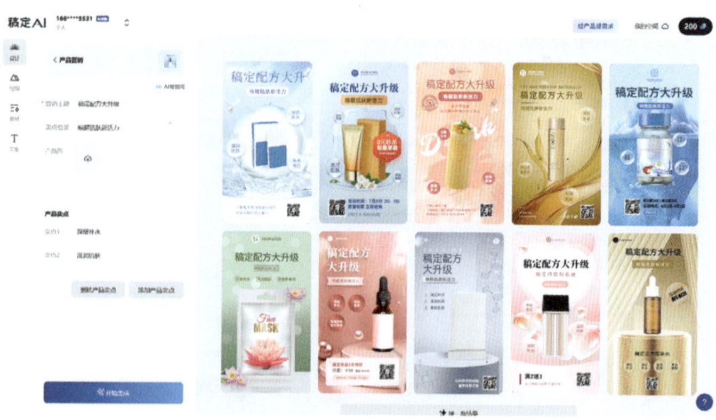

图 3-152　AI 产品营销图

新媒体设计物料分为：公众号首图、LOGO、公众号次图、横版海报、竖版视频封面、横版视频封面，如图 3-153 所示。

图 3-153　新媒体设计物料

我们可以看看稿定 AI 为我们制作好的公众号首图，如图 3-154 所示。

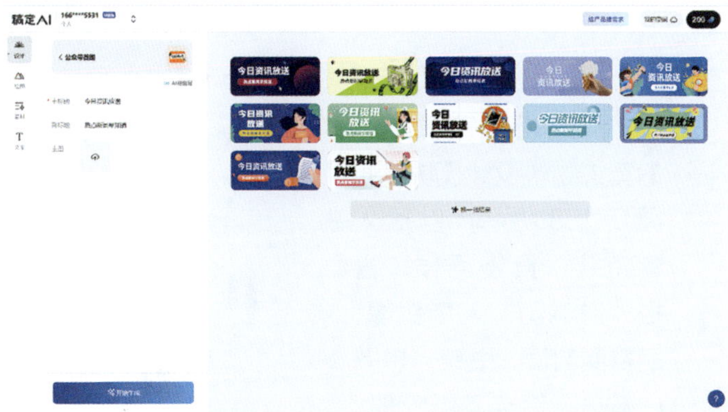

图 3-154　AI 公众号首图

稿定 AI 还能帮助我们生成 LOGO，并且有非常多的款式供我们挑选，如图 3-155 所示。

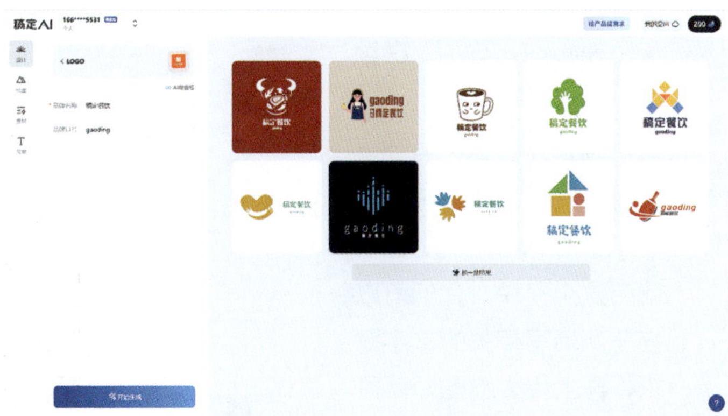

图 3-155　AI LOGO 设计

如图 3-156 所示是针对“新闻资讯”的公众号次图设计。

图 3-156　公众号次图设计

如图 3-157 所示是 AI 制作的新媒体行业的横版海报。

图 3-157　横版海报

稿定还有针对私域的宣传物料设计模块，如图 3-158 所示，包括人物宣传、日签问候、喜报、邀请函、人物头像、朋友圈封面、书单、拼图 PLOG、贺卡、倒计时、晒单海报。

图 3-158　私域宣传物料

在私域宣传中，特别常用的就是主题演讲海报宣传物料，这类一般都是人物宣传，如图 3-159 所示。在稿定 AI 设计中就有这个模块。我们可以在左侧填写相关的文字需求，再上传人物图，就可以立刻生成非常多样式的设计稿。

图 3-159　稿定 AI 设计人物宣传

日签问候也是在各类私域营销中常用的宣传物料，如图 3-160 所示。利用稿定 AI 设计，也可以满足这方面的设计需求。

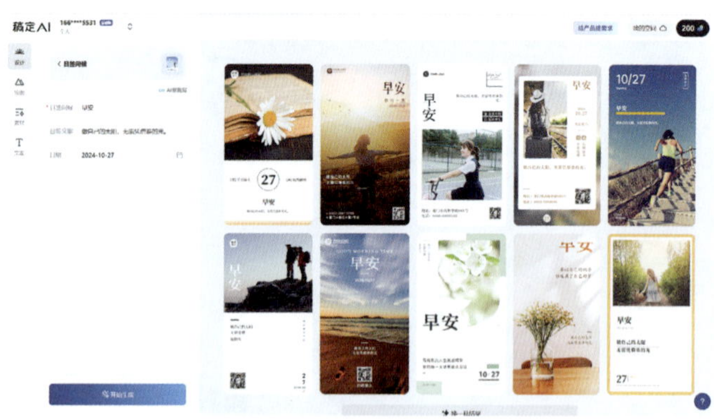

图 3-160　稿定 AI 设计日签问候

喜报的样式也多种多样，因此不必为此找寻各种各样的素材，可节省大量时间，如图 3-161 所示。

图 3-161　稿定 AI 制作喜报

稿定 AI 还能制作邀请函，如图 3-162 所示。我们可以让 AI 帮我们润色邀请函中的话语，避免出现一些不当的用词。

图 3-162　稿定 AI 制作邀请函

下面我们来介绍稿定 AI 的绘图功能，如图 3-163 所示。这个功能在稿定 AI 左侧工具栏的第二个栏目，点击进入即可。

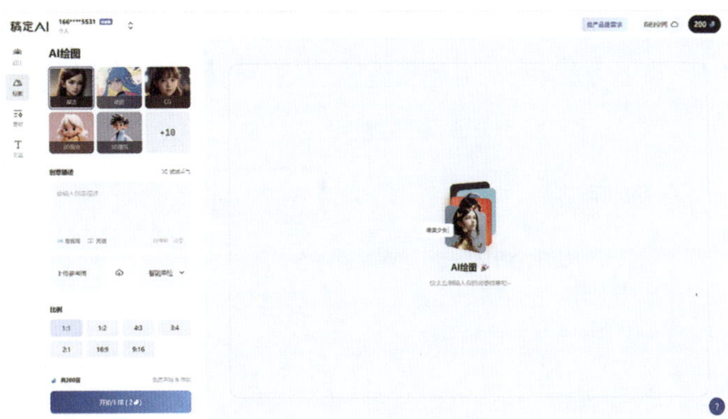

图 3-163　稿定 AI 绘图

我们可以在这里选择不同的风格，如厚涂、动漫、CG、3D 盲盒、3D 潮玩、黏土、3D 卡通、水墨二次元、工笔画等，如图 3-164 所示。

图 3-164　稿定 AI 绘图风格

左侧的“创意描述”是用来输入提示词的地方，如图 3-165 所示。在这里输入内容，让 AI 了解我们的需求。所以，输入的提示词越详细，绘制的内容就越贴合需求。

点击“试试手气”按钮，可以快速使用预设好的提示词，如图 3-166 所示。

也可以使用 AI 帮我写功能，用自然语言描述一遍，AI 会帮我们转换为专业的提示词，如图 3-167 所示。

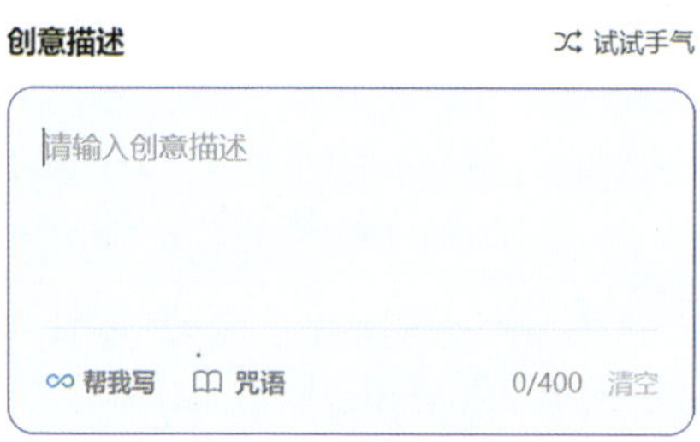

图 3-165　输入提示词

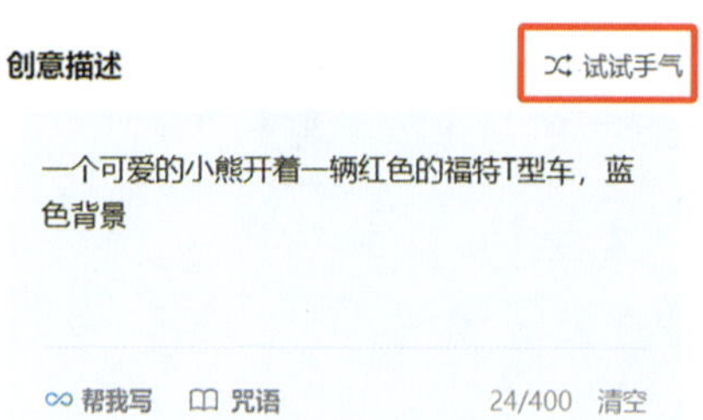

图 3-166　试试手气

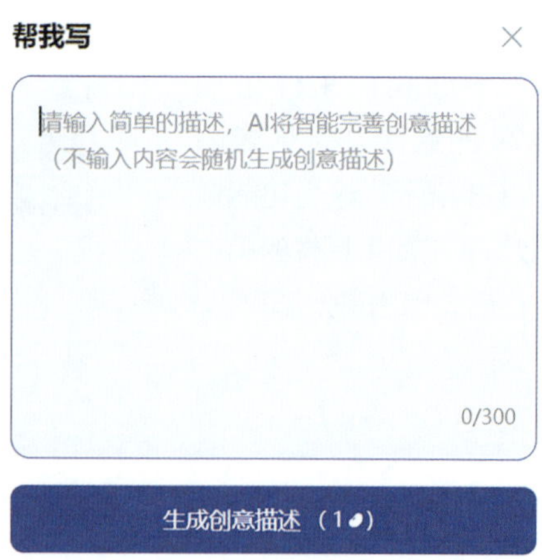

图 3-167　AI 帮我写 - 生成创意描述

除此之外，还能使用“咒语书”功能，只需要在这里根据分类点击相关需求，就可完成提示词的书写，如图 3-168 所示。

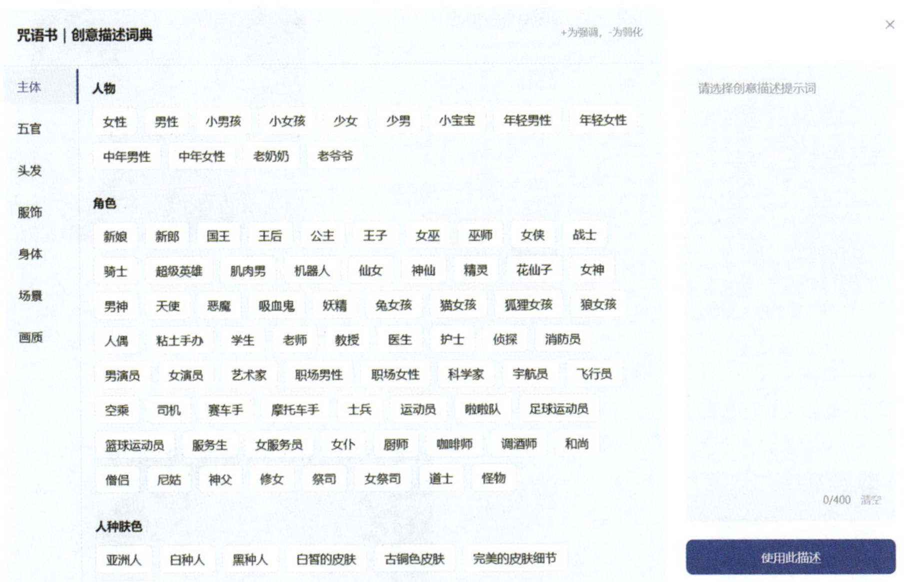

图 3-168 咒语书

另外，也能上传参考图，如图 3-169 所示。在有参考图的情况下，AI 就会围绕这个参考图展开创作。

上传完参考图以后，点击“智能重绘”按钮，可以选择不同的图像控制方式处理图片，如图 3-170 所示。

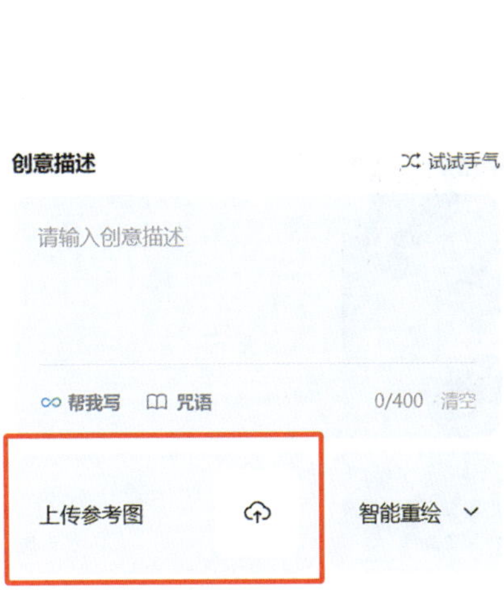

图 3-169 参考图

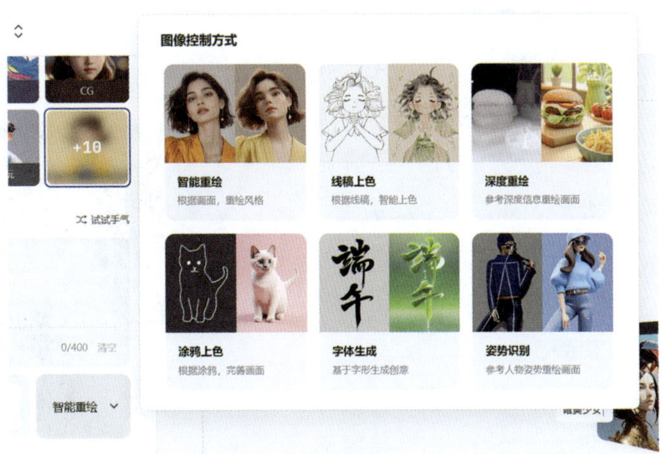

图 3-170 图像控制方式

选择图像输出的比例、画质、数量，如图3-171所示。

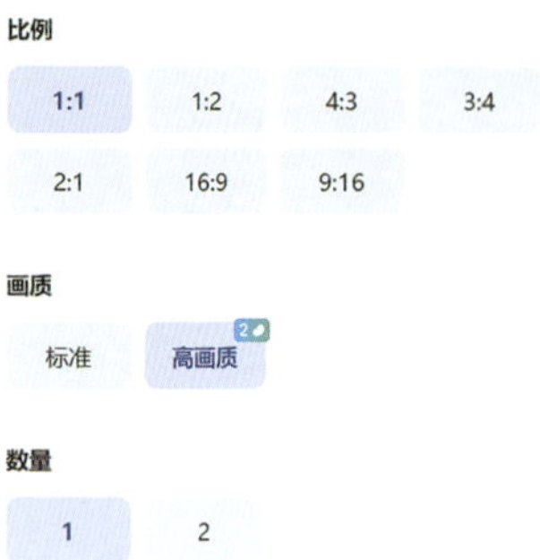

图3-171 输出参数

图3-172 AI绘图

参数都设定完成以后，点击“开始生成”，AI将会在右侧生成图像，如图3-172所示。将鼠标指针悬停在这张图片上，会有更多的图片编辑工具出现。

页面右上角有擦除和扩图的图标。这两个功能，在之前的AI作图工具中都介绍过，可用于消除图像中的多余内容，也可以扩大图片并且填充细节，如图3-173所示。点击这张图片，会跳转到更为详细的AI图片编辑页面。

图3-173 擦除和扩图功能

在这个页面中，左侧是图像效果，右侧是提示词，如图3-174所示。

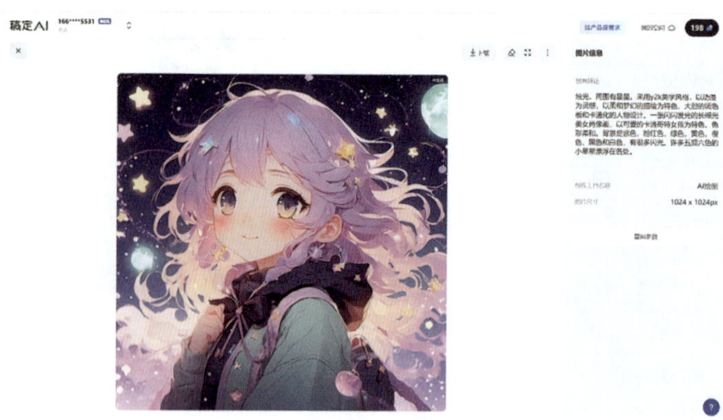

图3-174 稿定AI图片编辑页面

在图像的右上方，有一个“更多”菜单栏，包括编辑器打开、下载到手机、保存至我的空间，如图 3-175 所示。点击“编辑器打开”，会跳转到经典的稿定设计编辑器，它是用来处理各种设计的综合工作台。

图 3-176　编辑器页面

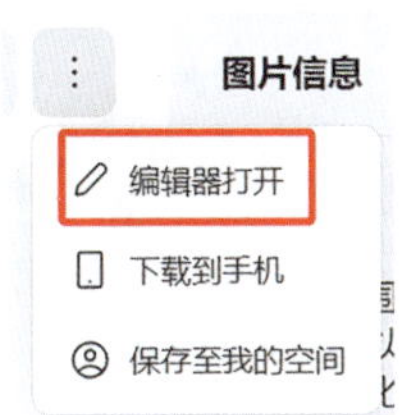

图 3-175　编辑器打开

在编辑器页面中，可供使用的内容、设置也多了很多。左侧是物料素材栏目，在这里可以自由切换各类素材，如图 3-176 所示，并且会显示出素材的预览图；中间则是画面效果；右侧是当前被选中物体的属性和设置，如果是日常做设计，这个页面最为常用。

图 3-177　AI 素材

下面再进入稿定 AI 的页面，来看一下 AI 如何生成海报中的素材，如图 3-177 所示。在这个页面中，同样有一个对话框，在这里可以与 AI 进行对话，提出我们的需求。对话框的下方，可以看到一些参考案例，我们可以尝试制作同款。

图 3-178　做同款

往下滑，翻到“3D 人物”这个素材分类，如图 3-178 所示。选择第一款，点击“做同款”按钮。

此时，系统会自动帮我们设置完成，如图 3-179 所示。风格选择“3D 可爱”，创意描述也填充完成。只需要点击“开始生成”按钮，即可完成创作。

素材生成后，会在右侧出现，可以下载到本地，也可以保存到云端的“我的空间”，以便反复调用，如图 3-180 所示。

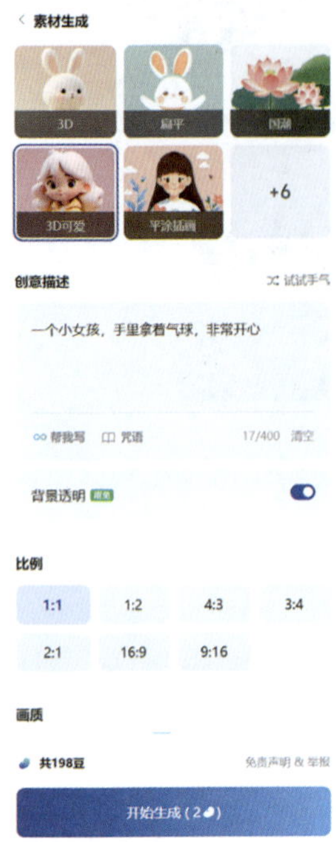

图 3-179　用 AI 创作同款素材

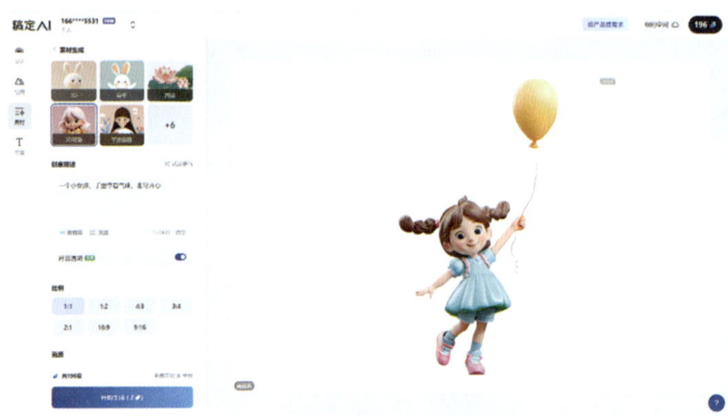

图 3-180　AI 素材生成

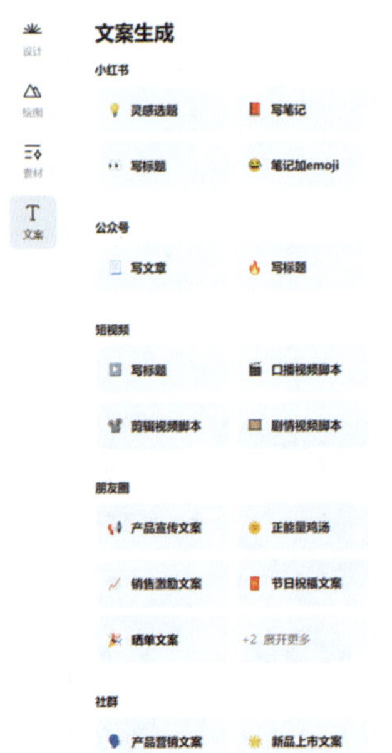

图 3-181　AI 文案

下面来介绍稿定 AI 中最后一个部分——文案，如图 3-181 所示。我们可以借助该工具生成设计物料所需要的文案，比如小红书、公众号、短视频、朋友圈、社群等。之前“AI 帮我写”就已经介绍过用法。这里是更进一步的、专门针对文本内容的 AI 工具。点击上方的小红书栏目下的“灵感选题”按钮。

这里同样有一个文本框，我们在文本框中需要输入想要发布的内容，并且提供具体的描述，如图 3-182 所示，以帮助 AI 生成更好的结果。这里选择“试试范文”的功能。

在范文中，有搞笑打工人日常、夏季户外露营、夏季美食分享、微胖女孩、五一旅行攻略等，如图 3-183 所示。这里选择“搞笑打工人日常”。

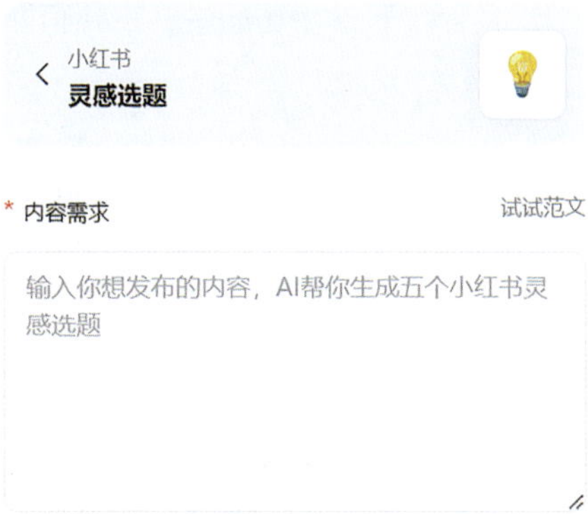

图 3-182　AI 灵感选题

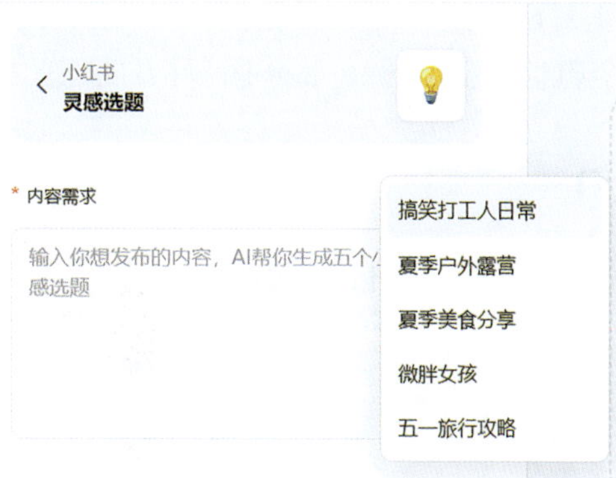

图 3-183　试试范文

在右侧，可以看到 AI 已经帮我们一次性生成了若干个不同的文案，如图 3-184 所示。

图 3-184　AI 生成文案

下面来演示一下用 AI 帮我们写公众号内容，如图 3-185 所示。在这个模块中，分为了若干个主题：端午节祝福、芒种节气、停止内耗、人工智能与教育。我们选择"停止内耗"的主题。

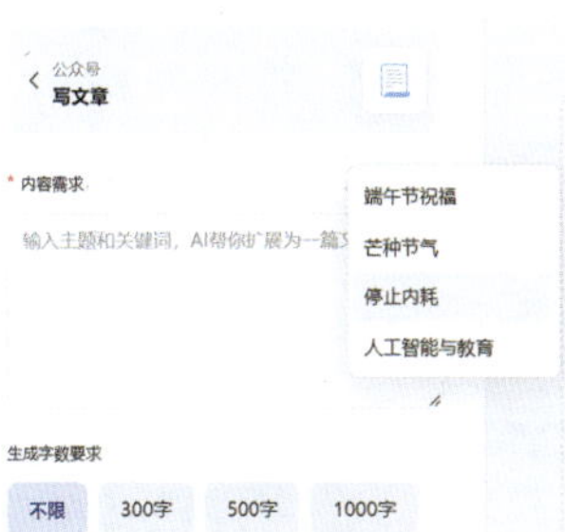

图 3-185　选择主题

点击"开始生成"按钮，右侧会生成 AI 帮我们写好的文章，如图 3-186 所示。

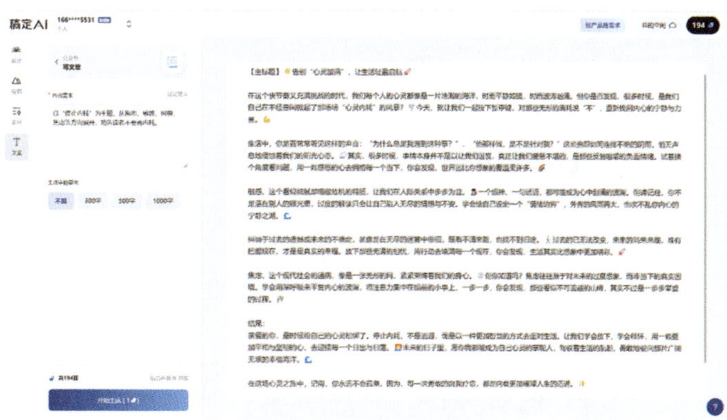

图 3-186　完成文稿

下面进入稿定“AI 抠图”的页面，如图 3-187 所示。在这个页面中，主要有四个功能：智能消除、批量抠商品、批量抠人像、证件照。

图 3-187　AI 抠图

在这里点击“试试样片”，选择耳机的照片，如图 3-188 所示。

选择以后，AI 就一键去除了背景图，保留了主体物。在页面的右侧，可以进一步修改图片内容，可进行编辑、替换、裁剪、换背景，如图 3-189 所示。

点击“编辑”按钮，如图 3-190 所示。

图 3-188　试试样片

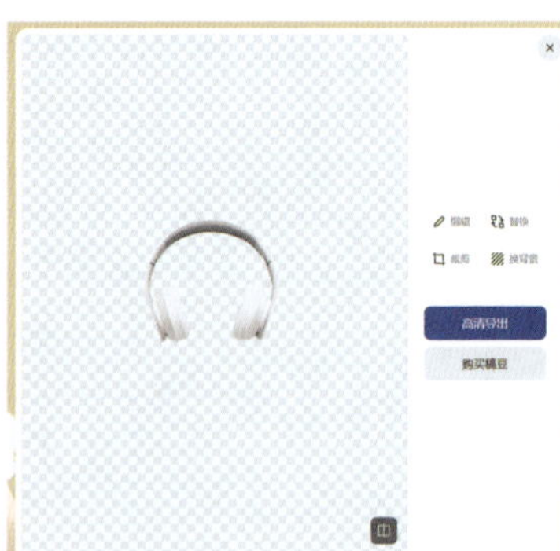

图 3-189　一键抠图

图 3-190　图片编辑功能

这是AI抠图的编辑页面，可以使用不同的抠图算法，如图3-191所示。

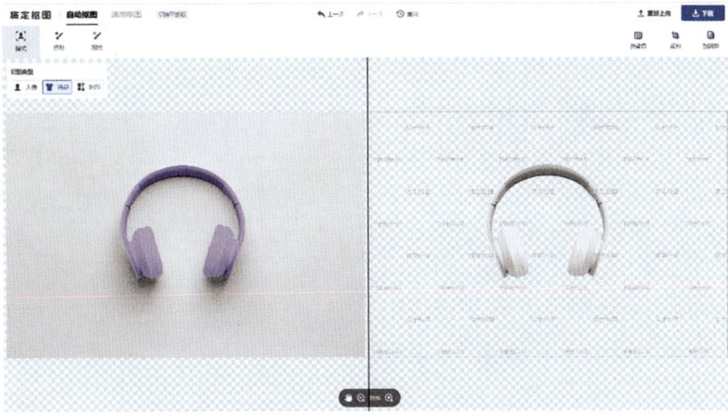

图3-191　AI抠图编辑页面

在右侧给图片换背景、裁剪、加阴影，如图3-192所示。

图3-192　编辑图片

点击裁剪，可以修改图片的尺寸大小，如图3-193所示。

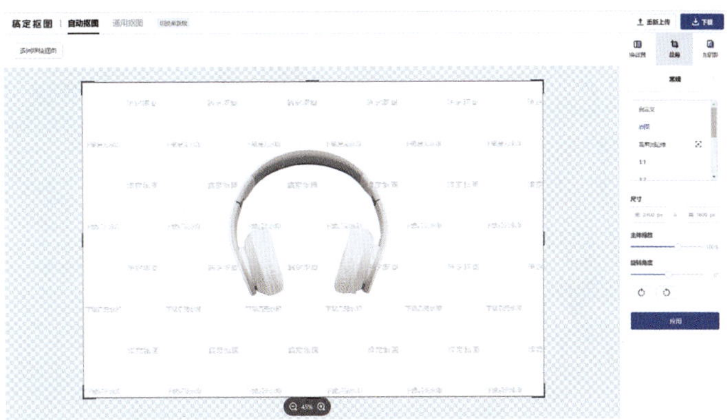

图3-193　裁剪

点击“加阴影”面板，给物体添加阴影效果，如图 3-194 所示。

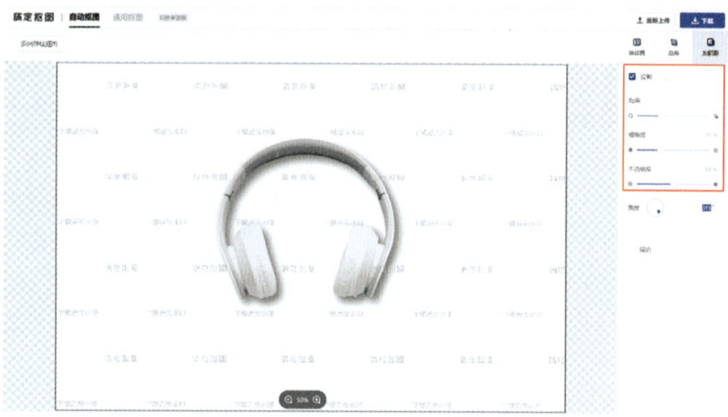

图 3-194　加阴影

接下来演示稿定 AI 抠图的智能消除、批量抠商品、批量抠人像、证件照等功能，如图 3-195 所示。

图 3-195　稿定 AI 抠图的主要功能

批量抠商品主要是应用在电商渠道，如图 3-196 所示。可以上传拍摄的商品图片，一键进行抠图，并且裁切为符合电商平台规范的图片素材。

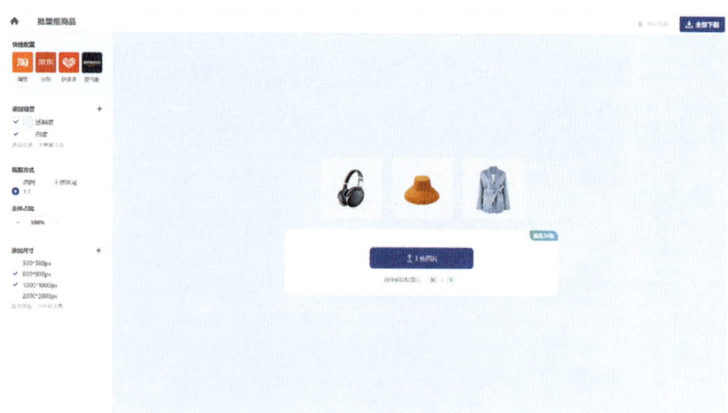

图 3-196　批量抠商品

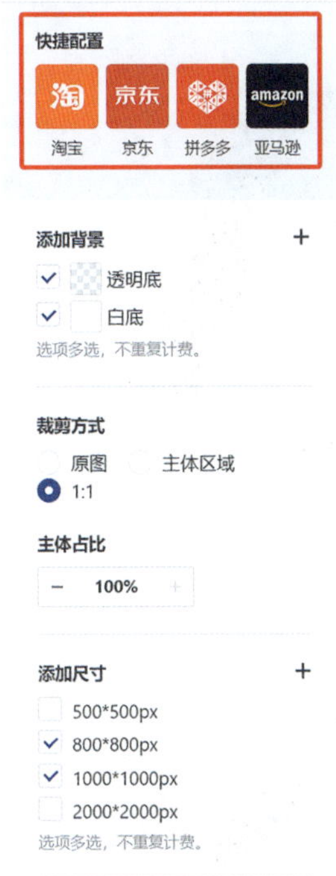

图 3-197　快捷配置

这里会有一个“快捷配置”，里面有淘宝、京东、拼多多、亚马逊上传图片的主要规范，如图 3-197 所示。

在电商行业，除了有商品修图的需求以外，还有抠人像的需求。稿定推出的 AI 抠图中，就包含了批量抠人像的功能，如图 3-198 所示。我们可以一次性上传若干人像图片，一键抠图。

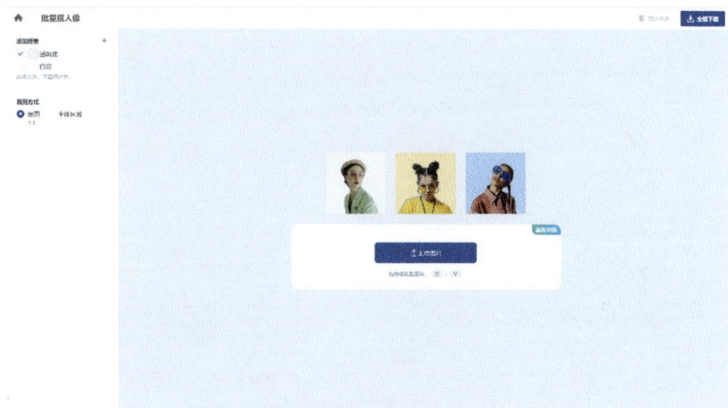

图 3-198　批量抠人像

下面介绍编辑器页面重点板块——“AI 工具”。前面我们提到编辑器页面是稿定设计中的核心功能区，如图 3-199 所示。这里可以对设计物料进行详细修改。设计物料中就包含了图片，所以，在编辑器页面的左侧，就会有一个“AI 工具”的栏目。

图 3-199　AI 工具

在这里有对文章和图片的处理，如图 3-200 所示。当前页面是一张图片，我们可以使用下方的 AI 图片编辑工具。点击其中的“AI 滤镜”，在右侧就会有不同类型的 AI 滤镜出现。

图 3-200　AI 滤镜

这些滤镜可以一键修改图片的风格，如图 3-201 所示。

图 3-201　AI 滤镜修改图片风格

选择“3D”风格，AI 就会沿用之前的内容，进行二次创作，如图 3-202 所示。

图 3-202　3D 风格

再来看看AI“工笔画”风格，如图3-203所示。

图3-203 AI“工笔画”风格

点击图片，左上角会有AI的功能菜单，这个菜单可以处理图片的更多细节：AI抠图、AI消除、AI滤镜、AI变清晰、AI扩图、AI绘图等。我们选择第一个“AI抠图”，如图3-204所示。

可以看到，这张图片的背景一下子就被去除了，如图3-205所示。

AI还能增强图片的画质，一键提升图片分辨率，如图3-206所示。

AI扩图的功能，我们之前也有提及。选择“AI扩图”以后，右侧可以选择尺寸比例，如图3-207所示。空白的部分，AI可以自动完成填补。

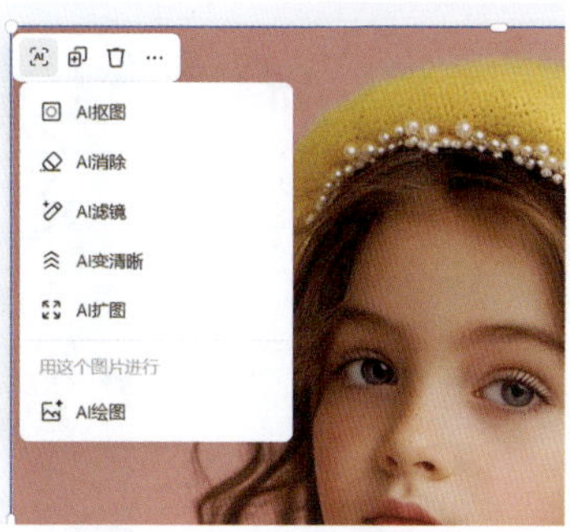

图3-204 AI图片工具

图3-205 AI抠图的效果

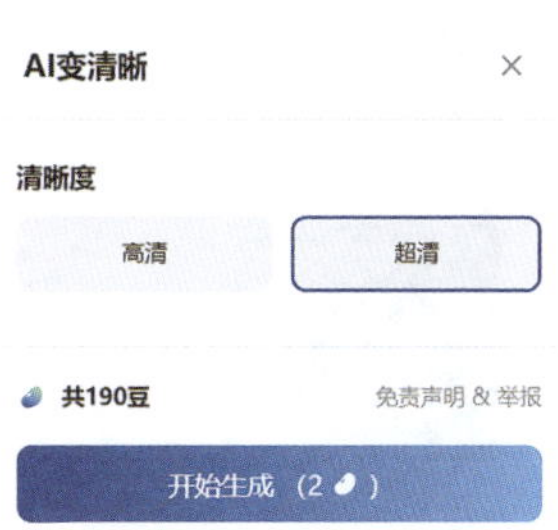

图3-206 AI变清晰

图3-207 AI扩图

这张图片也可以作为参考图，上传到 AI 绘图中，如图 3-208 所示，让 AI 生成基于此图片的新图片。

使用这个功能以后，需要先填写“创意描述”，此时，依旧使用 AI 帮我写功能，如图 3-209 所示。选择一个描述即可。

图 3-208　AI 绘图参考

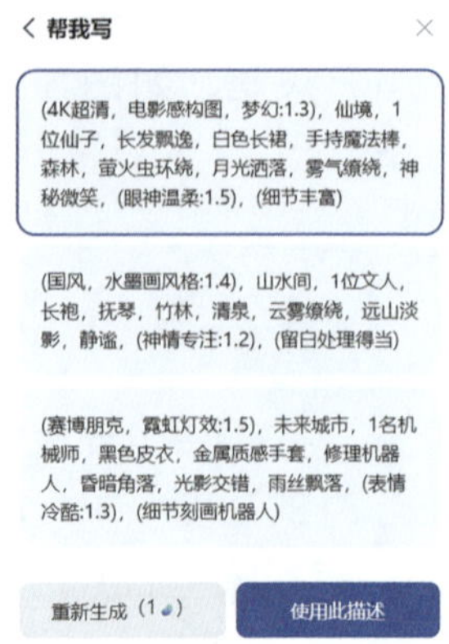

图 3-209　AI 帮我写

此时 AI 就会基于参考图，绘制出既匹配创意描述，又借鉴了参考图的图片，如图 3-210 所示。

图 3-210　基于参考图的 AI 绘图

在“模板”这个页面中，页面中央是设计物料，右侧是被选中物料的参数，如图 3-211 所示。当前什么都没被选中，所以显示的是画板、背景图等要素的设置。

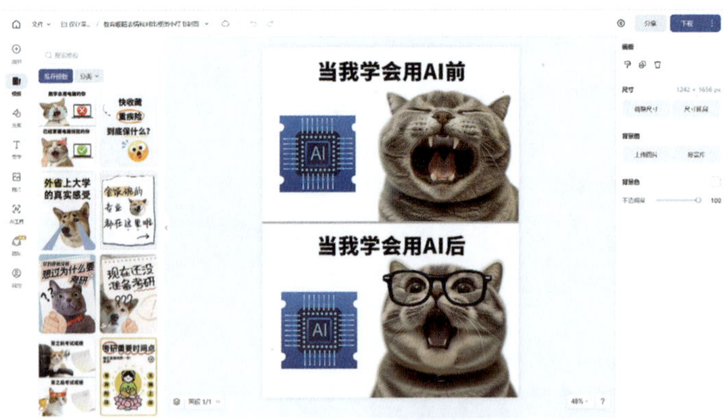

图 3-211　稿定编辑器页面

若是点击设计物料中的某些内容，如下方的文字时，右侧的属性面板就会发生相应的变化，如图 3-212 所示。此时显示的是针对文字的设定。

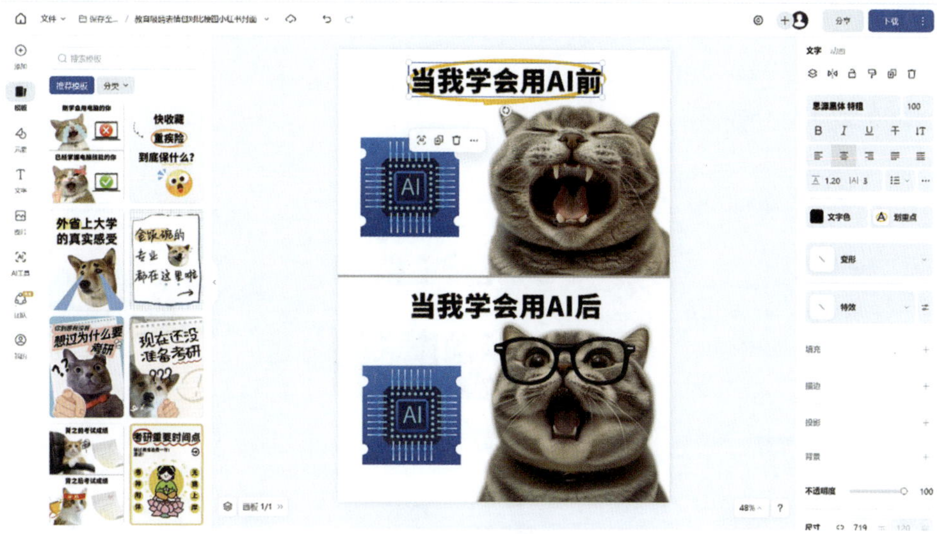

图 3-212　右侧属性面板

在左侧的菜单栏中，第一个选项是“添加”，在这里可以添加图片 / 视频、文字、形状、组件、工具等内容，如图 3-213 所示。

元素面板中可以添加各类贴纸，如图 3-214 所示。

图 3-213　添加面板

图 3-214　元素面板

文字面板中可以添加各式各样的文字，并且还有划重点、晒图标记等针对文字的功能，如图 3-215 所示。

图片面板是添加图片的地方，可以在这里搜索到大量的图片资源，如图 3-216 所示。

然后就是之前介绍过的 AI 工具面板了，如图 3-217 所示。在这里主要是针对图像和文字的 AI 功能。

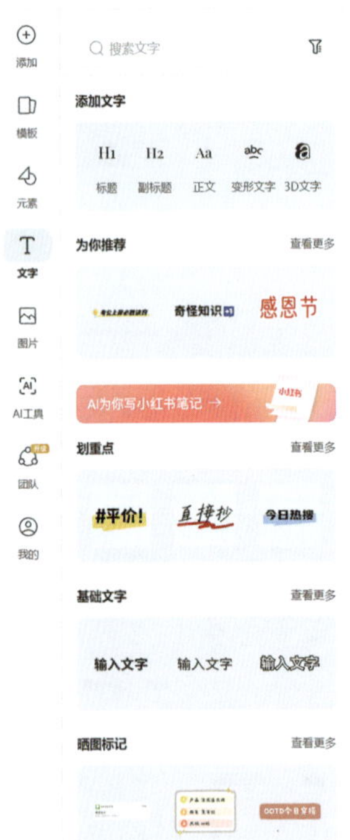

图 3-215　文字面板

图 3-216　图片面板

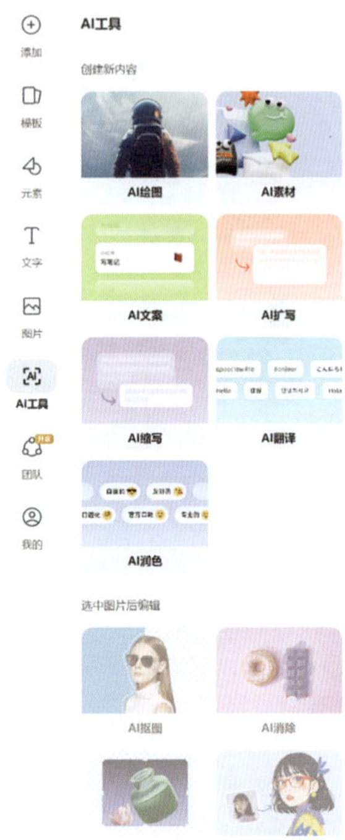

图 3-217　AI 工具面板

第4章

AI与影音的创新

Command Prompt :

Chat AI

4.1 自媒体人如何利用 AI 工具创作视频内容

随着短视频行业的快速崛起，视频内容创作的需求持续攀升。自媒体人面临着如何在短时间内生产出高质量、差异化内容的挑战，而 AI 技术的引入正为这一行业带来革新性的变化。AI 工具的应用不仅让创作流程更加高效，同时也让短视频的表现形式更加丰富。比如，即梦平台提供了从图像生成到视频合成的多项功能，用户只需输入简单的关键词，即可生成符合主题的视觉效果，显著缩短了创作周期。

AI 的另一大优势在于提升内容的个性化程度和吸引力，通过对用户偏好和观看习惯的数据分析，AI 能帮助自媒体人更加精准地打造满足观众需求的内容。例如，在剪映中，AI 能够自动识别视频中的语音生成字幕，并提供多种特效模板，让创作者能在有限的时间内，制作出更具表现力的视频内容。此外，AI 的口型同步技术使得“虚拟主播”成为可能，极大地降低了人物出镜的制作成本。这种技术已在即梦和剪映等平台上得到广泛应用，为自媒体人带来更多创意可能。

如今的 AI 工具如即梦、可灵和剪映等，不仅简化了视频剪辑和后期制作流程，还通过生成角色动画和智能配乐等功能，帮助创作者在短时间内完成构思、拍摄、剪辑等各项工作。例如，许多短视频博主利用剪映的“对口型”功能，为角色图片自动生成朗读配音，使得视频内容更具沉浸感。这类技术应用正在逐渐改变短视频创作的传统模式，使自媒体人能够更高效地吸引并留住观众。

总的来说，AI 在短视频行业的应用前景广阔，它不仅满足了自媒体人高频次产出的需求，还为未来内容的表现形式带来了更多可能性。随着技术的进一步发展，AI 在短视频内容创作中的作用将更加多元化，为观众带来更丰富的体验，也为创作者提供更多的创作自由和灵感来源，如图 4-1 所示。

图 4-1　AI 视频创作

4.2 流行 AI 工具教程

4.2.1 即梦——实用高效的 AI 视频创作工具

即梦是一个拥有强大功能的图像、视频、音频生成式 AI 在线工具平台，如图

4-2 所示。对于普通用户和初学者来说，即梦非常适合作为入门工具，其操作简单，并且免费。

在首页中可以看出即梦目前有三大功能：AI 作图、AI 视频、AI 音乐，如图 4-3 所示。在后面会详细介绍即梦的用法。

在主页的左侧，有首页、探索、活动、个人主页、AI 创作、消息中心等栏目，如图 4-4 所示。探索栏目汇总了当下用即梦制作的热门作品；活动栏目汇聚了 AIGC 的大型活动和赛事；个人主页能找到个人作品与账号信息；AI 创作的栏目围绕的是 AI 工具的内容，比如资产、图片生成、视频生成、故事创作等；消息中心能收到近期的系统通知，以及作品评论等信息。

图 4-2　即梦首页

图 4-3　即梦的主要功能

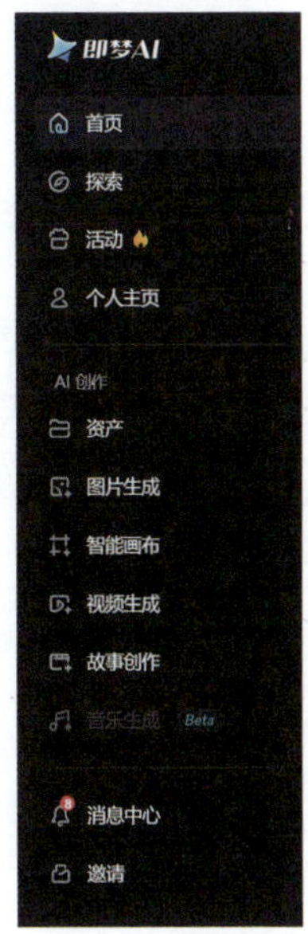

图 4-4　即梦首页左侧菜单栏

图 4-5　查看热门作品详情

在首页点击任意作品，就可以看到该作品的提示词（图片描述词）、相关参数等，如图 4-5 所示。也能点击右下角的按钮，一键制作同款。

再查看另外一个热门作品的详情页，可以看到，页面结构和内容是与其他作品的详情页保持一致的，如图 4-6 所示。

图 4-6　作品详情页

在首页将鼠标下滑，就能看到更多的热门作品。在这里可以学习到更多优秀作品的提示词书写方法和作品的制作思路，如图 4-7 所示。

图 4-7　更多热门作品

在左侧菜单栏点击“活动”后，在右侧可以看到正在举办的活动与赛事，如图 4-8 所示。

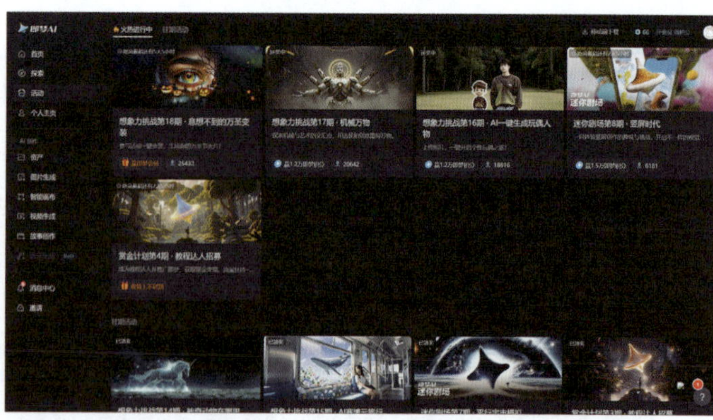

图 4-8　热门活动与赛事

点击即可查看时下热门活动的详情与参与方式，如图 4-9 所示。

图 4-9　热门活动

再切换到“个人主页”的页面，如图 4-10 所示。在右侧，可以看到个人账号信息与已发布的相关作品信息。

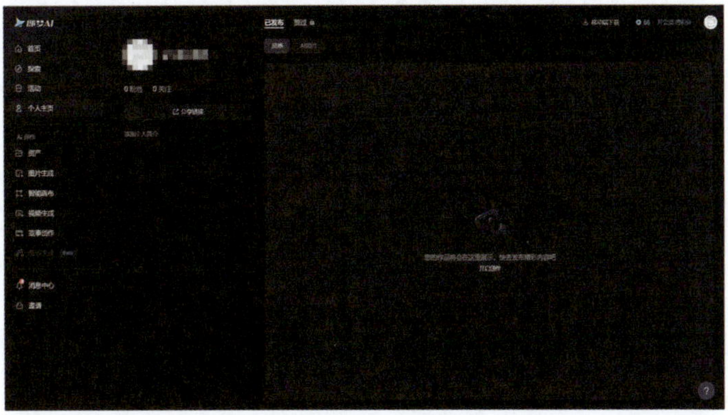

图 4-10　个人主页

此外，即梦也上线了移动端，可以在手机应用商城中搜索下载即梦 APP，也可以扫码下载，如图 4-11 所示。在本节后面，将介绍这款 APP 的功能与使用方式。

在首页找到“AI 视频”功能，如图 4-12 所示。这个功能有两个部分：视频生成、故事创作。

点击“视频生成”按钮，如图 4-13 所示，会跳转到一个专业的工作台页面。

图 4-11　即梦 APP

图 4-12　AI 视频

图 4-13　视频生成

这个工作台左侧是生成模式和相关设置，右侧是生成结果。整个界面的风格是简洁的，如图 4-14 所示。

图 4-14　AI 视频生成工作台

在左上角，一共有两个模式：图片生成、视频生成。在这个工作台中可以自由切换不同的生成模式，如图 4-15 所示。图片生成模式用来生成图片，视频生成模式用来生成视频。所以，可以在工作台中直接切换模式，而不需要返回首页切换生成模式。

在“视频生成”模式中，又会有 3 种不同的视频生成类型：图片生视频、文本生视频、对口型，如图 4-16 所示。图片生视频需要借助图片作为生成的参考，根据提供的图片信息生成视频。而文本生视频则更为灵活，只需要输入提示词，即可生成视频。对口型视频条件更多，需要导入一个有角色的图片或者是视频作为基础，还需要书写朗读内容，最终才能生成对口型视频。在后面章节，会分别介绍它们的用法。

在下方可以设置动效画板、运镜控制、运动速度、基础设置等相关参数，如图 4-17 所示。

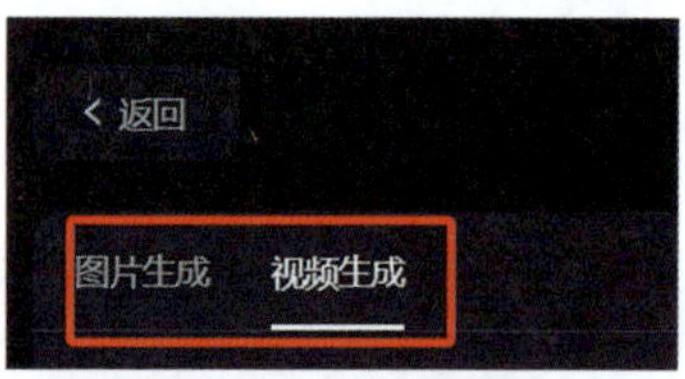

图 4-15　切换生成模式

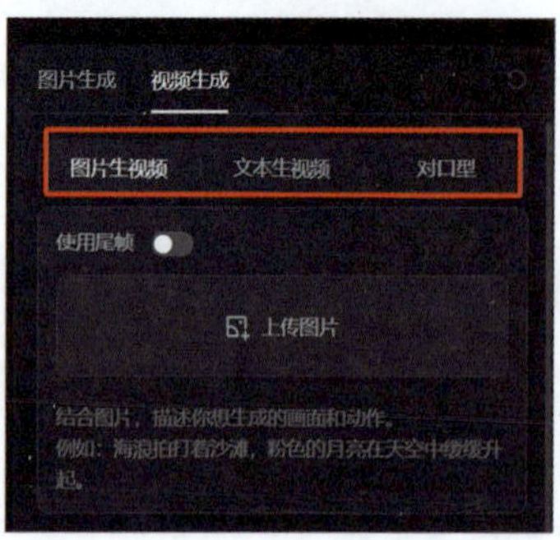

图 4-16　三种不同的视频生成类型

图 4-17　更多参数设置

我们来看“图片生成”模式下的相关参数设置，在这里需要导入一张参考图，如图 4-18 所示，导入完成以后，可以为参考图添加相关描述，也可不添加。在下方可以选择不同的生图模型、精细度、比例。

下面切换到“文本生视频”模式，并添加提示词，如图 4-19 所示。使用“流畅模式”，点击“生成视频”按钮。

右侧会有一个等待画面，如图 4-20 所示。

视频制作完成后，可在线播放，也可以对其进行进一步的细节修改，如图 4-21 所示。此时视频的下方会出现多个功能按钮。

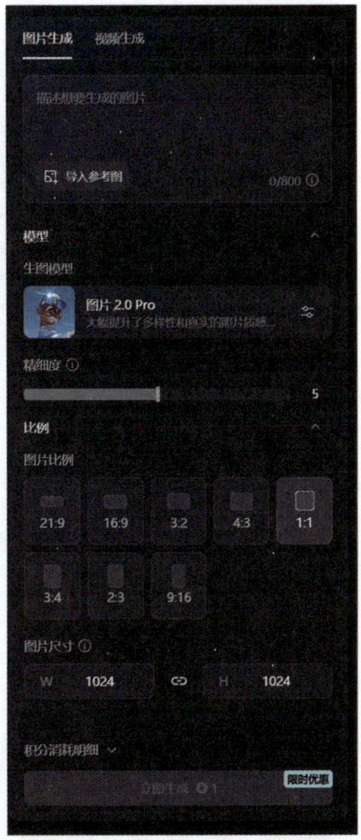

图 4-18　图片生成参数

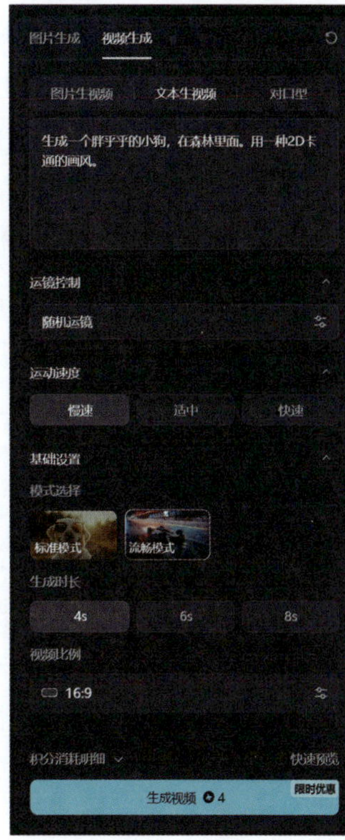

图 4-19　生成视频

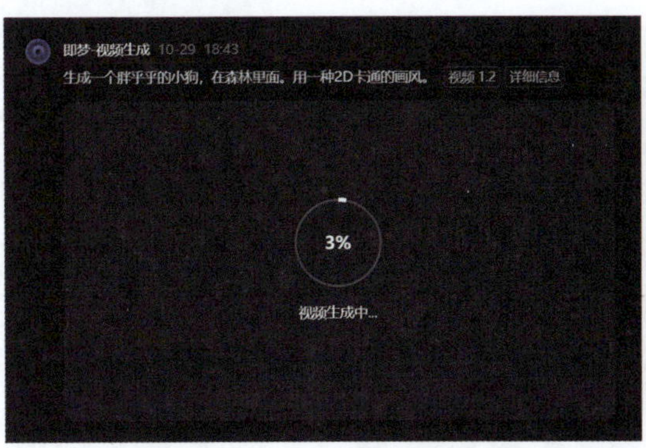

图 4-20　视频生成等待画面

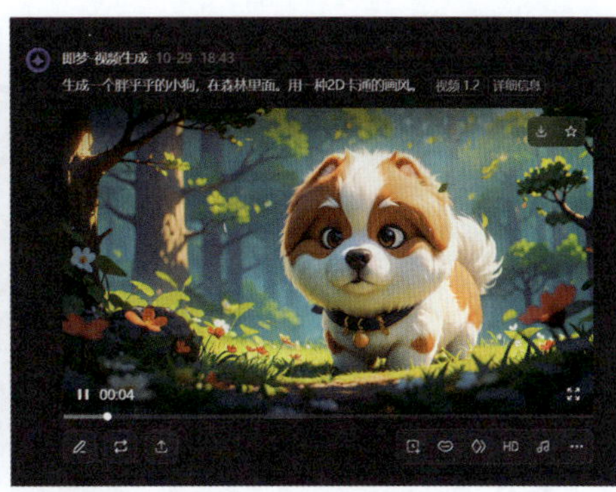

图 4-21　视频生成完成

视频左下角的三个功能按钮，从左到右依次是：重新编辑、再次生成、发布，如图 4-22 所示。重新编辑，是指对原有的提示词和设置进行修改，重新生成视频。而再次生成按钮则是利用同样的参数直接生成一个新的视频。发布按钮，可以将该视频发布到即梦社区。

视频右下方的功能按钮用来专门调节该视频的内容与细节，如图 4-23～图 4-27 所示。功能按钮从左到右依次是：视频延长、对口型、补帧、提升分辨率、AI 配乐。点击按钮，即可对视频进行调整。

以 AI 配乐为例，点击图标以后，左侧面板会跳转到 AI 配乐的相关设置页面，如图 4-28 所示。默认状态下是“根据画面配乐”。

也可以选择下方的“自定义 AI 配乐”，在这里有非常多的关于音乐的提示词，如图 4-29 所示。选择相关的描述即可生成配乐。

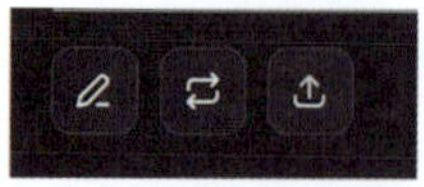

图 4-22　功能按钮

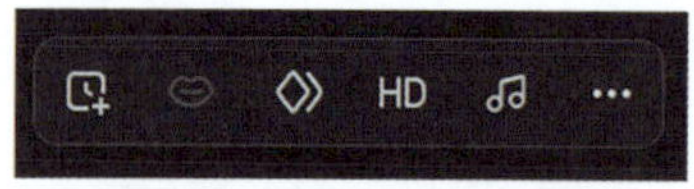

图 4-23　右下方功能按钮

图 4-24　视频延长

图 4-25　补帧

图 4-26　提升分辨率

图 4-27　AI 配乐

图 4-28　AI 配乐相关设置页面

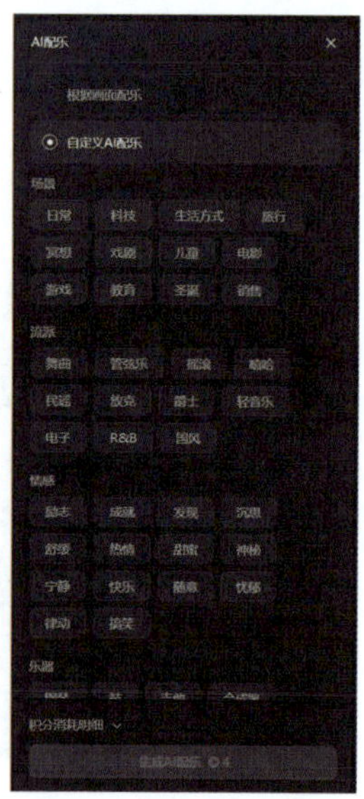

图 4-29　自定义 AI 配乐

（1）图片生成功能

下面来了解一下即梦的图片生成功能，如图4-30所示。在下方文本框中输入提示词。

生图模型选择最新版本，如图4-31所示。

在精细度参数中，数值越高质量越好，这里设置为10，如图4-32所示。

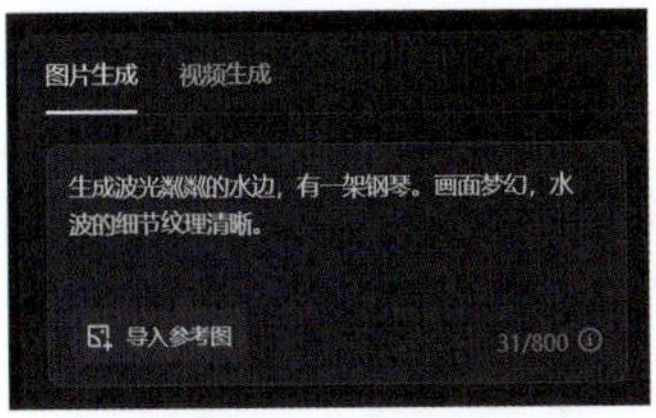

图4-30　输入提示词

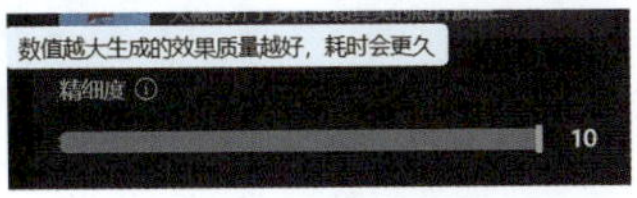

图4-32　精细度设置

图4-31　选择生图模型

图片比例选择1：1，此时的图片尺寸也是最大值1024×1024。点击下方的“立即生成”按钮，如图4-33所示。

等待图片生成，即梦可以一次性生成4张图片，如图4-34所示。

图片生成完成后，可以任意选择图片下载或修改，如图4-35所示。

图4-33　设置图片比例

图4-34　等待生成图片

图4-35　图片生成完成

将鼠标指针悬停在一张图片的上方，可以看到图片下方出现了一个工具栏，如图 4-36 所示。

该工具栏从左到右依次是：超清、细节修复、局部重绘、生成视频、去画布进行编辑、扩图、消除笔，如图 4-37 所示。

点击图片，会跳转到编辑页面，如图 4-38 所示。在这里会显示图片与编辑工具的更多细节。

点击“细节修复”，如图 4-39 所示。此时 AI 将会为我们修复一些图片瑕疵。

图 4-36　图片修改工具栏

图 4-37　工具栏

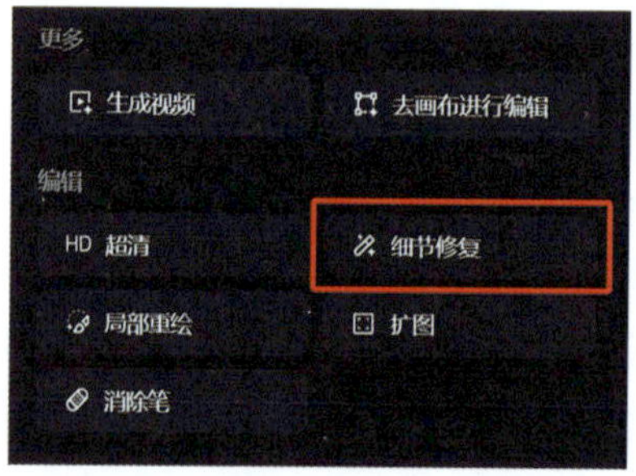

图 4-39　细节修复

图 4-38　编辑页面

修复完成以后，会单独展示该图片，如图 4-40 所示。

点击“去画布进行编辑”，如图 4-41 所示，会跳转到画布工作台。

图 4-40　细节修复完成

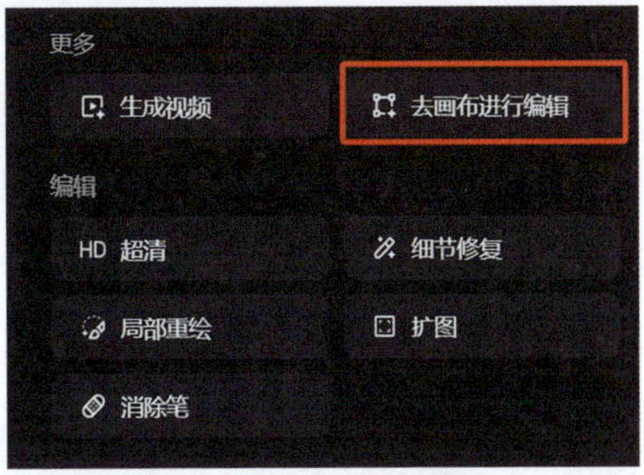

图 4-41　去画布进行编辑

这个工作台有更多处理图片细节的工具，比如：局部重绘、融图、扩图、消除笔、细节修复、超清、抠图等，如图 4-42 所示。

图 4-42　画布工作台

点击“扩图”按钮，如图 4-43 所示。

默认状态下，会扩展 1.5 倍，也可以使用自由比例进行扩展，如图 4-44 所示。点击右下角的立即生成，就可以自动扩展图片。

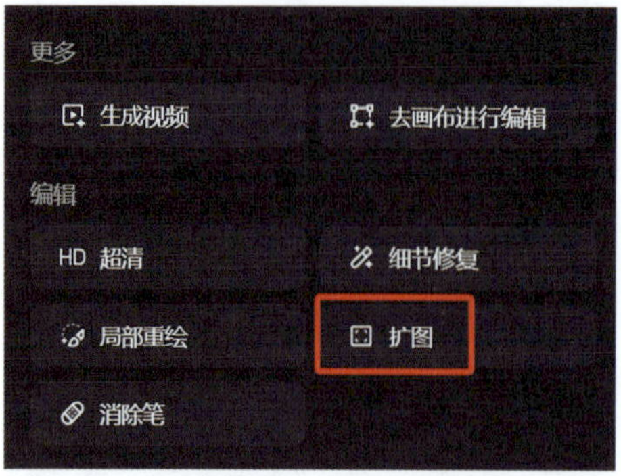

图 4-43　扩图

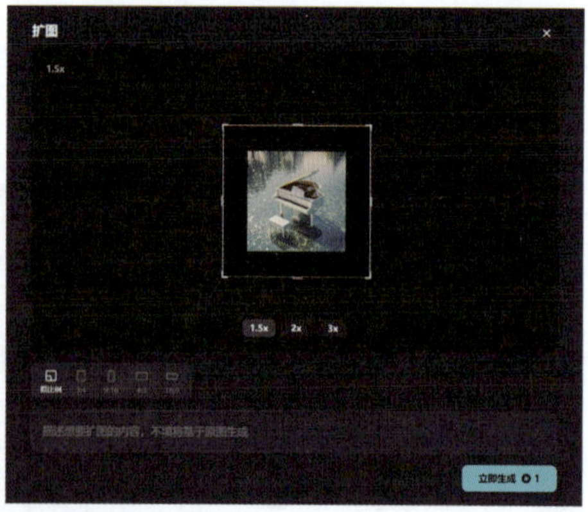

图 4-44　AI 扩展图片

扩展后的图片也会有四个备选方案，如图 4-45 所示。

图 4-45　扩展图片的结果

下面再来使用“超清”这项功能，如图 4-46 所示，它可以让图片分辨率提升。

图 4-46　超清功能

使用超清功能后的图片不能再次使用该功能，如图 4-47 所示。

图 4-47　已经被“超清”的图片

(2) 视频生成功能

点击“生成视频”按钮，AI 就会将这张图片变为视频，如图 4-48 所示。

此时左侧的页面会跳转到“视频生成”的“图片生视频”模式，如图 4-49 所示，并且已经上传好了参考图。在这里可以添加参考图的描述，也可以不添加。

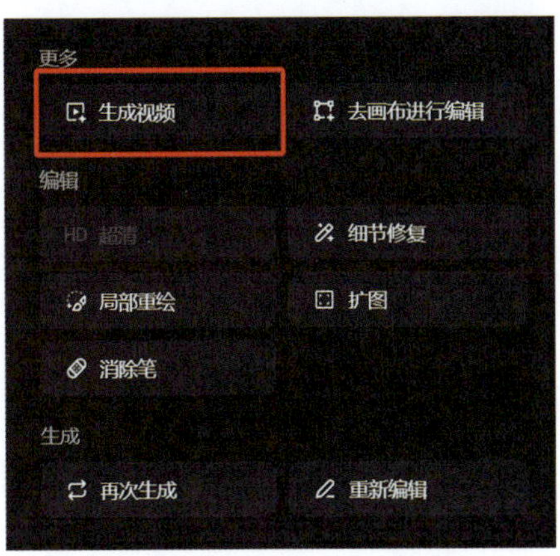

图 4-48　生成视频功能

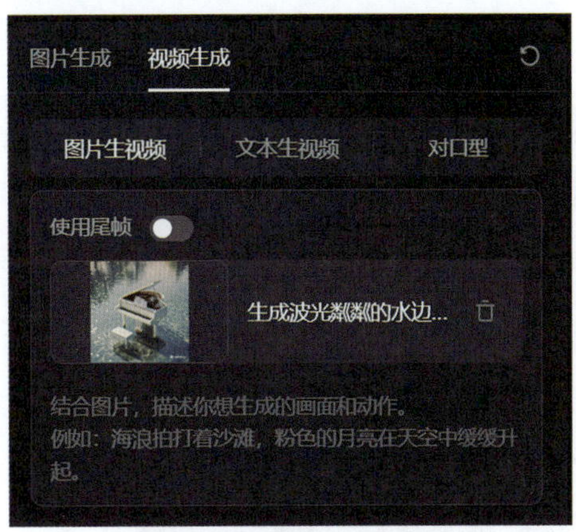

图 4-49　图片生视频模式

此时生成了一个 3 秒的视频，如图 4-50 所示。点击视频画面，跳转到视频详情页。

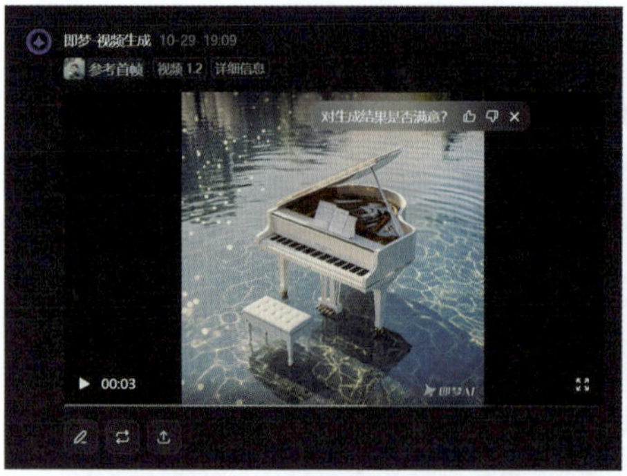

图 4-50　生成完成

图 4-51　视频详情页

页面跳转后，在右上方会显示视频的基本信息：视频描述词、模型、运镜控制、运动速度，如图 4-51 所示。右下角则会有视频编辑功能按钮：视频延长、对口型、补帧、提升分辨率、AI 配乐、重新编辑、再次生成。

现在尝试一个视频生成的新功能：使用尾帧。这个功能是让首帧和尾帧的画面进行自然过渡融合。如图 4-52 所示，点击“使用尾帧”开关，可打开此功能，此时就需要我们上传首帧和尾帧。首帧已经选择了刚才生成的这张图片，尾帧还需要手动上传一张图片，或者用已经通过即梦生成的图片。值得注意的是，首尾帧的主体应尽量保持一致，并且用文字描述这两张图片是如何过渡的。

上传一张扩图完成的图片，这两张图片（首帧与尾帧）效果相近，如图 4-53 所示。

图 4-52　使用尾帧

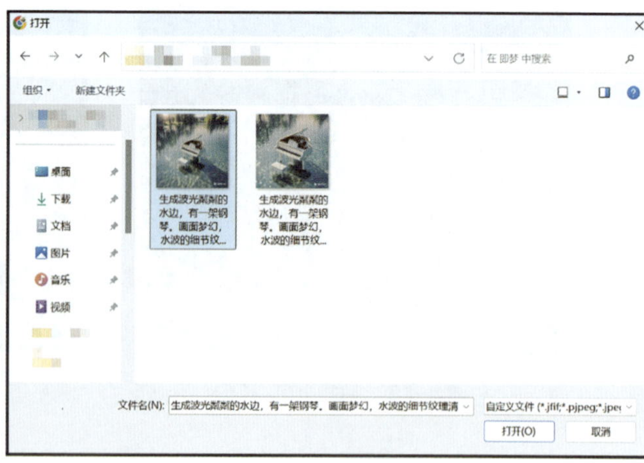

图 4-53　上传图片

将参数设置好以后，点击“生成视频”按钮，如图 4-54 所示。

图 4-54　生成视频

图 4-55　生成视频完成

生成了一个过渡自然的 3 秒视频，如图 4-55 所示。

上传一张与首帧内容不相符的尾帧图片，如图 4-56 所示。

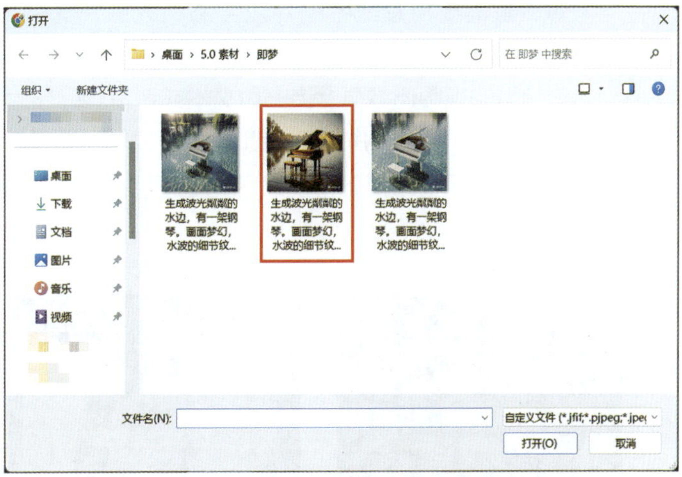

图 4-56　上传一张与首帧内容不符的图片作为尾帧

上传完首帧和尾帧以后，让 AI 帮我们生成一个过渡衔接自然的视频，如图 4-57 所示。

图 4-57　图片上传完成

视频生成后，可以对视频进行多次编辑，如图 4-58 所示。

下面继续来探索“对口型”视频的生成方法。在视频生成的面板下，选择“对口型”模式，如图 4-59 所示。

图 4-58　视频生成完成

对口型需要视频或者图片包含清晰人脸，支持真人和动漫风格，如图 4-60 所示。

对口型的视频还需要上传一段文本或者音频，作为角色朗读的材料，如图 4-61 所示。因为该视频中，角色是在朗读一段材料。

即梦提供了非常多的朗读音色，选择自己喜欢的音色即可，本案例选择了“魅力姐姐”的音色，如图 4-62 所示。

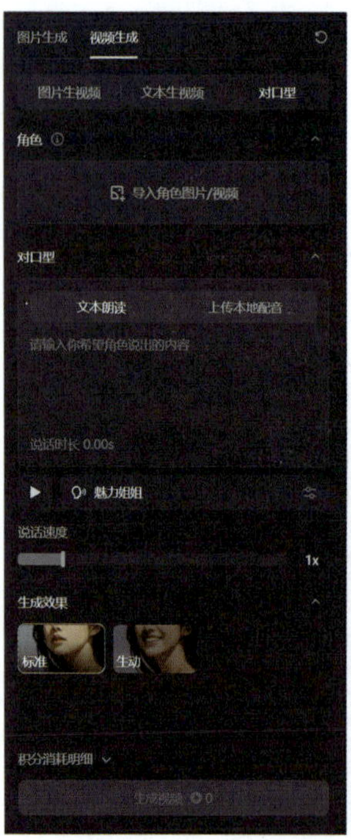

图 4-59　对口型视频

图 4-60　角色内容

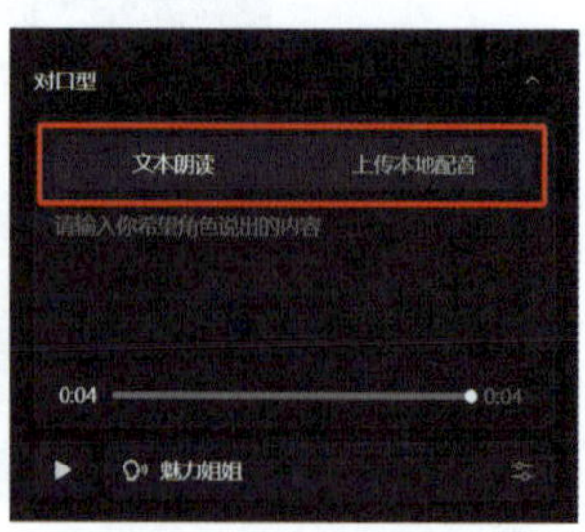

图 4-61　上传朗读材料

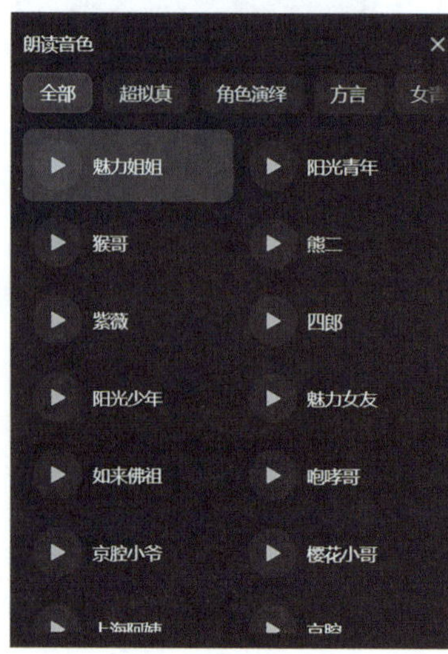

图 4-62　朗读音色

了解这些参数以后，让即梦先帮我们生成一个角色。所以，先跳转到“图片生成”模式，输入如图 4-63 所示的提示词。模型选择最新的版本，精细度设置为 10。点击下方的“立即生成”按钮。

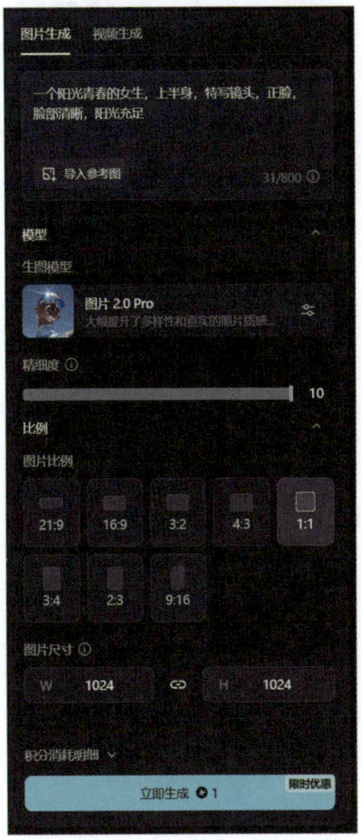

图 4-63　生成角色图片

生成了四个女性角色，如图 4-64 所示。我们使用其中一张图片，作为对口型视频的参考图。点击第一张图片，跳转到图片详情页。

在这里可以查看图片的详细信息，如图 4-65 所示。

点击右下方的“生成视频”功能按钮，如图 4-66 所示。

图 4-64　生成角色

图 4-65　图片详情页

图 4-66　生成视频

左侧会自动跳转到“视频生成”模式，如图 4-67 所示。

选择“对口型”模式。点击“导入角色图片/视频”按钮，如图4-68所示。

图 4-67　视频生成

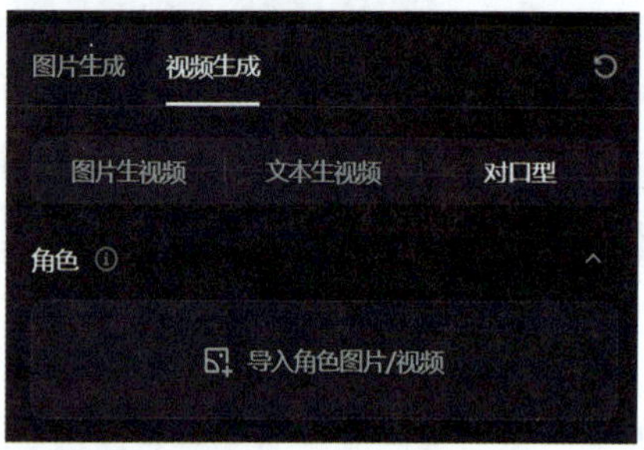

图 4-68　对口型

弹出一个窗口：从本地上传、从资产中选取。选择“从本地上传”，如图 4-69 所示。

上传完成之后，也可以替换或者删除被上传对象，如图 4-70 所示。

现在打开 Kimi，让 Kimi 生成一段 AI 数字人播报的内容，如图 4-71 所示，也可以手动输入内容。

图 4-69　从本地上传

图 4-70　上传完成

图 4-71　Kimi 生成播报内容

将内容复制到“文本朗读”文本框中，点击下方的“生成视频”按钮，如图 4-72 所示。

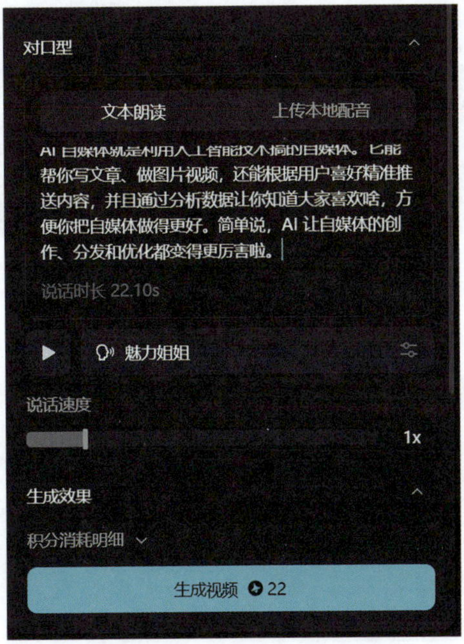

图 4-72　生成对口型视频

选择“生动”模式，这个模式的数字人动作幅度会更大，表情也更丰富，但是画面有可能会被裁切，如图 4-73 所示。

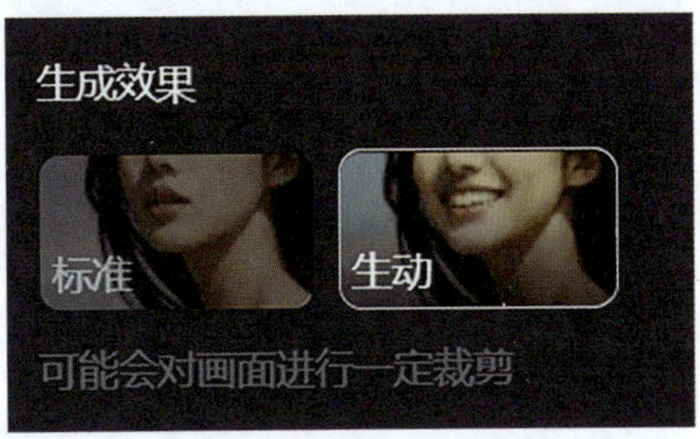

图 4-73　生动模式（1）

生动模式有更丰富的面部表情，适合唱歌和表演，如图 4-74 所示。

图 4-74　生动模式（2）

生成完成以后，原本一张静态图片就变成了会播报文本内容的视频，如图 4-75 所示。

图 4-75　对口型视频生成完毕

下面来了解一个非常便捷的功能——故事创作，如图 4-76 所示，它在“AI 视频”的模式之下。

图 4-76　故事创作

点开之后，下方有两个按钮：批量导入分镜、创建空白分镜，如图 4-77 所示。

图 4-77　导入分镜的两种方式

批量导入分镜可以从本地上传，也可以从资产中获取，如图 4-78 所示。本案例使用“创建空白分镜”模式。

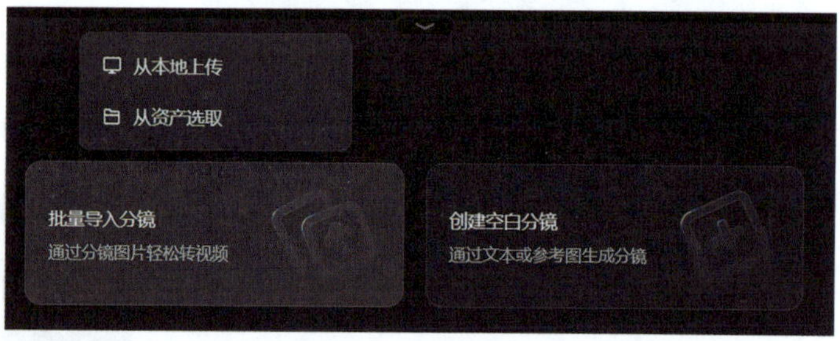

图 4-78　批量导入分镜

点击之后，会出现“分镜 1”这个空白模块，在旁边有一个灰色大按钮——“创建空白分镜”，如图 4-79 所示。点击之后，即可创建空白分镜。

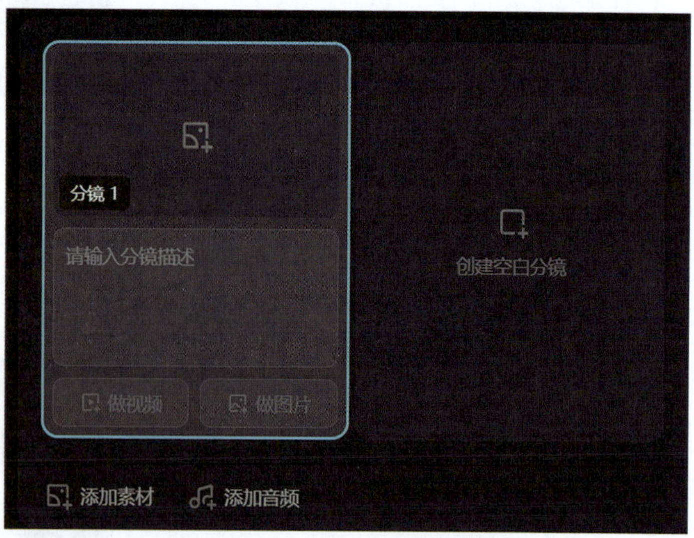

图 4-79　创建空白分镜

此时就会出现“分镜 2”模块，如图 4-80 所示。

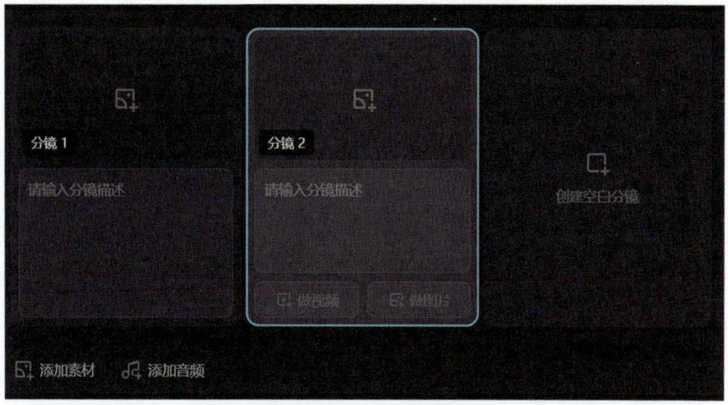

图 4-80　创建分镜 2

用同样的方法，创建更多空白分镜，如图 4-81 所示。

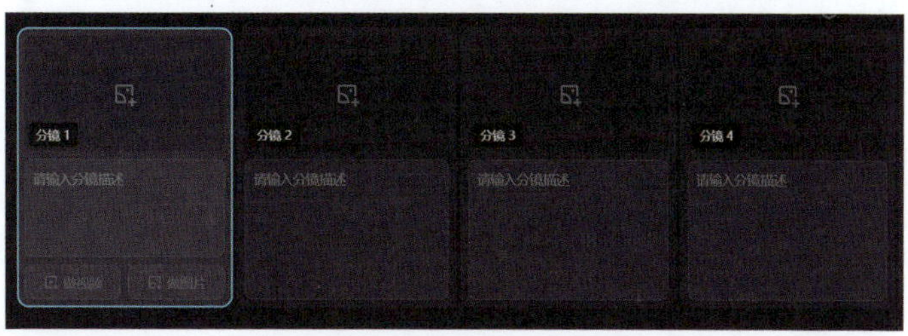

图 4-81　创建更多空白分镜

选择分镜 1 的模块，在左侧会出现“图片生成”的面板，如图 4-82 所示。

将其切换到“视频生成”。在这里可以输入对于该分镜的描述，如图 4-83 所示，AI 会根据描述创建分镜画面。

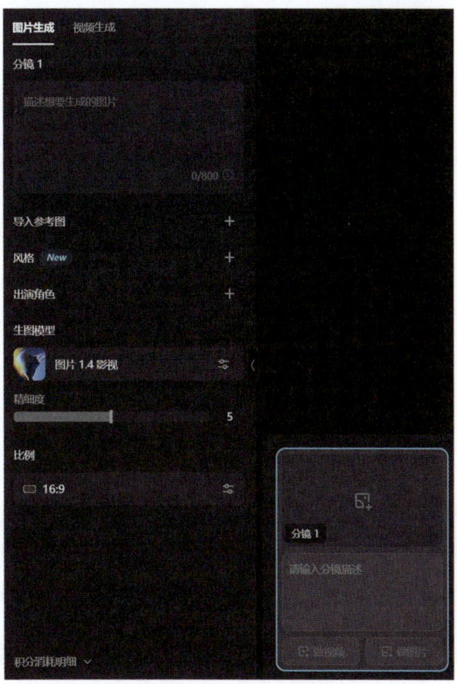

图 4-82　左侧功能面板

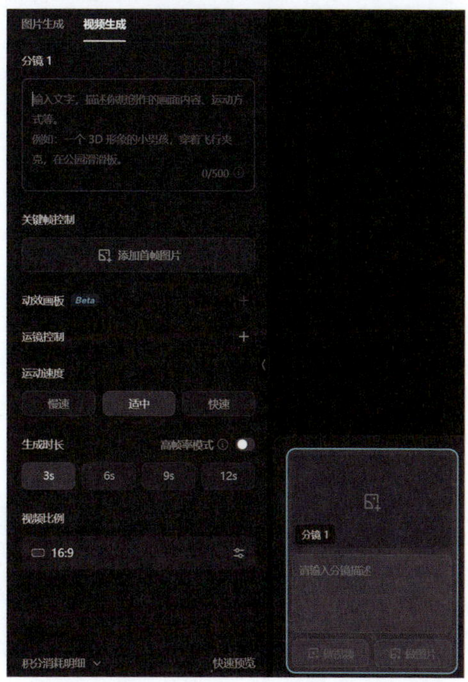

图 4-83　分镜描述

此时，可以使用之前学过的“豆包”工具，在左侧切换到“帮我写作”栏目，点击“脚本”按钮，如图 4-84 所示。

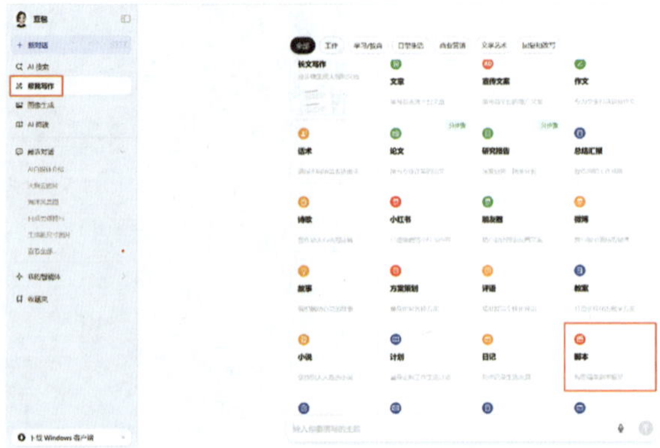

图 4-84　豆包帮我写作功能

将提供好的模板修改成符合我们需求的内容，如图 4-85 所示。

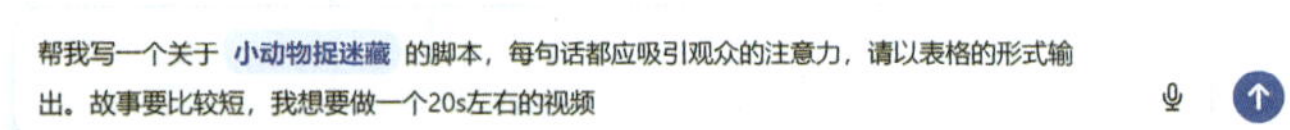

图 4-85　修改模板提示词

完成之后，将其保存，如图 4-86 所示。

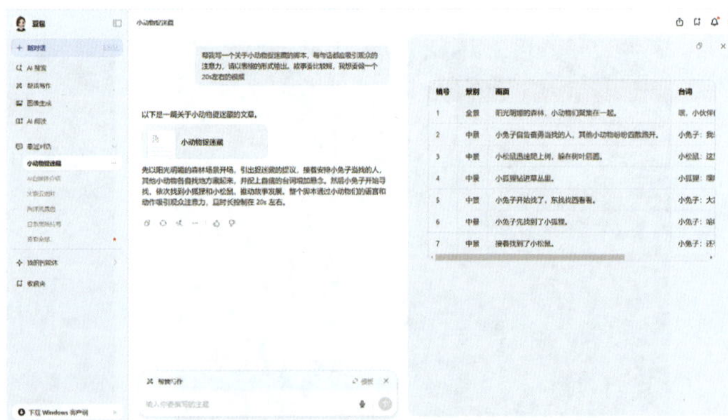

图 4-86　生成脚本内容

将豆包生成的脚本依次复制到每一个分镜描述之中，如图 4-87 所示。接下来，依次为每个分镜添加图片，让每一个分镜都有一张图片。这里也可以直接点击“做视频”按钮，效率会更高。

图 4-87　依次复制分镜描述

每个分镜都有图片以后，可以点击“图转视频”按钮，此时会得到若干个视频，如图 4-88 所示，即梦会帮我们生成连续视频。

点击“图转视频”按钮，让图片转换为视频，如图 4-89 所示。

生成完成后，我们可以点击“导出”，如图 4-90 所示。此时，即梦会将生成好的所有画面全都打包导出到本地。

点击导出按钮以后，会有三个选项供选择：导出成片、导出草稿、批量导出素材，如图 4-91 所示，我们选择“批量导出素材”。

在“导出设置”中，可以重命名文件，也可以设置导出视频的格式，如图 4-92 所示。

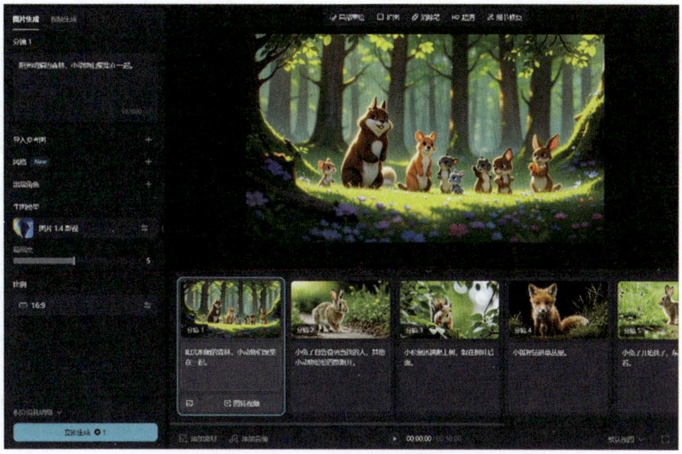

图 4-88　图转视频（1）

图 4-89　图转视频（2）

图 4-90　导出视频

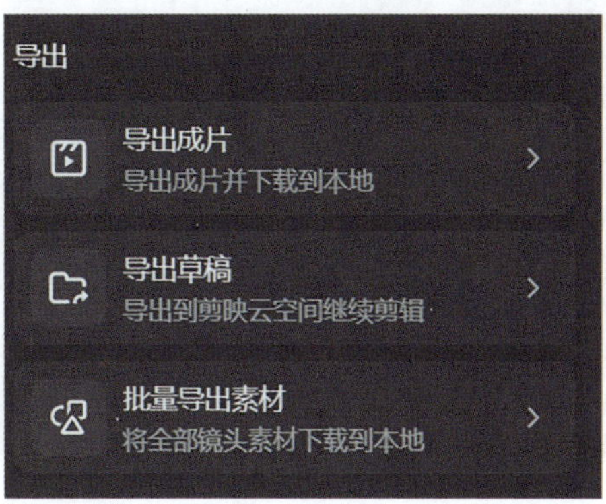

图 4-91　导出类型

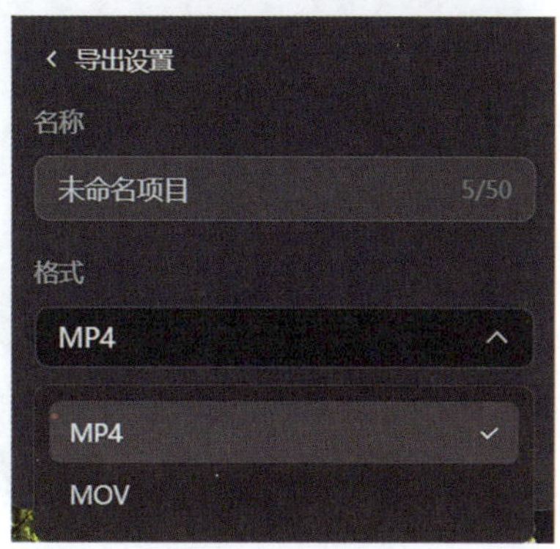

图 4-92　导出设置

即梦会将生成的内容导出成若干个独立的视频，如图 4-93 所示，方便我们后期剪辑。

图 4-93 导出成片

（3）即梦移动端

即梦有独立的手机端应用，可以在手机上随时随地创建图片、视频、音频，如图 4-94 所示。其使用方式和网页端类似，但也有一些特色。在手机 APP 中，最下方可以输入图片的提示词。点击发送以后，就会生成图片。

点击右侧的六边形（设置）按钮，就会出现隐藏的功能页面，在这里可以选择 AI 模型、图片比例，如图 4-95 所示。点击左侧的蓝色按钮，可以切换生成图片或视频。

图 4-94 即梦手机端应用

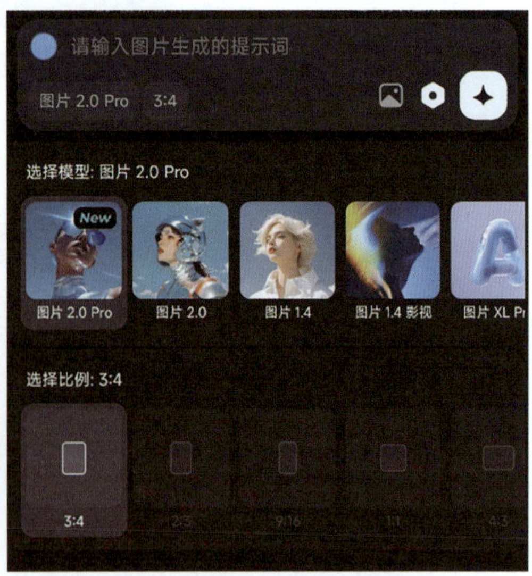

图 4-95 AI 生成设置

图 4-96 选择生成模式

默认状态下是图片生成模式，如图 4-96 所示。我们先尝试使用图片生成模式。

在文本框中输入如图 4-97 所示的提示词。点击右下方的生成按钮，即可生成图片。

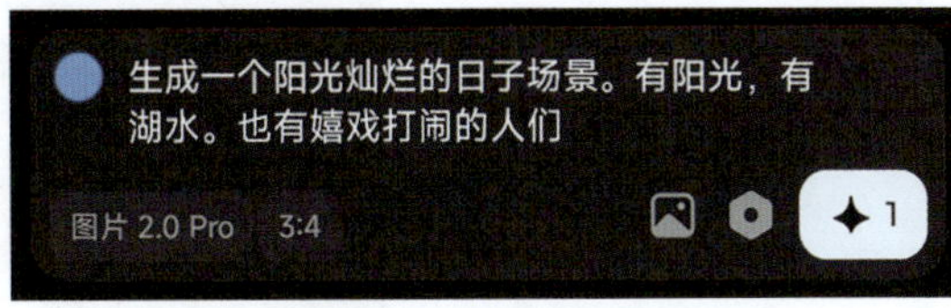

图 4-97 输入提示词

此时即梦会给我们生成多张图片，如图 4-98 所示。

选择一张图片点击打开，图片下方有几个快捷按钮：编辑图片、作为参考图、生成视频，如图 4-99 所示。这些功能和网页端保持一致。点击“编辑图片”按钮，切换到编辑图片模式。

图 4-98 图片生成结果

图 4-99 快捷按钮

此时，图片下方会有局部重绘和消除两个选项，如图 4-100 所示。默认选择局部重绘功能。我们这里选择“消除”功能。

用手指涂抹需要消除的对象，如图 4-101 所示，然后点击右下角的生成按钮。

图 4-100　编辑图片页

图 4-101　选择涂抹对象

此时，被涂抹的对象已经消失，但是并没有破坏图像里的其他内容，如图 4-102 所示。

点击图片，再选择右下方的“生成视频”按钮，如图 4-103 所示。

图 4-102　消除对象

图 4-103　生成视频（1）

此时可以添加尾帧做混合视频，也可以不添加，如图 4-104 所示。点击右下角的生成按钮，即可生成视频。

接下来就是等待视频生成。应用退出以后也不会影响视频生成的进度，因为视频处理是基于云计算的，并不是在本地，如图 4-105 所示。

图 4-104　生成视频（2）

图 4-105　等待视频生成

视频生成后即可播放，也可保存到手机本地相册，如图 4-106 所示。

在底部菜单栏中，我们切换到“灵感”栏，这个部分在网页端的首页有展示。在这里可以查看到优秀的作品，也可以一键制作同款，如图 4-107 所示。

图 4-106　保存视频

图 4-107　“灵感”栏

图 4-108　AI 视频短片

图 4-109　AI 活动

图 4-110　活动页

在底部，切换到“短片”栏。此时作品的展示效果会类似刷短视频。在这里可以点赞、评论、转发视频，也可以关注作者，如图 4-108 所示。

在“灵感”栏的右上角，点击“活动”图标，如图 4-109 所示，即可跳转到活动与赛事内容页。

在活动页中，可以查看进行中与往期的活动，如图 4-110 所示。

在“想象”栏的右上角，有一个文件夹的图标，如图 4-111 所示。这是“我的资产”的快捷方式，点击进入“我的资产”。

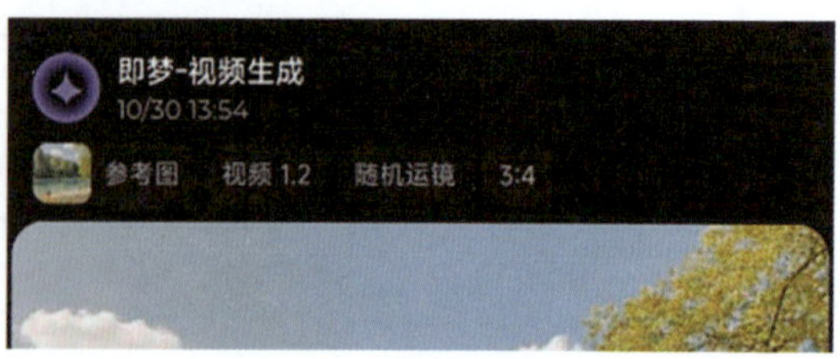

图 4-111　我的资产

在“我的资产”中，可以查看到使用即梦所制作的全部图片、视频，如图 4-112 所示。点击其中的图片或视频，就可跳转到当时制作的历史记录，查看资产详情，如图 4-113 所示。

图 4-112 查看我的资产

图 4-113 查看资产详情

4.2.2 可灵—— AI 写实高质量视频短片

可灵提供 AI 图片、AI 视频、视频剪辑等功能，如图 4-114 所示。它最大的特点就是生成的效果非常细腻逼真，本节将详细介绍可灵的功能与用法。

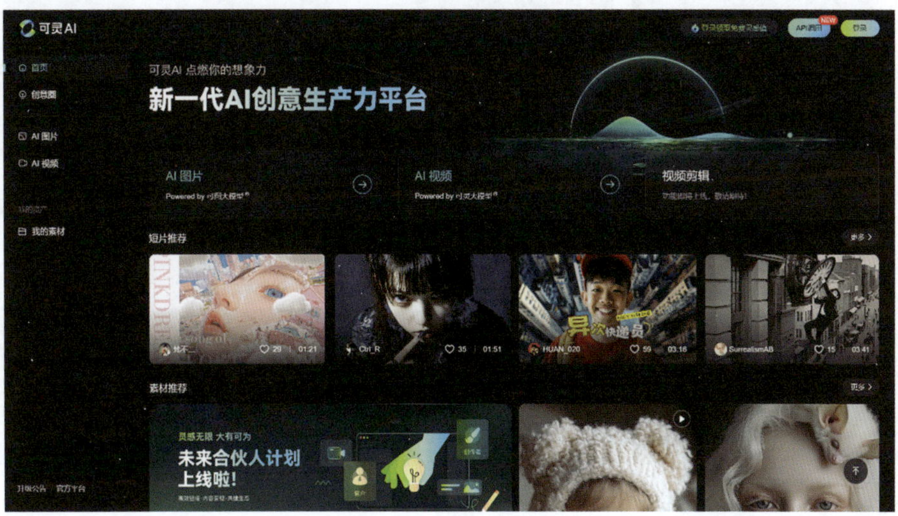

图 4-114 可灵 AI 官网

在可灵AI首页中，有AI图片、AI视频、视频剪辑的快捷进入方式，如图4-115所示。

图4-115　功能快捷方式

在左侧菜单栏中，切换到“创意圈”，此时可以看到使用可灵AI制作的优秀AI作品，如图4-116所示。

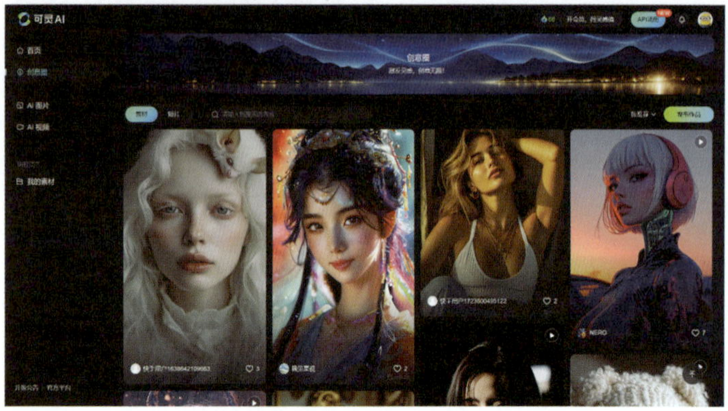

图4-116　可灵AI创意圈

将鼠标指针悬停在一个创意图之上，即可看到这张创意图的简略信息：作者名、提示词，如图4-117所示。也能一键制作同款。点击这张图片，会跳转到详情页，里面会展示更多信息。

图片的创作详情包含了作者名、发布时间、创意描述（提示词）、图片比例等，如图4-118所示。

图4-117　创意图简略信息

图4-118　创作详情

在创意圈页面中，默认展示的是“素材”分类，在左上角，也可以将其切换到“短片”分类，如图 4-119 所示。此时展示的都是由可灵 AI 制作完成的短片。

图 4-119　可灵 AI 短片

点击短片，也能查看它的创作详情，如图 4-120 所示。

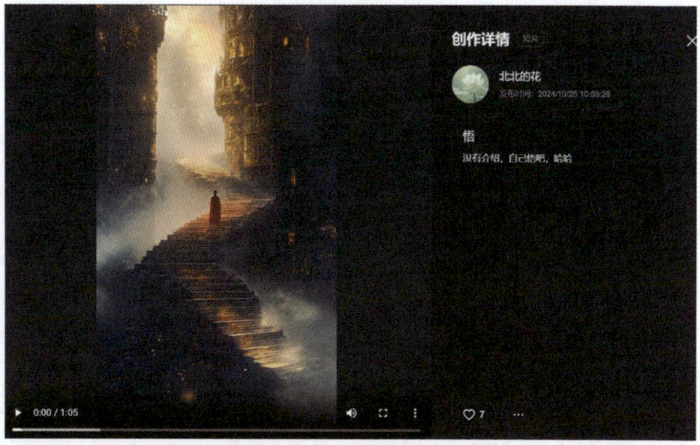

图 4-120　短片创作详情

点击其他的短片，查看更多短片的创作详情，如图 4-121 所示。

图 4-121　查看更多短片创作详情

在可灵 AI 首页的左侧菜单栏中，切换到“AI 图片”栏，如图 4-122 所示。

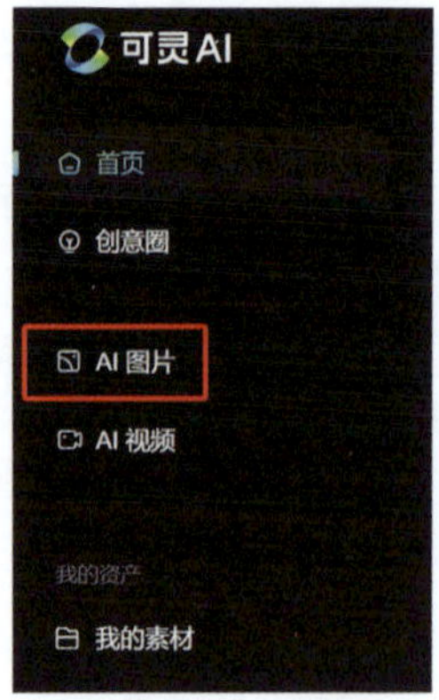

图 4-122　AI 图片栏

此时，就会跳转到 AI 图片工作台，如图 4-123 所示。在这个工作页面中，左侧是设置参数，右侧是生成结果。在左上角的文本框中，输入一段提示词，点击“立即生成”按钮。

等待一段时间后，右侧将会出现生成结果，如图 4-124 所示。

将鼠标指针悬停在图片上方，将会出现一些快捷按钮，如图 4-125 所示。在下方有：画质增强、垫图、生成视频。

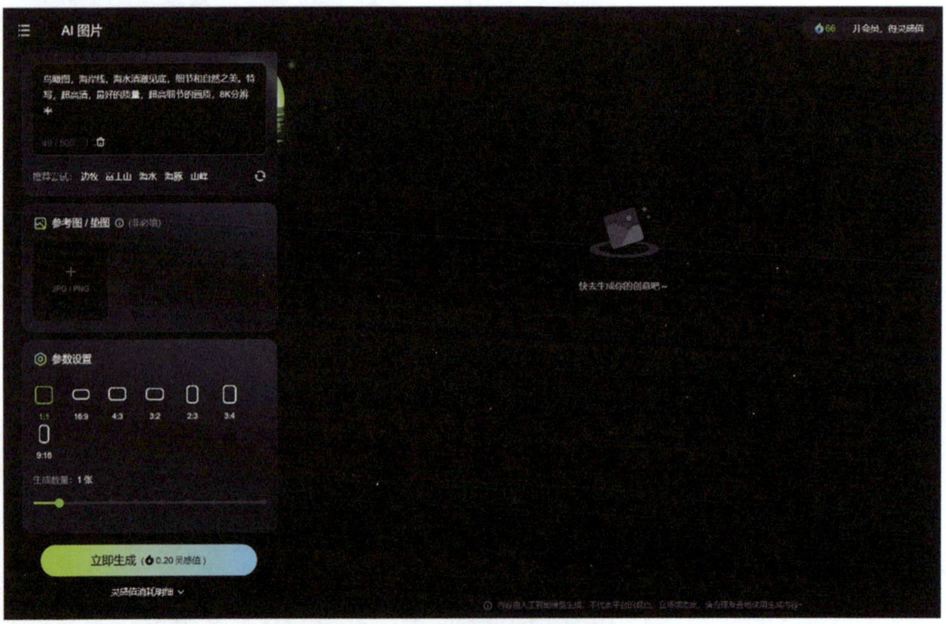

图 4-123　AI 图片工作台

点击“垫图”按钮，此时在左侧的“参考图 / 垫图”中，将会出现这张生成好的图，如图 4-126 所示。在右侧滑块中，可以调节参考的强度，从弱到强分为 5 个级别。这意味着如果要生成一张新的图片，AI 将多大程度地参考这张垫图。

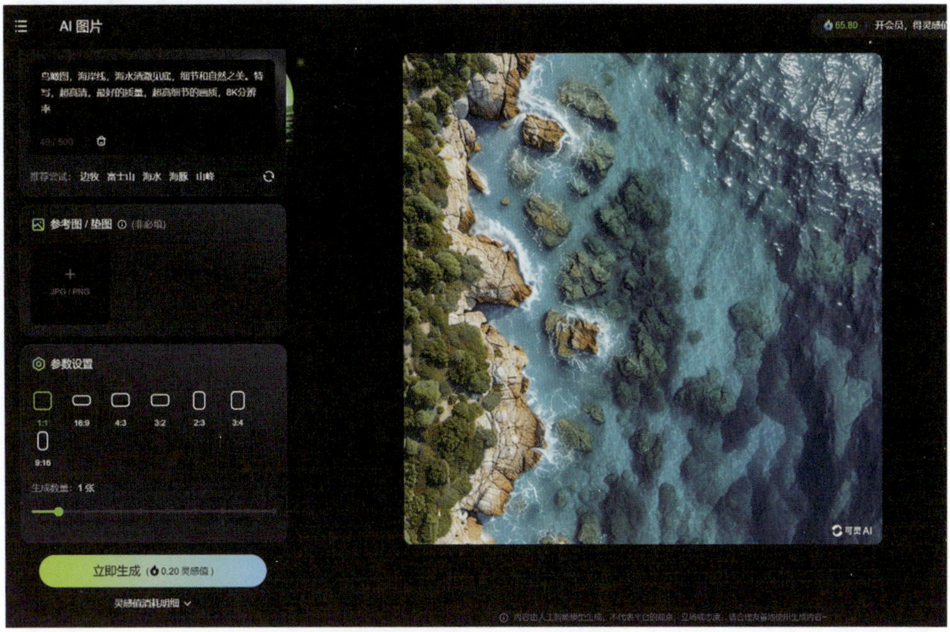

图 4-124 可灵 AI 生成图片结果

图 4-125 快捷按钮

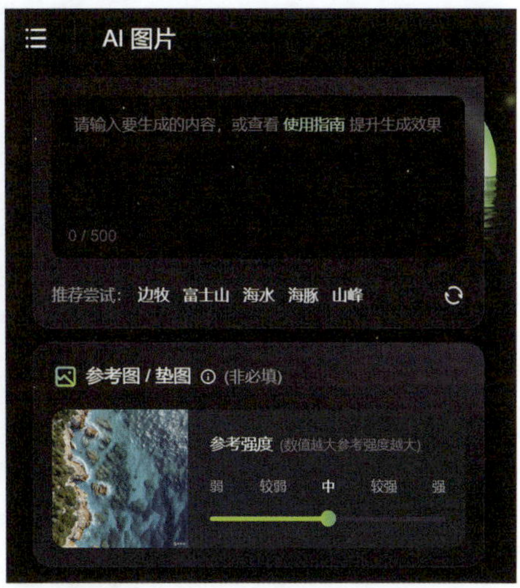

图 4-126 参考图 / 垫图

在上方，切换到“图生视频”模式，同样也可以将其作为垫图，如图4-127所示。

将左侧的设置页面向下滑动，可以看到更多的参数：参数设置、运镜控制、不希望呈现的内容，如图4-128所示。

图4-127　视频中的垫图

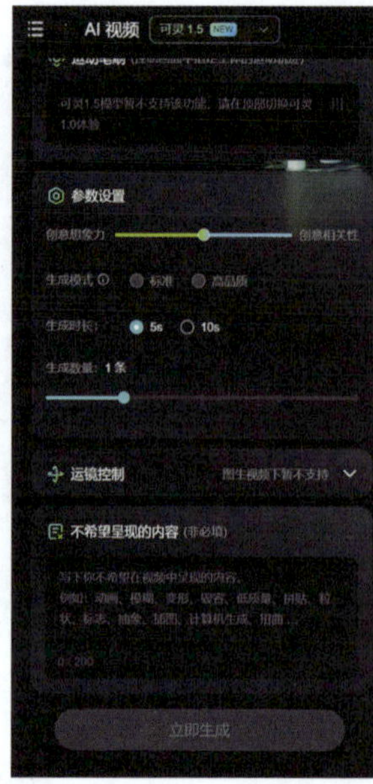

图4-128　更多设置

点击图片下方的“生成视频”按钮，就等同于将其作为一张垫图，生成视频，如图4-129所示。AI在生成视频时，会参考这张图的内容。

图4-129　图生视频

在生成视频之前，可以使用“运动笔刷”功能，这个功能可以局部控制视频画面中哪些物体对象是运动的，哪些是静止的，如图 4-130 所示。

图 4-130　运动笔刷

运动笔刷分为运动轨迹和静止区域，如图 4-131 所示。运动轨迹可以让被选中的物体运动，而静止区域的被选物体则会保持静止不动。

图 4-131　运动笔刷

选择“区域 1”涂抹右侧的水面，如图 4-132 所示。再点击与之对应的“轨迹 1”，选择运动的方向。最后点击确认添加。

图 4-132　运动笔刷设置界面

如果想要了解更多关于运动笔刷的内容，可灵AI官方有详细的说明文档供大家学习，如图4-133所示。

图4-133　可灵AI官方运动笔刷使用指南

设置完成后，左侧的设置面板就会记录运动笔刷信息，如图4-134所示。点击生成视频。

图4-134　记录运动笔刷信息

等待一段时间后，视频画面中，海面会沿着之前预设好的轨迹方向运动，如图4-135所示。

图4-135　视频生成

事实上，上面的操作就已经进入了可灵AI视频的内容，我们用的是图生视频的模式，如图4-136所示。下面介绍图生视频更强大的功能，这个功能更为可控。点击“增加尾帧”，下方就会要求我们上传首帧和尾帧。有了这个功能，AI就可以生成一个从首帧变化到尾帧的视频。

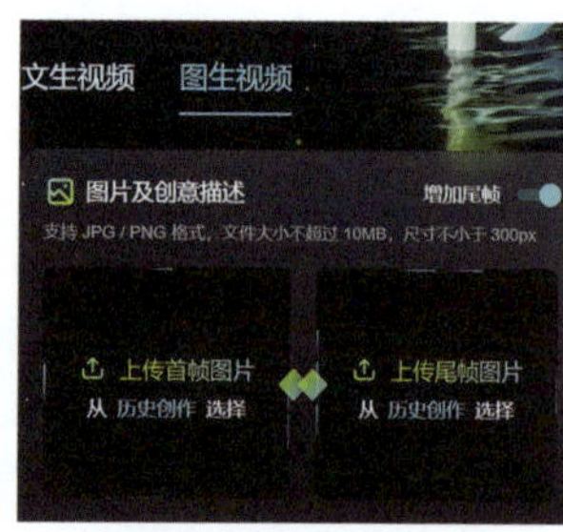

图4-136　增加尾帧

我们可以从本地或是“历史创作”中上传图片，如图4-137所示。

图4-137　上传尾帧图片

首帧选择海岸的图片，尾帧选择星空的图片，如图 4-138 所示。在“图片创意描述”中，适当添加描述词，方便 AI 理解图片信息。

等待一段时间后，可灵 AI 将以一种非常自然的过渡方式，将两者融入一个视频之中，如图 4-139 所示。

图 4-138　首帧与尾帧内容上传完成

图 4-139　融合视频

同样的提示词，可以使用“文生视频”的功能，让可灵 AI 生成一个视频，如图 4-140 所示，可以对比这两个视频之间的差异。

视频生成好后，可保存到本地，如图 4-141 所示。

图 4-140　文生视频

图 4-141　保存视频

4.2.3　剪映 AI—— AI 影视后期一站式解决方案

剪映是一个视频后期制作软件，我们可以使用它来剪辑视频素材。需要下载剪映，在本地使用它，如图 4-142 所示。

图 4-142　剪映官网

剪映提供了云端存储的方式，可以多端多设备多人同步项目，如图 4-143 所示。

图 4-143　多端同步

剪映也提供了手机版本供大家使用，手机版本与抖音深度绑定，是许多用户创作抖音短视频的工具，如图 4-144 所示。

图 4-144　剪映 APP

在官网的上方栏目中，可以看到“AI 创作”这一栏，点击进入，是前面介绍过的即梦 AI 的页面，如图 4-145、图 4-146 所示。

图 4-145　AI 创作

图 4-146　即梦 AI

下载安装好剪映以后，打开剪映。剪映的启动页是一个较为小巧的页面，如图 4-147 所示。在这里可以查看到首页、模板、我的云空间、热门活动等内容。也能在右侧点击“开始创作”创建新文件。在“草稿”中，可以看到历史创作项目。

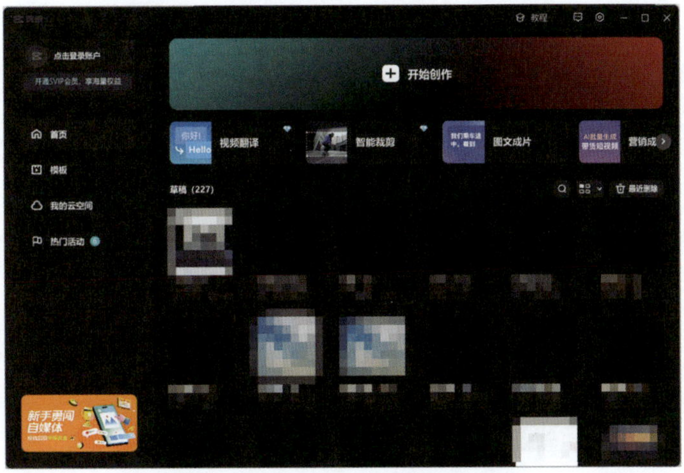

图 4-147　剪映启动页

点击“开始创作”按钮，如图 4-148 所示，即可跳转到剪映工作台主界面。

图 4-148　开始创作

这个界面将是我们重点介绍的内容，如图 4-149 所示。它也是我们用剪映制作视频的工作台。

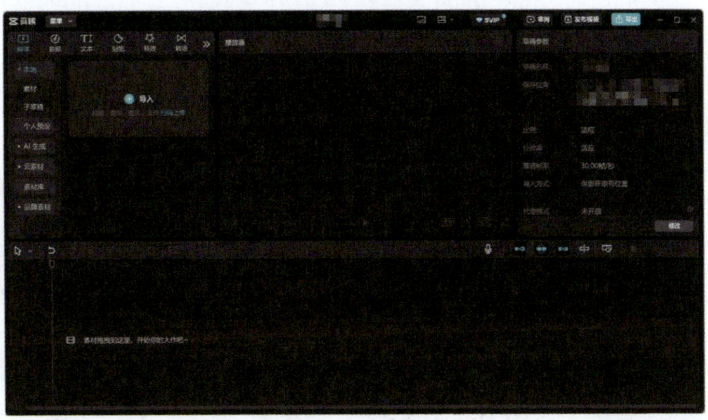

图 4-149　剪映工作台

（1）媒体（AI 视频与图片）

在左上方的“媒体”面板中，默认选择的是“本地”方式，在右侧有一个“导入”按钮，点击选择要导入的文件，也可以将要导入的文件拖曳到这个位置，完成导入，如图 4-150 所示。导入的文件支持视频、音频、图片等内容。

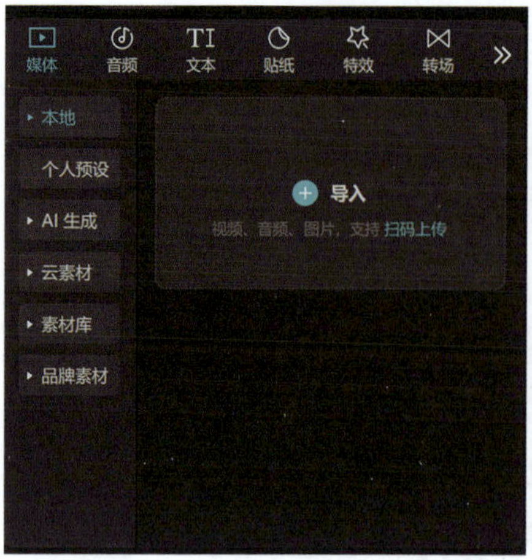

图 4-150　导入文件

图 4-151　从本地导入文件素材

将这些文件全部选中，点击右下方“打开”按钮，如图 4-151 所示，这些文件包含了视频和图片。

导入后，可以在媒体面板中查看到文件内容，如图 4-152 所示。

在剪映中，调用左上角素材的方式是统一的，也是很简单的，只需要将目标对象选中以后，拖曳到时间轴上，即可完成，如图 4-153 所示。下方这个区域被称为时间轴，那是因为这里的素材可以被播放，播放的内容在“播放器”中显示。时间轴上有一个白色指针，这个指针也是相当关键的内容，指针指向的位置就是当前播放器显示的画面。

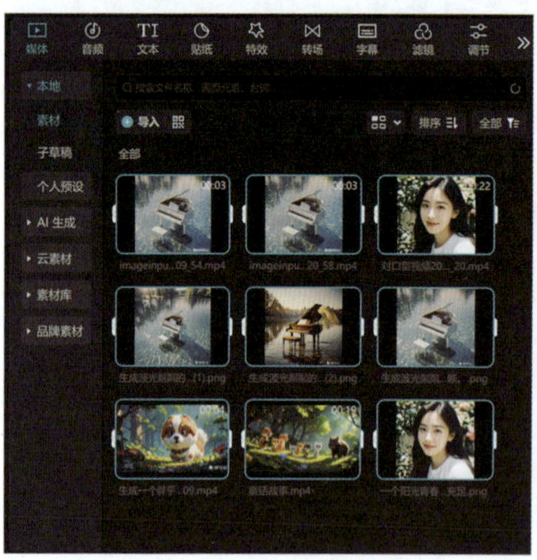

图 4-152　导入后的素材

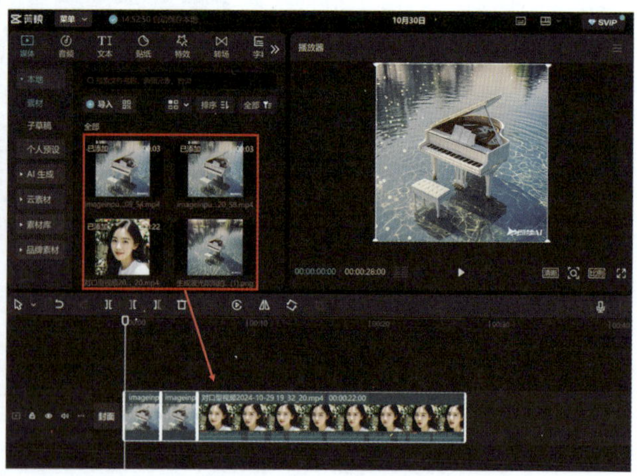

图 4-153　调用素材

在时间轴上可以任意拖曳素材，调整它们的顺序，如图 4-154 所示。

图 4-154　在时间轴上拖曳素材

每一个素材在时间轴上的长度就等同于它们持续的时间，长度越短，持续时间越短，可以选中某一个视频，缩短其长度，如图 4-155 所示。只要在视频滑块的末端用鼠标左键拖曳，即可调整视频长度，这就是一种剪辑视频的方式。

另外一种方式更为常见，那就是在时间轴上将指针拖曳到特定位置，然后点击剪辑图标，或者按下快捷键 Ctrl+B，即可将视频沿着指针切成左右两段，如图 4-156 所示。

图 4-155　缩短视频长度

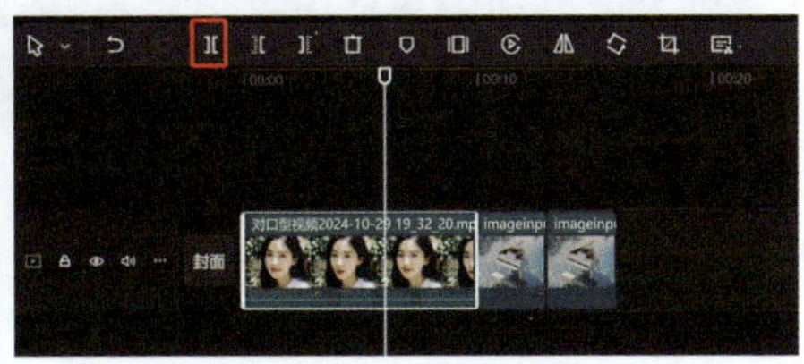

图 4-156　剪辑视频

被剪辑的视频片段会变成两个独立的模块，可以任意删除、移动其中的一个模块，如图 4-157 所示。

我们把被选择的模块拖曳到最右侧，此时就又完成了一个视频的剪辑操作，如图 4-158 所示。

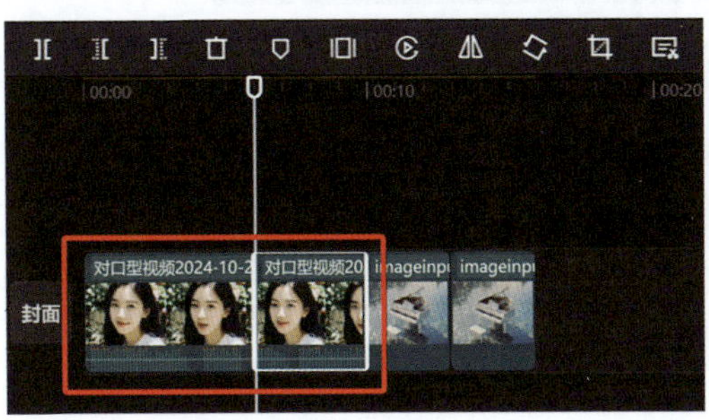

图 4-157　被剪辑的视频

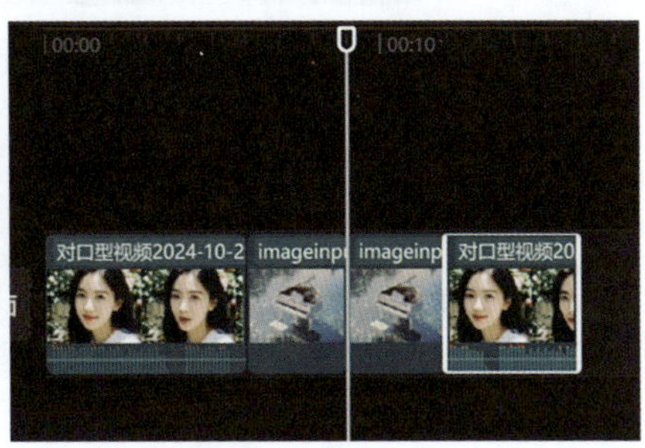

图 4-158　移动视频片段

在“媒体”面板中，在左侧的菜单栏里，切换到“AI 生成”，展开这个栏目，可以看到有两种模式：图片生成和视频生成。这个功能在之前的其他 AI 工具讲解中，都曾多次提到。在剪映中，操作也非常类似，如图 4-159 所示。

只需要在“画面描述”（提示词）中，输入我们想要 AI 生成的内容，再点击右下角的“开始生成”按钮，即可完成，如图 4-160 所示。

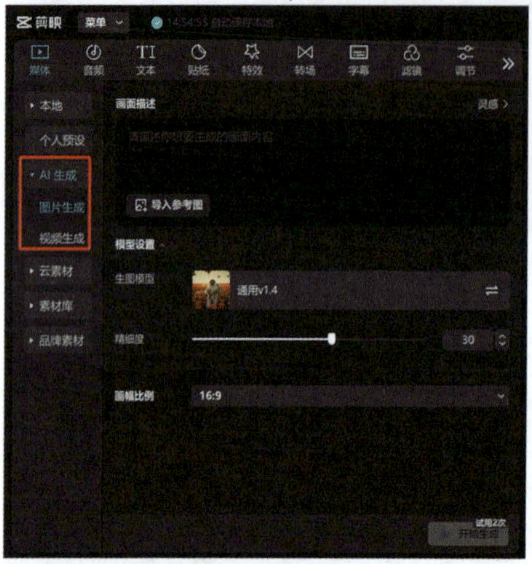

图 4-159　AI 生成

图 4-160　输入提示词

AI 生图模型可以切换，默认状态下就是最新的模型，如图 4-161 所示。

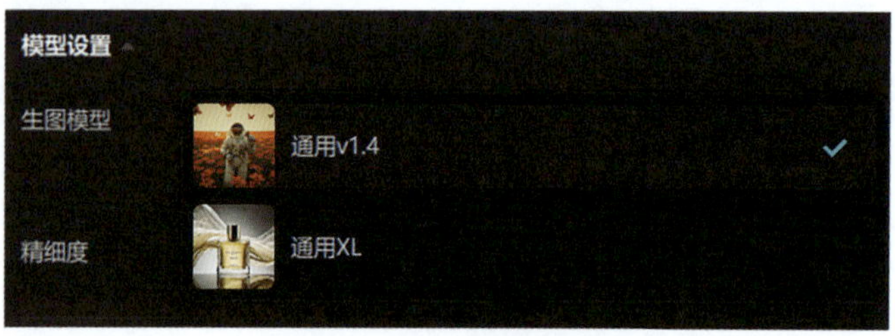

图 4-161　AI 模型设置

再来了解一下剪映“视频生成”的界面。有两种模式可选：图片生视频、文本生视频，如图 4-162 所示。图片生视频需要上传参考图，而文本生视频只需要输入提示词。

在图片生视频的模式下，可以上传一张本地的参考图，如图 4-163 所示。点击右下方的“开始生成”按钮，即可生成视频。

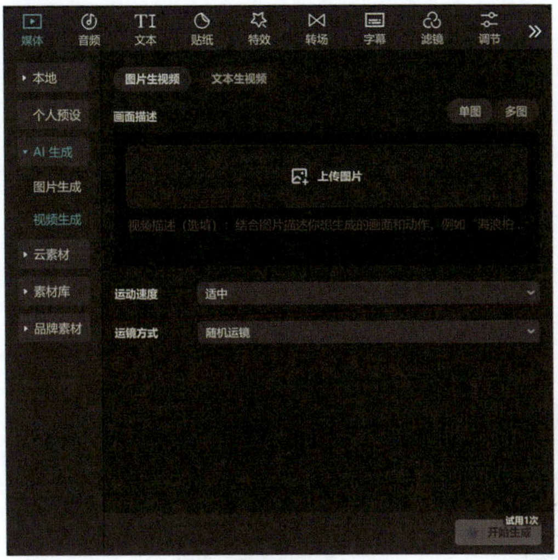

图 4-162　视频生成

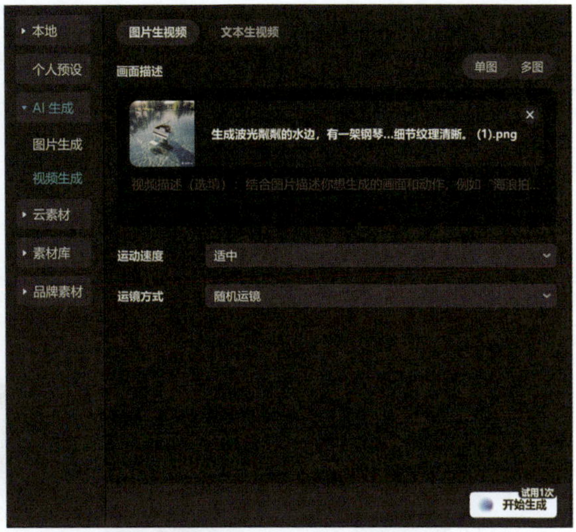

图 4-163　图片生视频

在这里，运镜方式可以有多种选择，如图 4-164 所示。默认情况下是“随机运镜”。

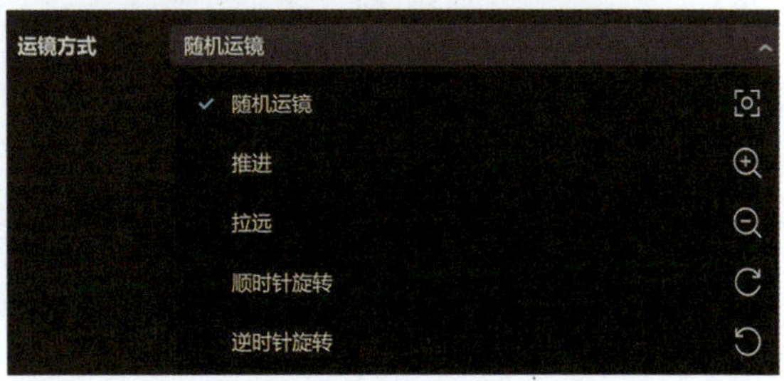

图 4-164　运镜方式

在文本生视频的方式中，只需要输入提示词，即可完成视频生成，如图 4-165 所示。

切换到“云素材”，在这里可以利用剪映云备份相关的素材，如图 4-166 所示。备份好的素材文件，只需要登录账号，就能随时随地调用，在任何新设备中都能使用。

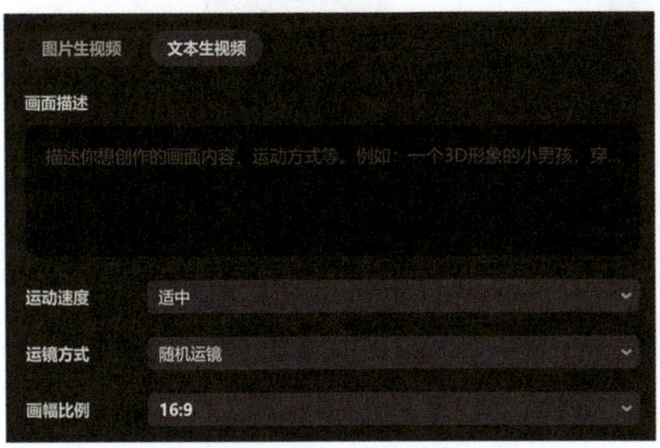

图 4-165　文本生视频

图 4-166　云素材

“素材库”是一个在线的文件库，存储在云端。我们可以随时任意调取素材库中的内容，将其下载到本地，使用的方式就是拖曳到时间轴上。素材库的分类非常多样，最常用的分类是“热门”，可以根据自身特殊需求，挑选不同的分类，寻找适合自己的素材，如图 4-167 所示。

素材库中的素材，和本地素材本质上是一样的，如图 4-168 所示，都是视频或图片等多媒体文件。

剪映提供了如此多种类的素材，能满足绝大多数人的创作需求，如图 4-169 所示。

图 4-167　素材库

图 4-168　被调用的素材

图 4-169　素材分类

（2）音频（AI 音乐、背景音乐、音效）

让我们切换到“音频”模块。在左侧的菜单栏中，有音乐素材、AI 音乐、音效素材、音频提取、抖音收藏、链接下载、品牌音乐。当我们在做后期工作的时候，时常会在这里找寻背景音乐和音效，如图 4-170 所示。下面选择一些重点面板给大家讲解。

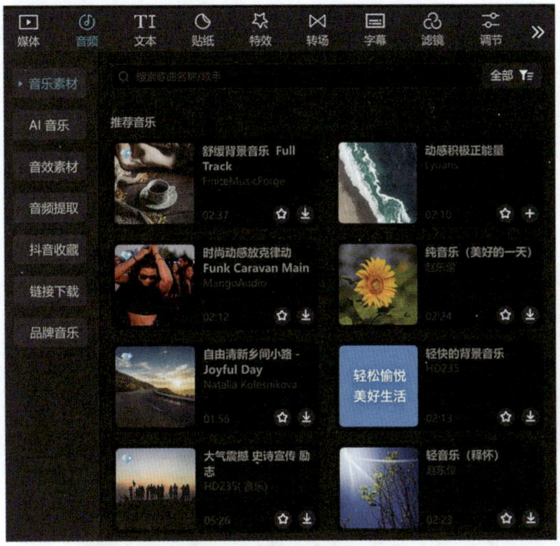

图 4-170　音频模块

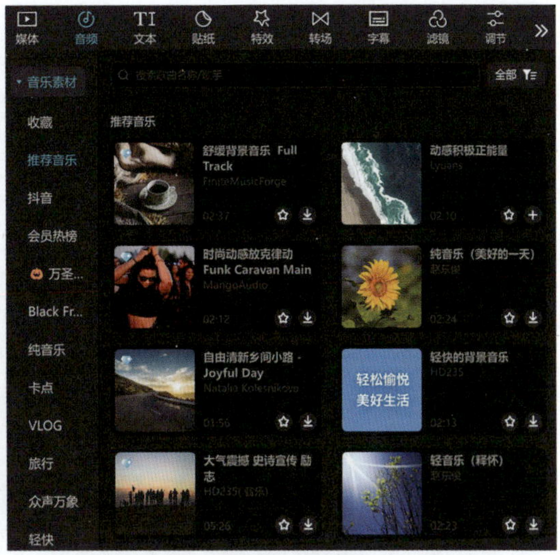

图 4-171　推荐音乐

在音频中，会有一个“推荐音乐”面板，在这里可以看到正在流行的音乐，剪映也会根据视频画面，推荐一些合适的音乐，如图 4-171 所示。

选择“舒缓背景音乐”这首曲子，拖曳到时间轴的音轨上。可以看到，这个音频文件会自动地放置在视频素材滑块的下方，如图 4-172 所示。在时间轴的音轨轨道上，音频文件会显示其音量大小。

切换到“AI 音乐”的栏目中，在这里 AI 可以生成纯音乐和人声歌曲两种类型的音频文件，如图 4-173 所示。生成完后，将会出现在时间轴的音轨上。我们只需要在“音乐描述”中，输入我们的需求，即可创作音乐。

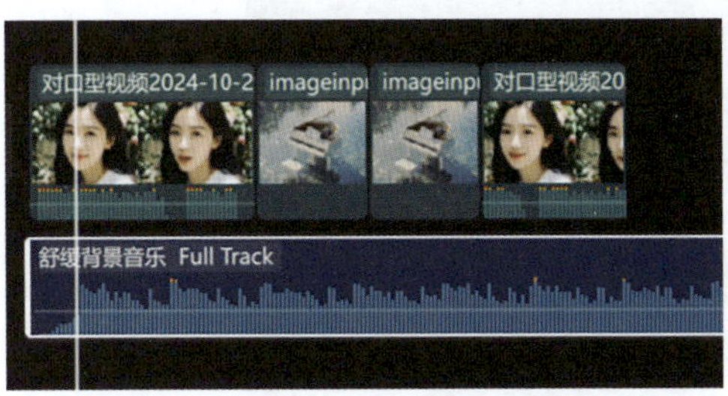

图 4-172　音频文件

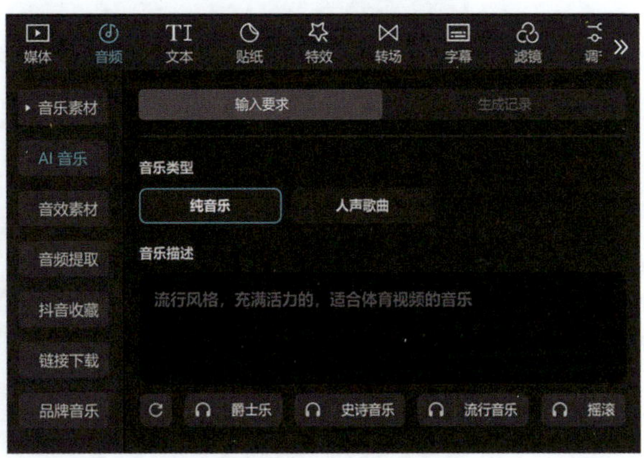

图 4-173　AI 音乐

在“人声歌曲”中，可以复制歌词进来，也可以让 AI 自动生成歌词。在下方也需要添加音乐描述，如图 4-174 所示。在底部，有一些音乐风格的标签，供我们选择。

音效是一个比较容易被人忽略的要素，给视频添加适当音效，可以调动观众的感官。在剪映中，音效有非常多的门类，我们可以根据需求筛选音效，如图 4-175 所示，也可以直接在搜索框中搜索相应的音效。

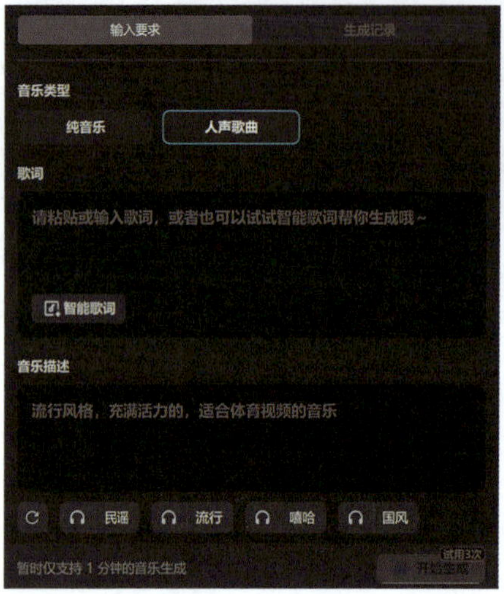

图 4-174　人声歌曲

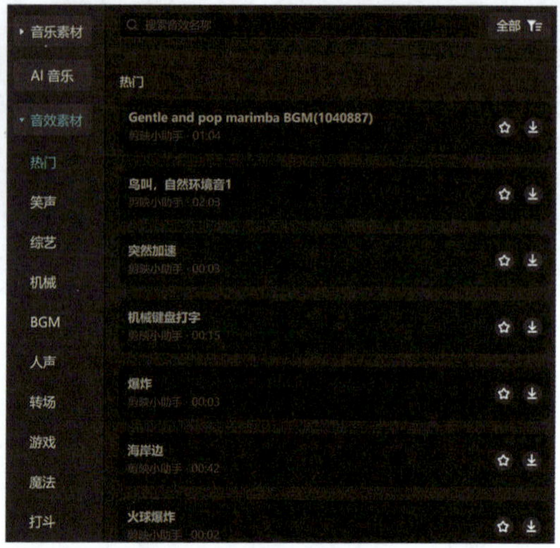

图 4-175　音效素材

提到 AI 音乐，有两个比较常用的 AI 音乐平台，一个是 Suno，另一个是 Udio，它们都是基于网页的 AI 音乐工具，只需要输入提示词，即可完成纯音乐与人声歌曲的创作，如图 4-176、图 4-177 所示。生成后，下载音频文件，可以导入剪映中进行后期创作。

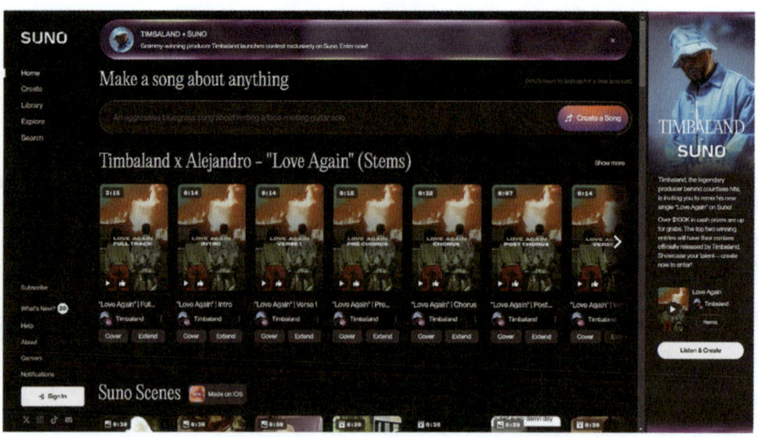

图 4-176　Suno 官网首页

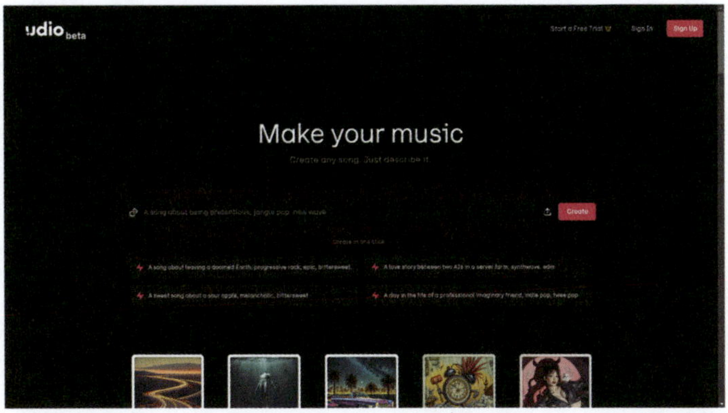

图 4-177　Udio 官网首页

另外，在即梦中也有 AI 音乐的部分，如图 4-178 所示，也可以使用即梦进行音乐相关的创作。

图 4-178　即梦 AI 音乐

（3）文本

在文本面板中，左侧默认是“新建文本”的栏目，如图 4-179 所示，在这里可以新建文本到视频之中。将“默认文本”拖曳到时间轴的位置，即可完成创建。

创建好文本以后，在时间轴上就会出现一个“默认文本”的滑块，如图 4-180 所示。

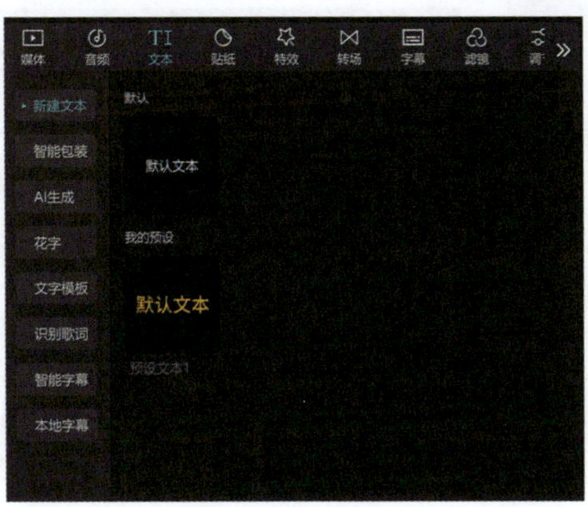

图 4-179　文本面板

图 4-180　默认文本滑块

在播放器中，会以文本的方式显示在画面中央，如图 4-181 所示。

可以在播放器中移动默认文本的位置，如图 4-182 所示。

在选择文本的状态下，剪映的右侧面板中，会显示文本的相关属性，如图 4-183 所示。在这里可以对文本进行非常详细的修改，比如修改文本内容、字体、字号、样式、颜色等，也可以将文本改为气泡或者花字样式，同时还能给文本添加动画等。

智能包装是一个一键创建视频的功能，剪映会根据我们已有的素材，匹配合适的风格，一键制作视频，如图 4-184 所示。

图 4-181　在视频中显示

图 4-182　移动文本

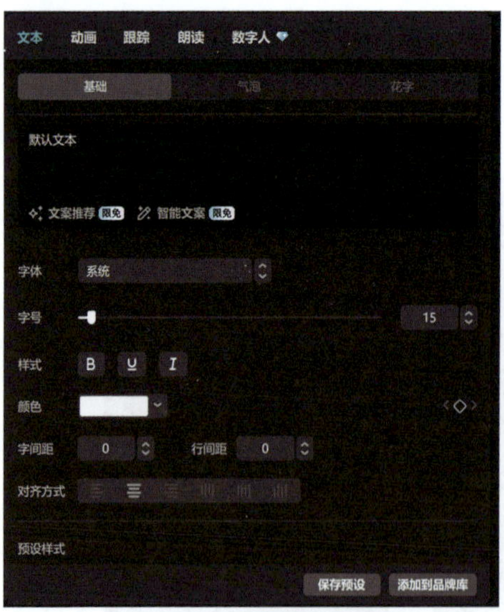

图 4-183　文本属性面板

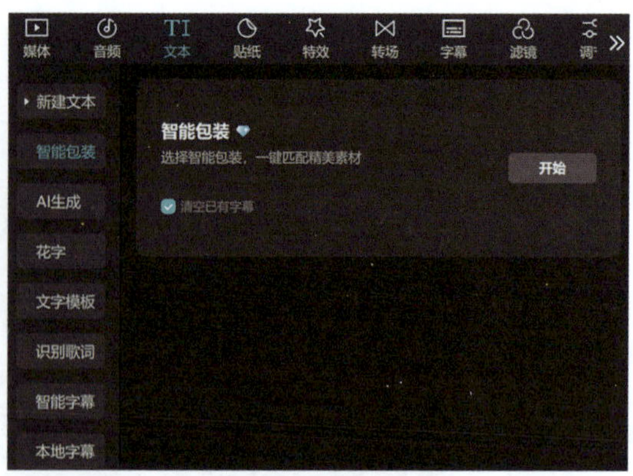

图 4-184　智能包装

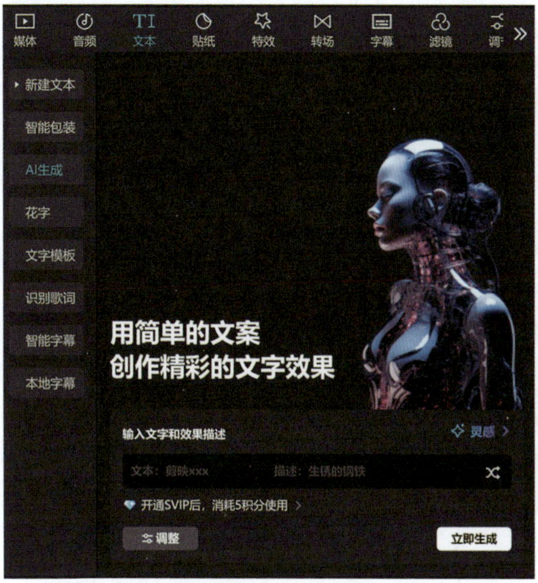

图 4-185　AI 生成

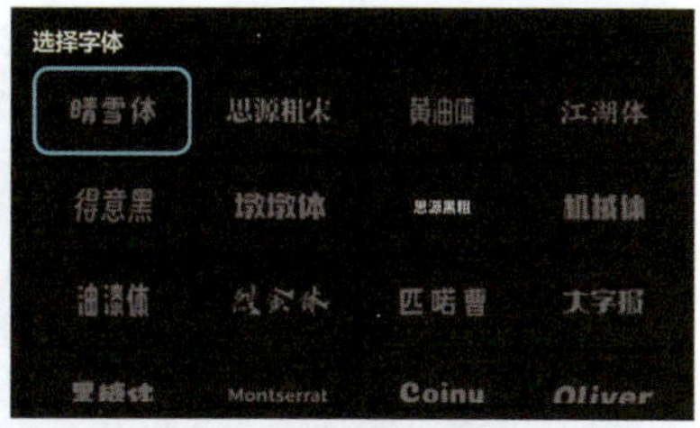

图 4-186　选择字体

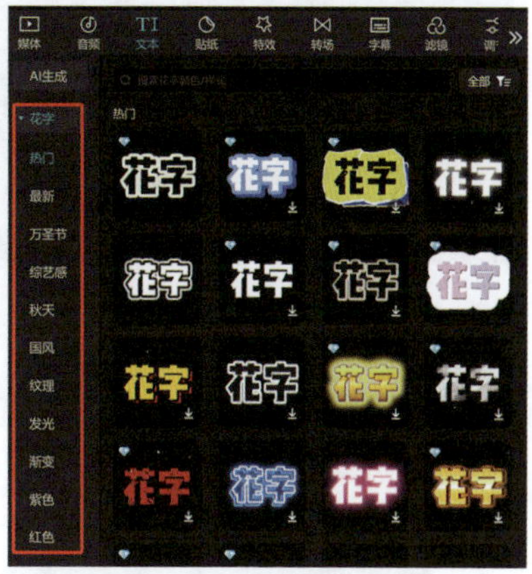

图 4-187　花字

在“AI 生成”中，可以利用 AI 帮我们生成不同的文字效果，如图 4-185 所示。

下方可以选择生成文字的字体，如图 4-186 所示，AI 将基于这个字体进行二次创作。

接下来是“花字”栏目，剪映给创作者们提供了非常多种类的文字风格样式，如图 4-187 所示，可以选择适合自己的文本样式，拖曳到时间轴上。

被调用的花字在时间轴上显示的滑块和其他文本滑块是保持一致的，如图 4-188 所示。

花字在播放器中的显示效果，如图 4-189 所示。

图 4-188　花字在时间轴上的显示

图 4-189　花字的显示效果

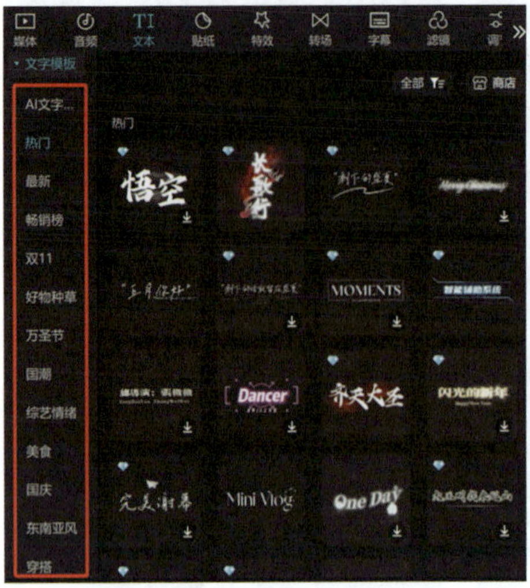

图 4-190　文字模板

然而，花字并不提供动画效果，不适合作为视频封面文字，所以就有了“文字模板”，如图4-190所示。在这里，我们可以选择足够高级的文本样式，作为视频的封面文字、重点文字。我们选择“悟空”文本，拖曳到时间轴上。

“悟空”文本在时间轴上的位置和在视频内的显示效果，如图 4-191、图 4-192 所示。

此外，文本模块还有识别歌词的功能，这里包含了中文和英文歌曲，如图 4-193 所示。

“智能字幕”是一个常用功能。剪映可以根据视频的音频来自动生成字幕，如图 4-194 所示。也能够通过文稿匹配的方式，精确生成字幕。

图 4-191　时间轴上的文本

图 4-192　视频中的文本效果

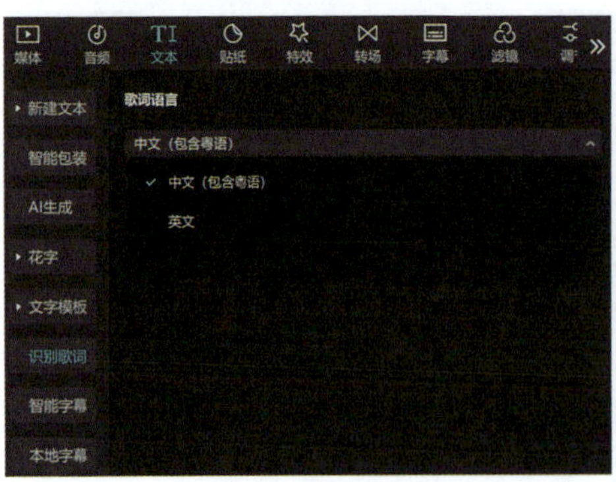

图 4-193　识别歌词

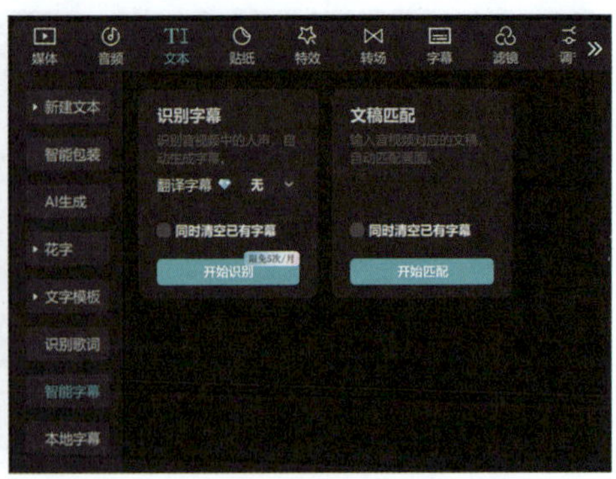

图 4-194　智能字幕

剪映支持导入 SRT、LRC、ASS 等格式的字幕文件，作为视频的字幕，如图 4-195 所示。

图 4-195　导入本地字幕文件

（4）贴纸

在“贴纸”面板中，可以利用 AI 生成个性化贴纸，如图 4-196 所示。

也有海量贴纸素材，供创作者调取使用，如图 4-197 所示。

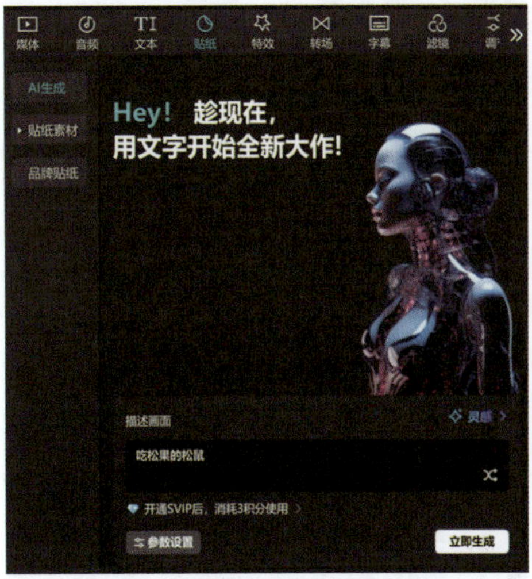

图 4-196　AI 生成个性化贴纸

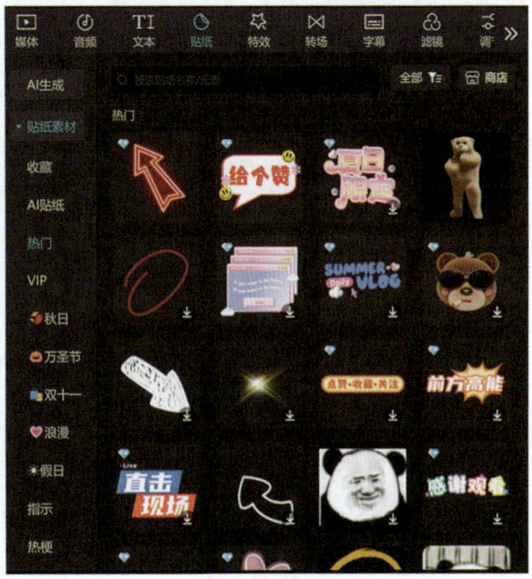

图 4-197　贴纸素材

贴纸拖曳到时间轴上的效果和在视频中的效果如图 4-198、图 4-199 所示。

图 4-198　贴纸在时间轴上的效果

图 4-199　贴纸在视频中的效果

（5）特效

剪映也提供了大量的特效供我们使用，也就帮我们省去了制作特效的时间，降低了使用特效的门槛。在剪映中特效分为画面特效、人物特效两种，如图 4-200 所示。

画面特效根据特效的效果进行了分类，如图 4-201 所示。

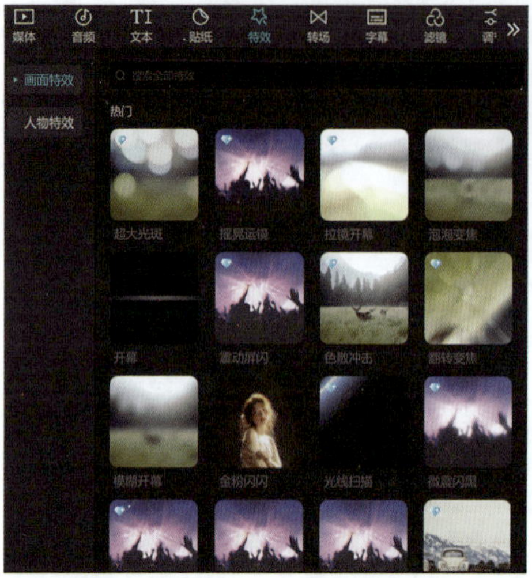

图 4-200　特效

图 4-201　画面特效分类

要注意的是，特效的作用方式是针对视频画面进行的。所以，需要将特效的滑块拖曳到视频的上方，确保特效下方有视频文件，才能看得到特效的效果，如图 4-202 所示。

图 4-202　特效拖入到时间轴的效果

可以拖入不同的特效，作用在不同的时间上，如图 4-203 所示。

也可同一时间叠加两个不同的特效，如图 4-204 所示。

也可以延长特效的持续时间，如图 4-205 所示。

图 4-203　作用在不同时间

图 4-204　同一时间叠加特效

图 4-205　延长特效持续时间

（6）转场

转场需要作用在两个视频滑块之间，单个视频是不能添加转场的，如图4-206所示。

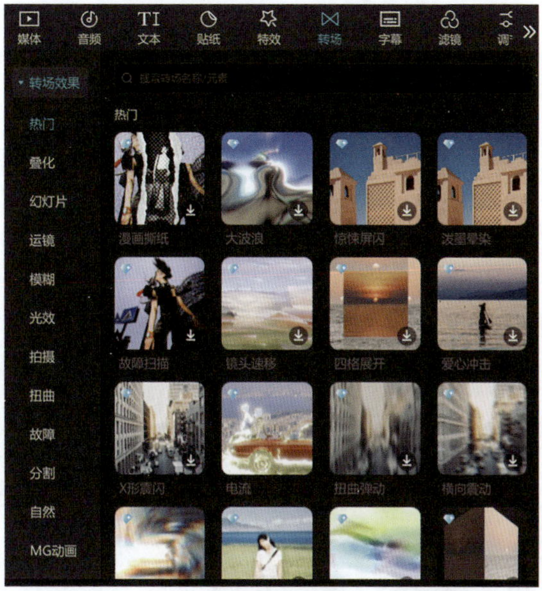

图4-206　转场

将转场效果拖到两个视频之间，就会产生转场的滑块，如图4-207所示。

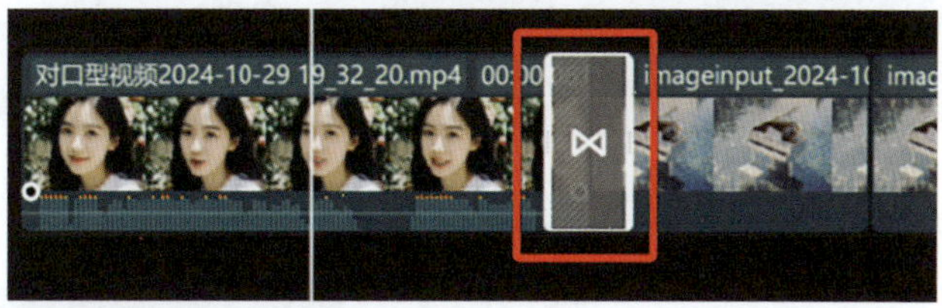

图4-207　转场滑块

这个滑块是可以在一定范围内延长和缩短的，如图4-208所示，这取决于转场效果。

图4-208　延长转场时间

在剪映工作台的右上方，可以看到“转场”的参数，如图4-209所示。每个转场的参数会有所区别，大多数仅有时长。

图4-209　转场参数

（7）字幕

字幕面板中有：识别字幕、字幕模板、智能包装、歌词识别、新建字幕，如图 4-210 所示。这个部分和文本的一些功能有所重叠，它主要是用来创建字幕。

选中一个有旁白语音的视频，如图 4-211 所示，点击“开始识别”按钮，系统就可以自动生成字幕。

生成的字幕本质上就是一个个的文本滑块，如图 4-212 所示。

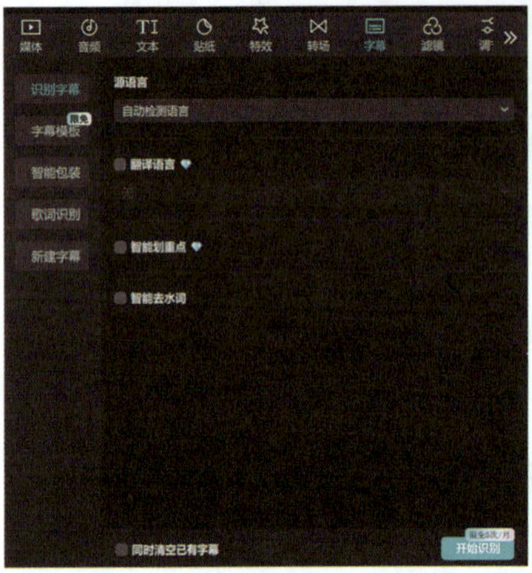

图 4-210　字幕

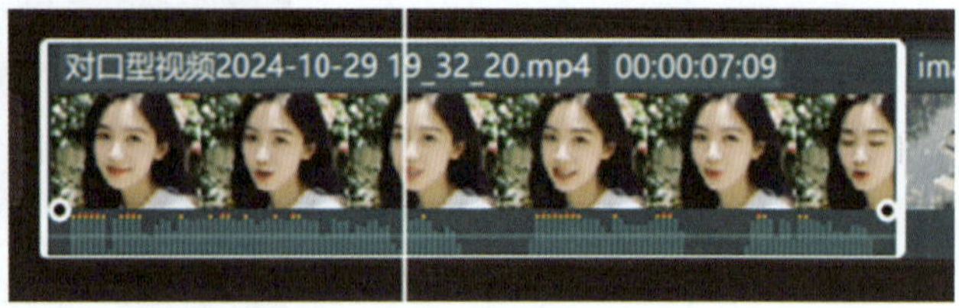

图 4-211　选择语音视频

图 4-212　生成字幕

生成字幕目前支持中英双语，如图 4-213 所示。

也可以给字幕添加效果。点击“全部字幕应用”按钮，即可完成对字幕模板样式的应用，如图 4-214 所示。

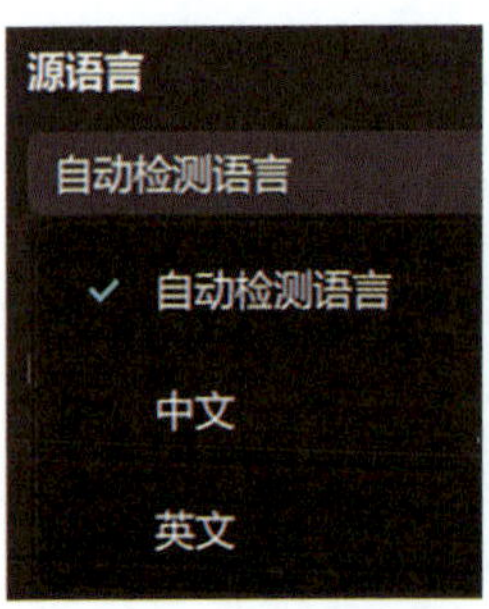

图 4-213　源语言

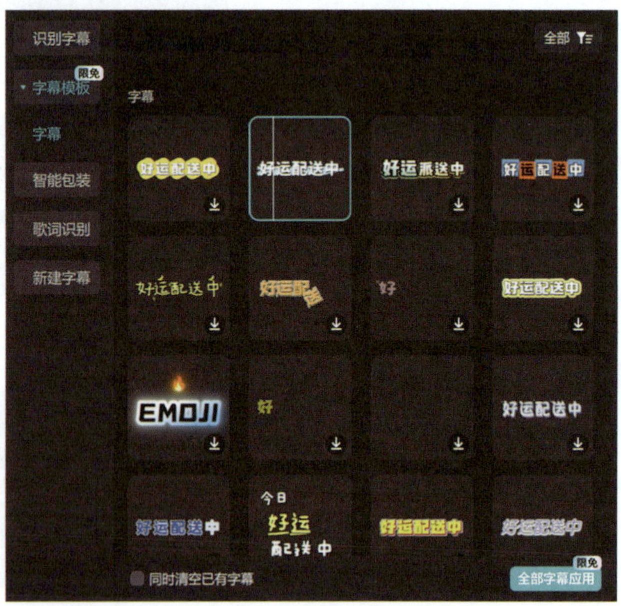

图 4-214　字幕效果

应用完成以后会新增一个字幕，在最上层，如图 4-215 所示。

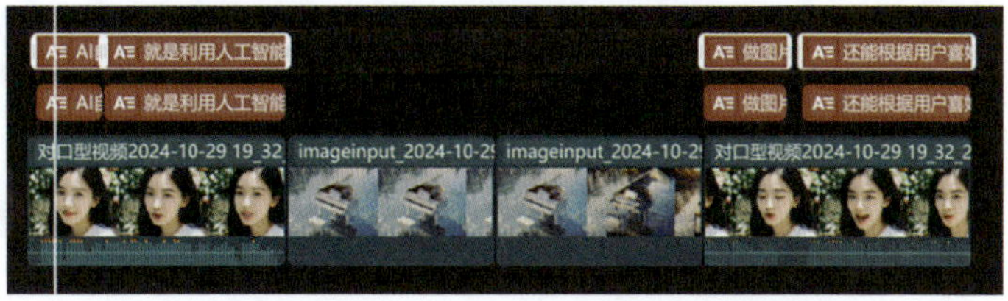

图 4-215　新增字幕

新增的字幕效果如图 4-216 所示。

图 4-216　新增的字幕效果

（8）滤镜

滤镜可以通过改变视频画面的色彩、亮度等属性，快速让视频更有“质感”，如图 4-217 所示。

图 4-217　滤镜

将滤镜拖曳到时间轴上，它是紫色滑块，如图 4-218 所示。需要确保它在视频画面之上，才能起到效果。

图 4-218　滤镜在时间轴上

也可以通过拖曳滑块长度来控制滤镜的持续时间，如图 4-219 所示。

图 4-219　拖曳滤镜滑块长度

在主界面的右侧属性栏中，滤镜一般可以调节“强度”值，如图 4-220 所示。

图 4-220　滤镜参数

滤镜也是可以叠加的，但是不太推荐这样操作，如图 4-221 所示，这样会导致画面色彩、明暗有些过度。

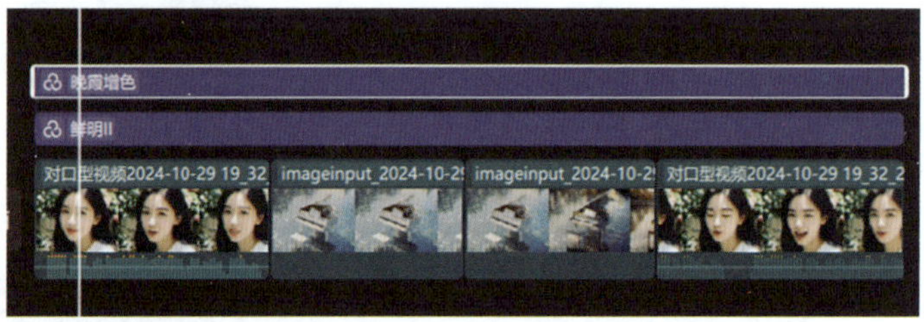

图 4-221　叠加滤镜

（9）调节

滤镜的作用原理虽然是改变画面的色彩、明度等属性，但无法更加细致地调节具体的参数。而“调节”则可以视为自定义滤镜，如图 4-222 所示。

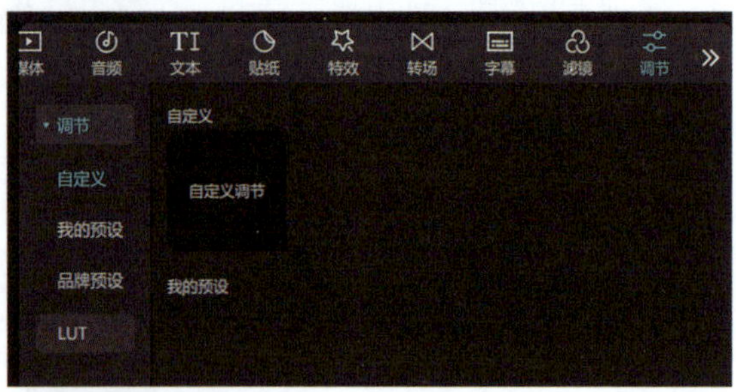

图 4-222　调节面板

添加“自定义调节”到时间轴，如图 4-223 所示。

添加后，“调节”会呈现棕色的滑块，如图 4-224 所示。

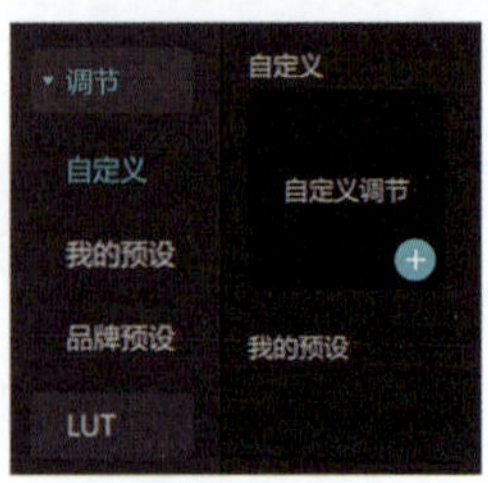

图 4-223　自定义调节

图 4-224　调节滑块

在右侧的属性面板中，调节分为基础、HSL、曲线、色轮、蒙版，如图4-225所示。每个页面都含有非常多的参数，所以这是一个很灵活的功能。

在调节的基础面板中，可以对色彩、明度、效果进行细致的调整，如图4-226所示。通过滑块控制相关的参数。

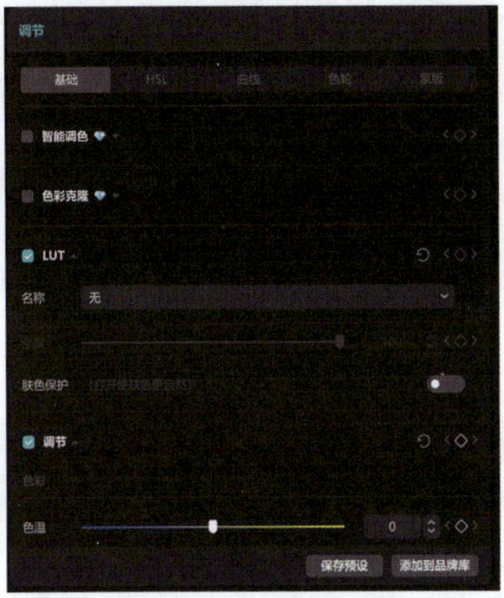

图4-225　调节属性面板

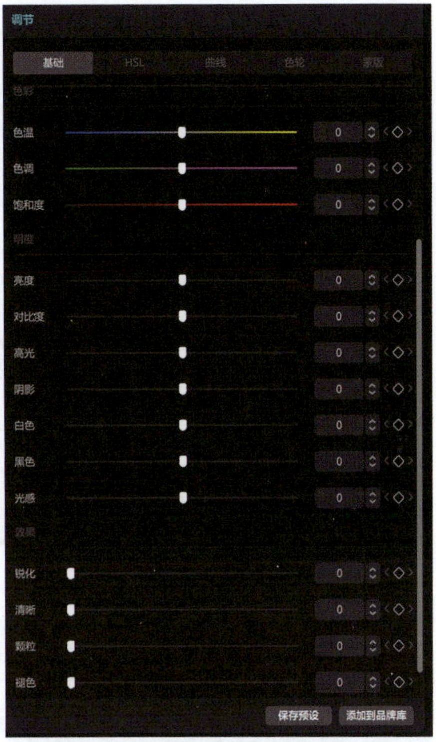

图4-226　基础

HSL是色相、饱和度、亮度的意思，如图4-227所示。可以对视频画面中的某一个颜色进行色相、饱和度、亮度的调节，比如当前选中的是红色，那么视频画面中所有红色区间的部分都会被影响。

也能通过调整曲线的方式调节视频的画面，如图4-228所示。

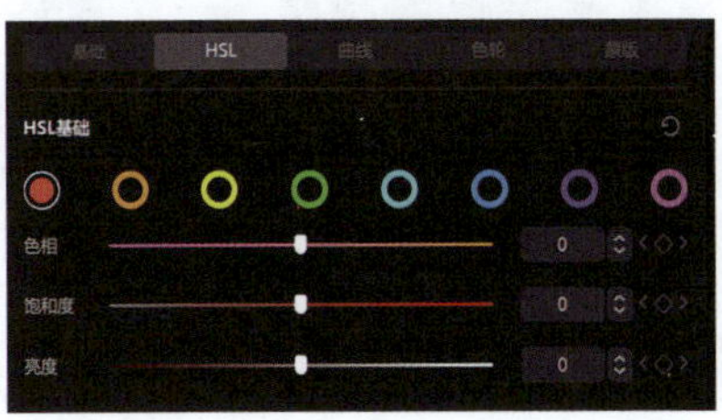

图4-227　HSL

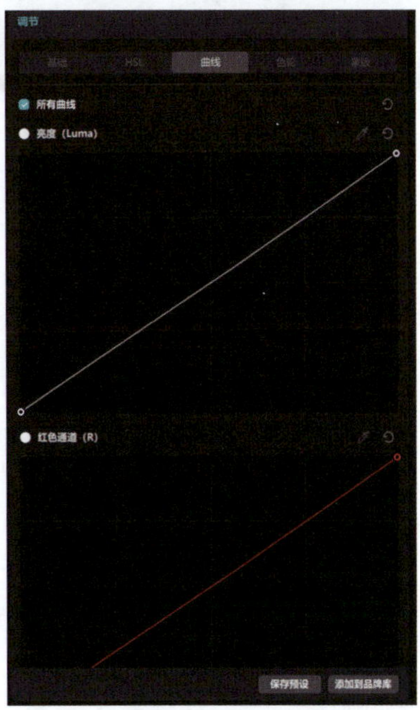

图4-228　曲线

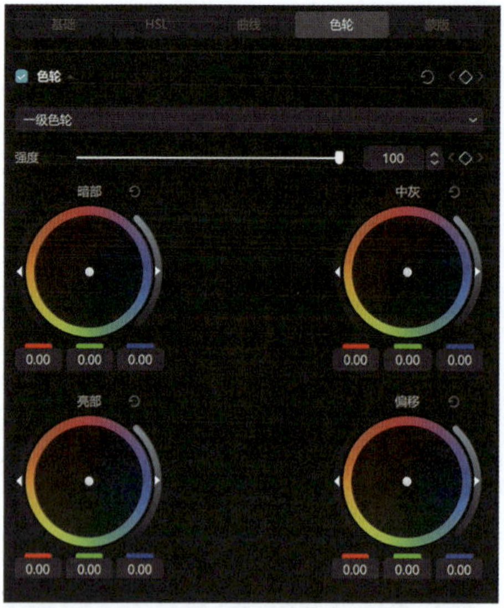

色轮是一种更为高级的调色模式，如图 4-229 所示，调节的逻辑按照暗部、中灰、亮部、偏移划分。

还可以通过“调节”，给视频添加蒙版遮罩，让视频只显示一部分内容，如图 4-230 所示。

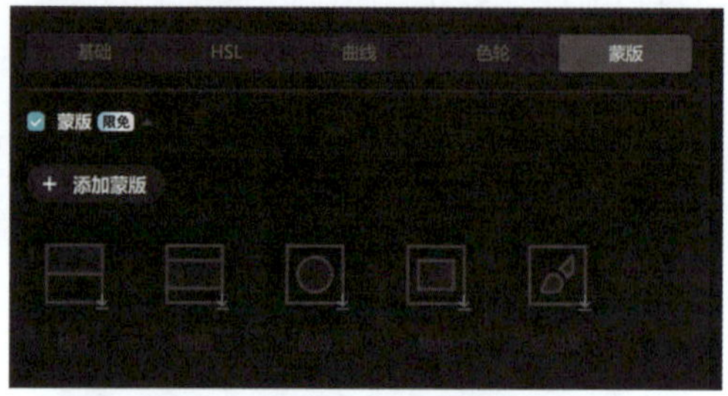

图 4-229　色轮

图 4-230　蒙版

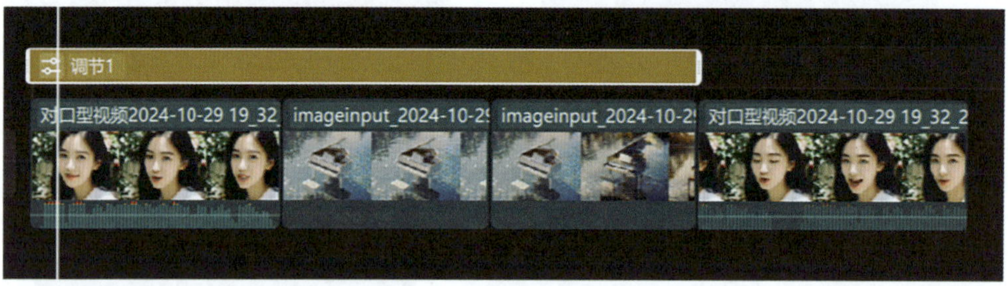

图 4-231　调节蒙版长度

蒙版也是可以任意拖曳长度的，如图 4-231 所示。

（10）模板

模板相当于搭配好了素材，只需要替换成自己的内容，即可一键生成视频，如图 4-232 所示。这个页面分为：我的模板、模板、营销推广、素材包。

选中一个模板，拖曳到时间轴上，此时这个模板中央会有一行字，提醒我们可以上传 8 个素材进行替换，如图 4-233 所示。

图 4-232　模板页面

图 4-233　模板滑块

点击这行文字之后，可以依次替换每个视频内容，如图 4-234 所示。

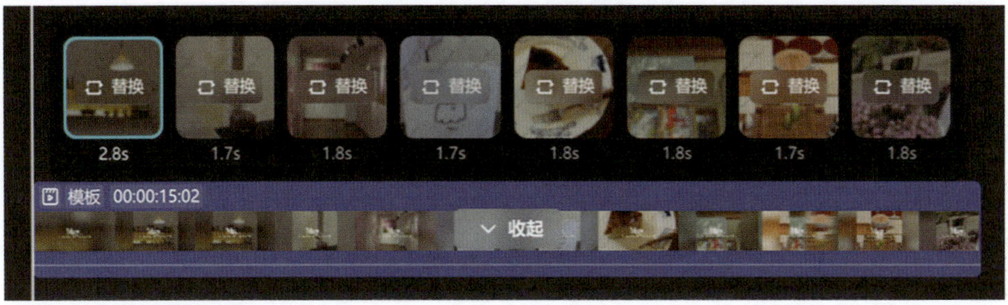

图 4-234　替换视频

在右上方的模板属性面板中，可以替换文本和音频文件，如图 4-235 所示。注意每一个模板的属性面板都是不一样的，可根据情况适当调整。

在如图 4-236 所示的属性面板中，可以调节模板音量和音乐音量。

模板中还有专门为广告营销推广设计的视频，如图 4-237 所示。

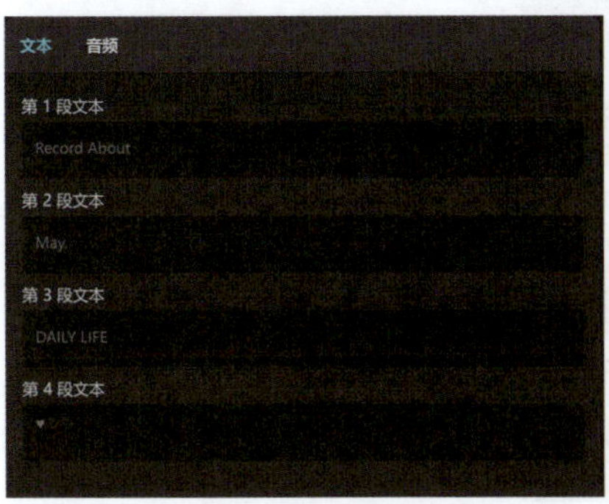

图 4-235　模板属性面板

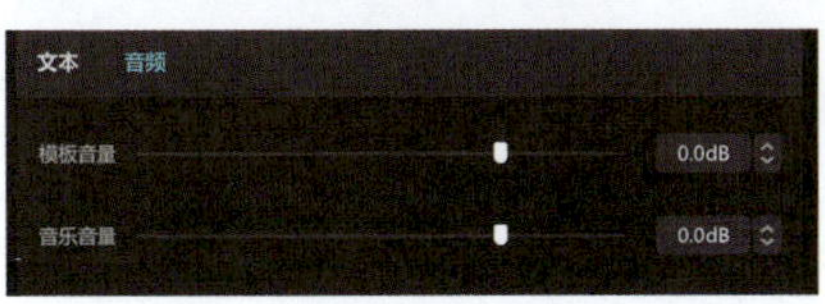

图 4-236　模板音频调节

图 4-237　营销推广

任意选择一个，拖曳到时间轴上，可以看到，使用方法是大同小异的，如图 4-238 所示，都需要我们手动上传相应的替换视频，最终生成一个专属的营销推广内容。

图 4-238　营销推广滑块

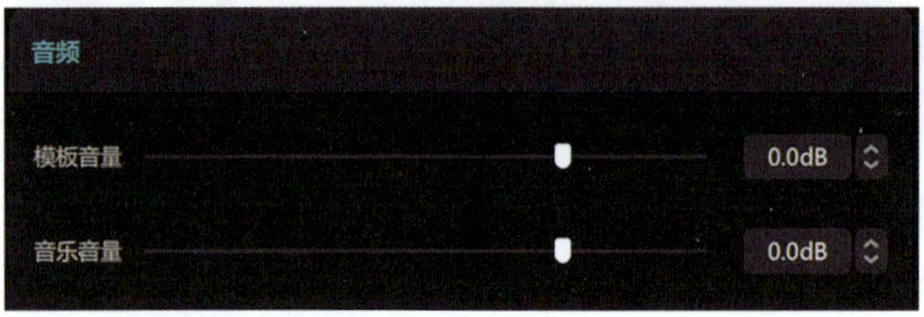

图 4-239　模板音频设置

在右侧的属性面板中，也可以设置模板和音乐的音量，如图 4-239 所示。

素材包和模板的使用方法略有不同，素材包更为灵活，如图 4-240 所示。

将素材包拖曳到时间轴上，此时素材包中的元素会逐一显示出来，如图 4-241 所示。

图 4-240　素材包

图 4-241　将素材包拖曳到时间轴上

可以看到它在视频中的效果，如图 4-242 所示。

在右侧的属性面板中，可以进一步调节素材包的相关属性，如图 4-243 所示。

图 4-242　素材包效果

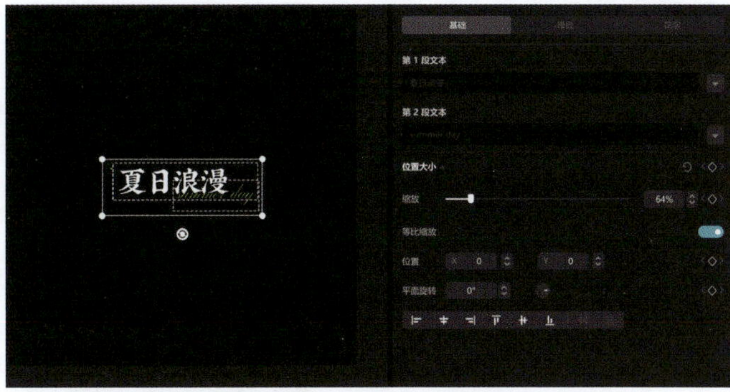

图 4-243　素材包属性参数

也可以对素材包单独的项目进行调节，如图 4-244、图 4-245 所示。比如选中这个特效滑块，右侧的属性面板就会是该特效的属性面板。

图 4-244　素材包中的特效滑块

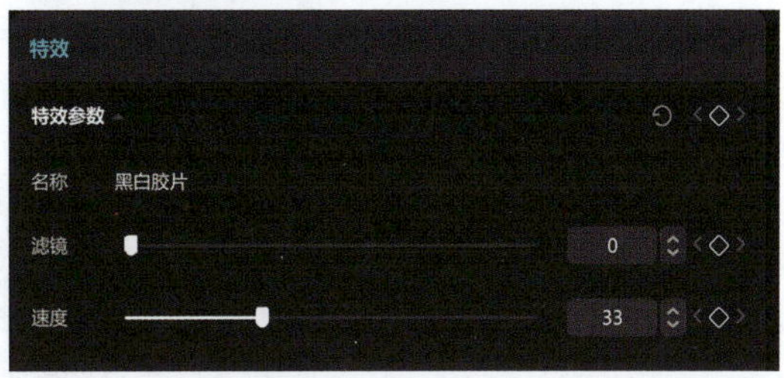

图 4-245　特效属性面板

选中音频滑块，右侧的属性面板中，也可以调节音频的参数，如图 4-246、图 4-247 所示。

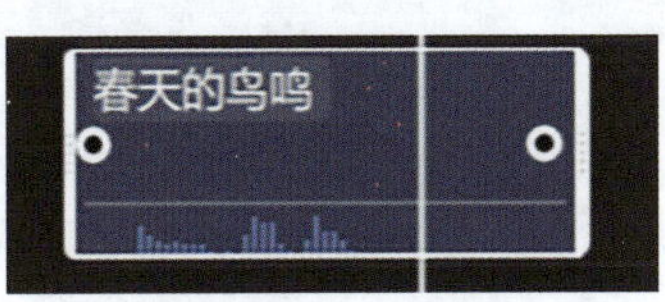

图 4-246　音频滑块

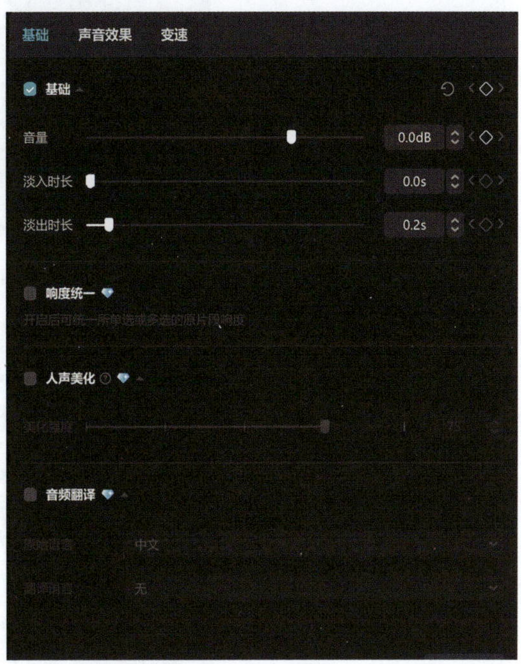

图 4-247　音频参数

再来测试一个素材包。将其拖曳到时间轴上，如图 4-248 所示。

视频效果是很明显的，如图 4-249 所示。

图 4-248　素材包

图 4-249　素材包视频效果

选中素材包，点击右键，选择“解除素材包”，可以将素材包中的素材全部打散，如图 4-250 所示，方便对每一个素材单独编辑。

图 4-250　解除素材包

图 4-251　文本滑块

点击文本，能看到右侧的属性面板可以调节文本的内容，如图 4-251、图 4-252 所示。

图 4-252　文本属性面板

（11）数字人

数字人是利用 AI 技术，创建个人的虚拟形象，如图 4-253 所示。

如果没有足够的素材，数字人面板中也给定了许多的预设，可以选择不同的形象，如图 4-254 所示。

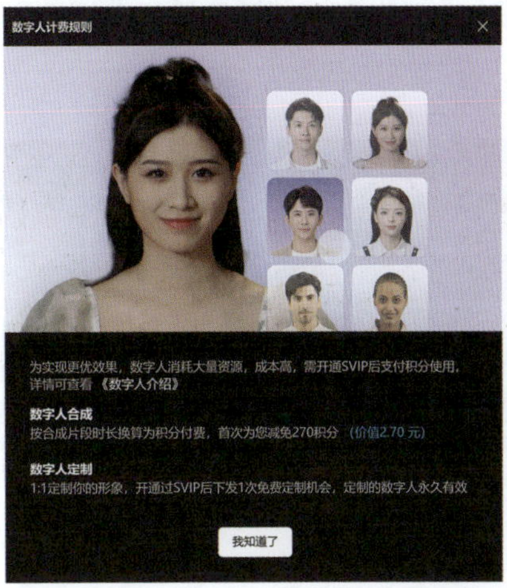

图 4-253　剪映数字人说明

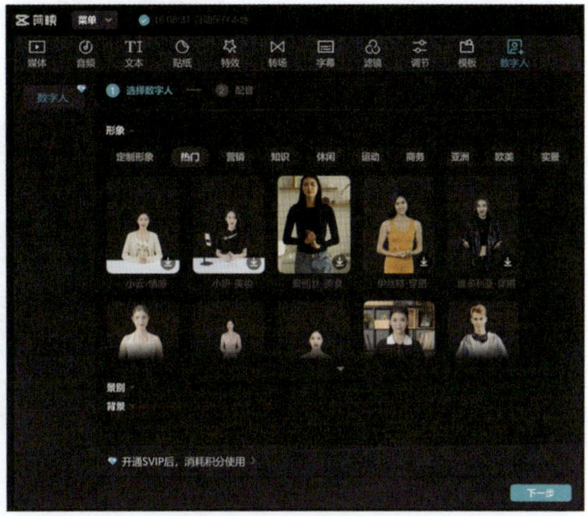

图 4-254　选择数字人形象

这里可以选择不同场景、不同国家的人物形象，如图 4-255 所示。

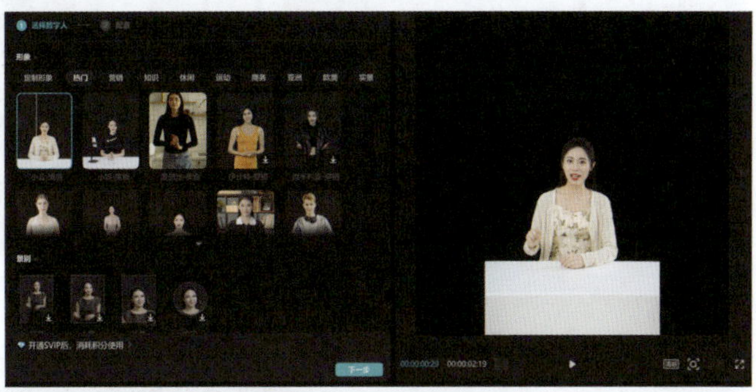

图 4-255　选择人物形象

点击即可切换不同的人物场景，如图 4-256 所示。

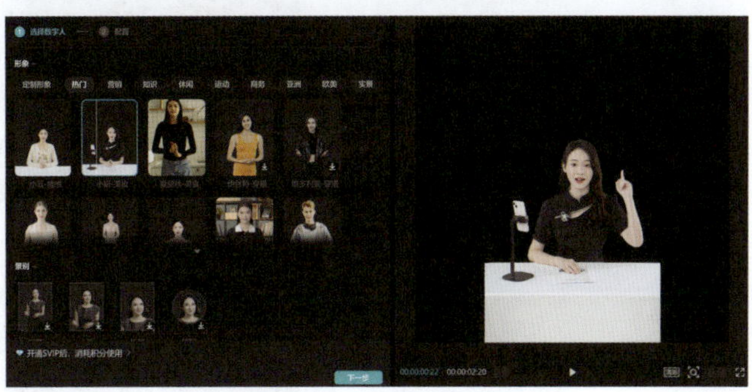

图 4-256　切换人物场景

在景别中，通过对原始视频的裁切，可以选择远景、中景、近景、特写，如图 4-257 所示。

图 4-257　景别

在下方，可以选择“背景”颜色，如图 4-258 所示。

图 4-258　背景

还能选择图片作为背景，如图 4-259 所示。

图 4-259　图片背景

画面内容选择完成以后，就可以挑选数字人的音色，以及需要数字人朗读的文本内容，如图 4-260 所示。

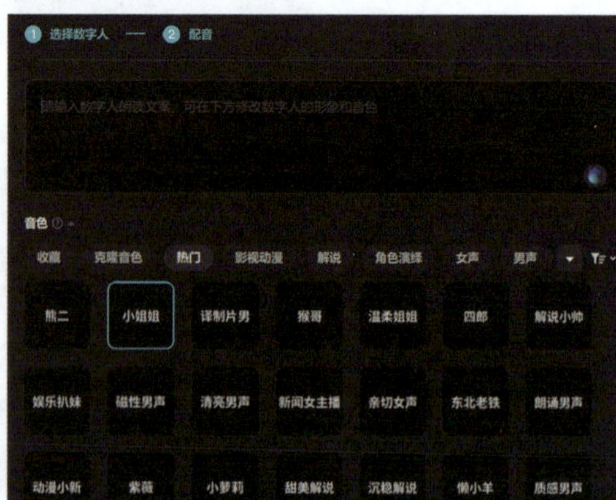

图 4-260　输入数字人朗读文案

这里可以使用 AI“智能文案”帮我们生成内容，如图 4-261 所示。

AI 会立刻生成若干文案，供我们选择，如图 4-262 所示。

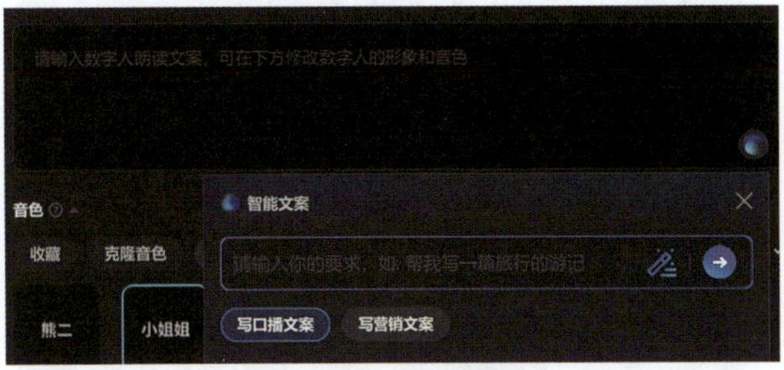

图 4-261　智能文案

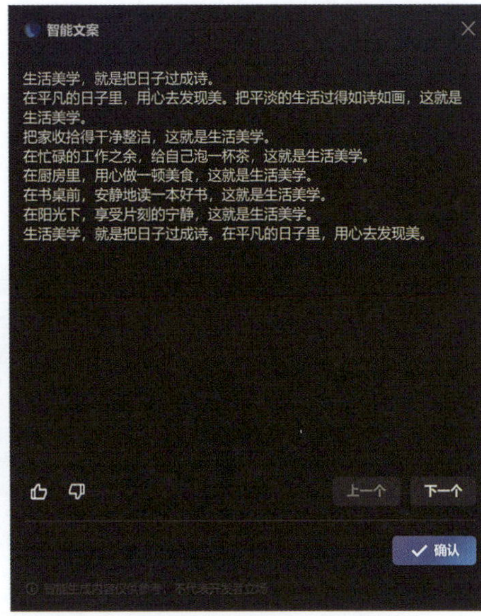

图 4-262　AI 生成文案

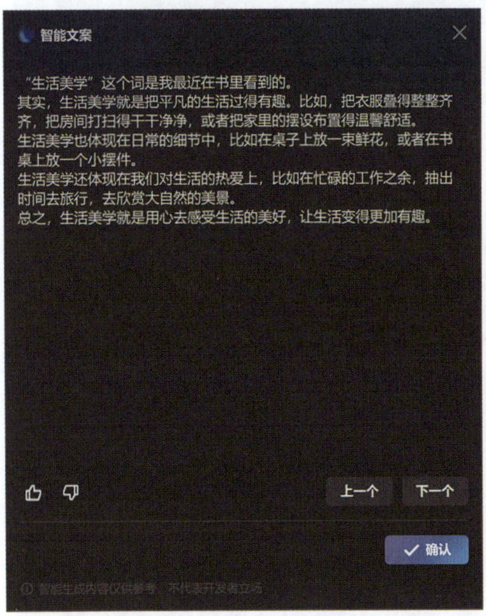

图 4-263　确认文案

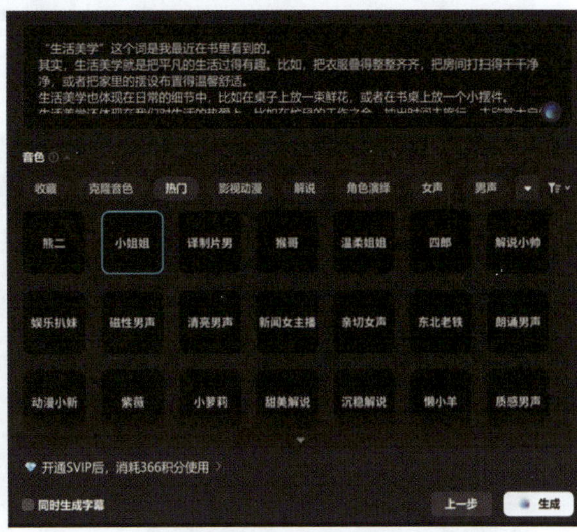

图 4-264　文案完成

可以点击“下一个”按钮，进行文案挑选，如图 4-263 所示。挑选完成后，点击“确认”按钮。

此时，文案被填充到了文本框中，如图 4-264 所示。

在音色中，可以选择自己的音色进行克隆。点击“加号”按钮，如图 4-265 所示。

此时会弹出一个克隆音色的声明，如图 4-266 所示。勾选“我确认并同意”，点击“去录制”按钮。

有两种方式克隆声音，一种是直接录制声音，另一种是上传音频文件，如图 4-267 所示。选择“录制音频”，点击“去录制”按钮。

跟随系统提示，就可以完成声音克隆了，如图 4-268 所示。

图 4-265　克隆个人音色

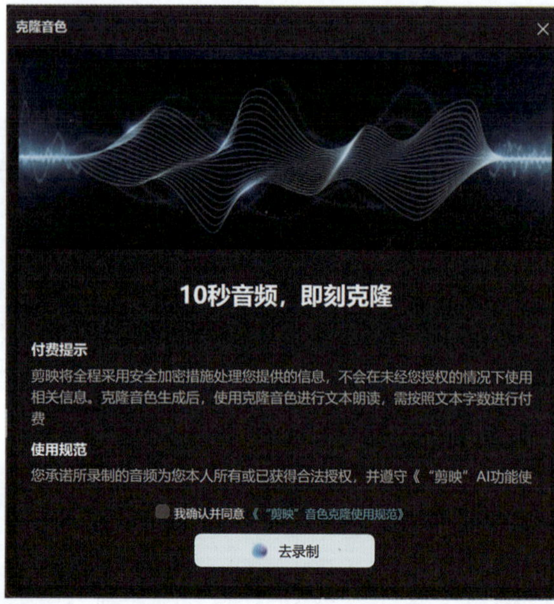

图 4-266　克隆音色声明

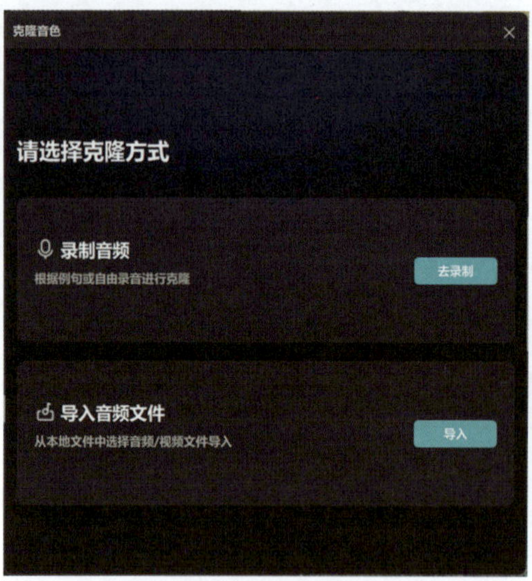

图 4-267　克隆音色方式

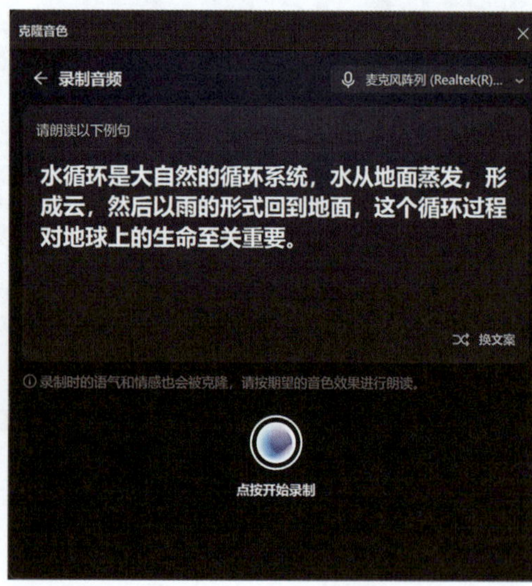

图 4-268　录制音频

4.3 实用案例

接下来通过 AI 工具制作一个中国传统节气小短片。内容包括故事脚本创作、视频画面生成、剪辑与后期。上述流程中，大多数都是借助 AI 工具完成。通过对本案例的学习，会更深入地了解到每个工具的使用方式，并且还会学习到如何将它们融入一个完整的视频创作中。

（1）AI 故事脚本创作

首先，需要创作出一个故事内容。此时，AI 就可以帮助我们高效地完成任务。在之前的案例中，已经介绍过了 ChatGPT、Kimi、豆包、元宝、通义等工具。以上工具都可以使用，这里使用 Kimi，如图 4-269 所示。

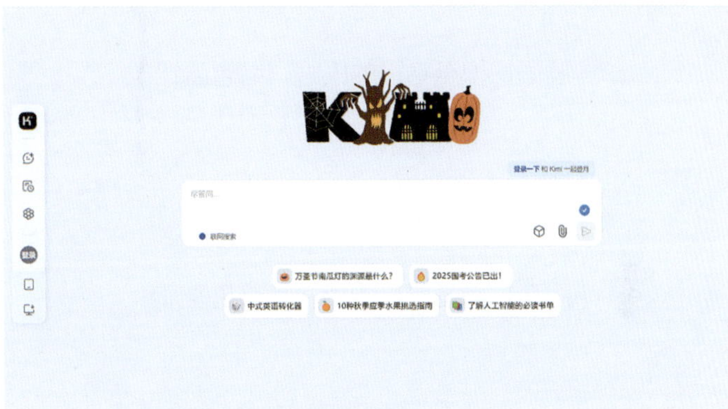

图 4-269　Kimi 首页

在对话框中，输入如图 4-270 所示的提示词，发送后，Kimi 会自动生成一个二十四节气的宣传片脚本。

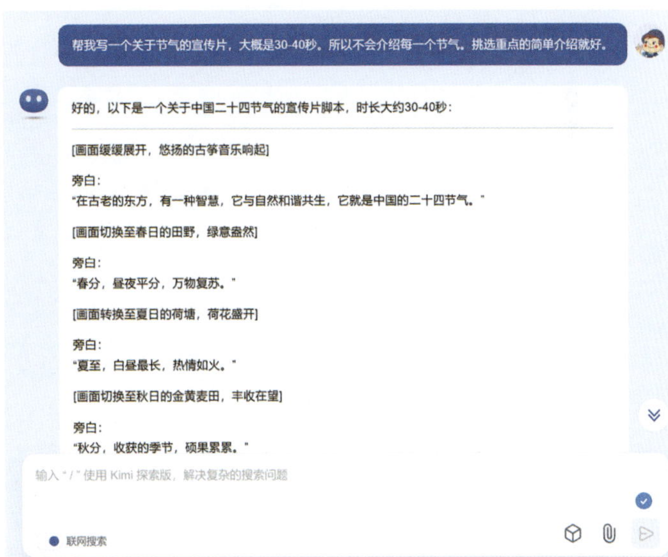

图 4-270　Kimi 生成结果

这个内容生成好以后，后面需要将它复制到剪映中，让 AI 帮我们朗读文本。完整版内容如下：

[画面缓缓展开，悠扬的古筝音乐响起]

旁白：
"在古老的东方，有一种智慧，它与自然和谐共生，它就是中国的二十四节气。"

[画面切换至春日的田野，绿意盎然]

旁白：
"春分，昼夜平分，万物复苏。"

[画面转换至夏日的荷塘，荷花盛开]

旁白：
"夏至，白昼最长，热情如火。"

[画面切换至秋日的金黄麦田，丰收在望]

旁白：
"秋分，收获的季节，硕果累累。"

[画面转换至冬日的雪景，银装素裹]

旁白：
"冬至，夜长昼短，静候春归。"

[画面回到春日，四季轮回]

旁白：
"二十四节气，是时间的诗，是自然的律动。"

[画面出现中国风的节气图案，如燕子、麦穗、菊花等]

旁白：
"让我们一同感受，岁月的流转，节气的魅力。"

[画面淡出，出现"二十四节气，中国的智慧"字样]

旁白：
"欢迎探索，中国节气之美。"
[画面结束，音乐渐弱]

接下来，需要让 Kimi 生成提示词，如图 4-271 所示。这部分的内容需要复制到即梦或是可灵这样的图片、视频 AI 工具中，让它们生成画面。

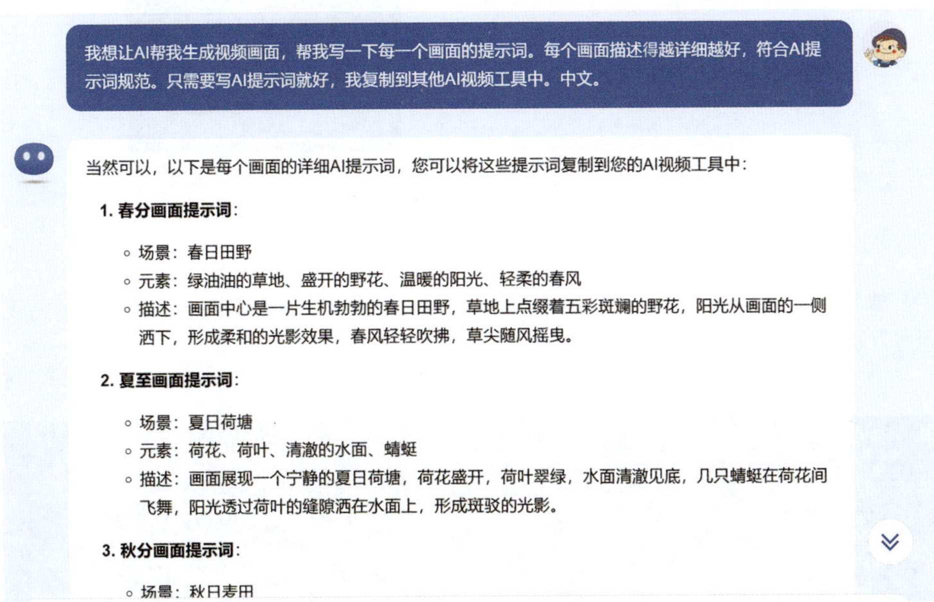

图 4-271　Kimi 生成提示词

（2）AI 视频

下方是 Kimi 生成的第一个画面的提示词，将其复制到即梦中，如图 4-272 所示。即梦的使用方法，本章已经详细讲解过了，此处不再赘述。将生成时长设定为 6s，点击"生成视频"按钮。

春分画面提示词：

- 场景：春日田野
- 元素：绿油油的草地、盛开的野花、温暖的阳光、轻柔的春风
- 描述：画面中心是一片生机勃勃的春日田野，草地上点缀着五彩斑斓的野花，阳光从画面的一侧洒下，形成柔和的光影效果，春风轻轻吹拂，草尖随风摇曳。

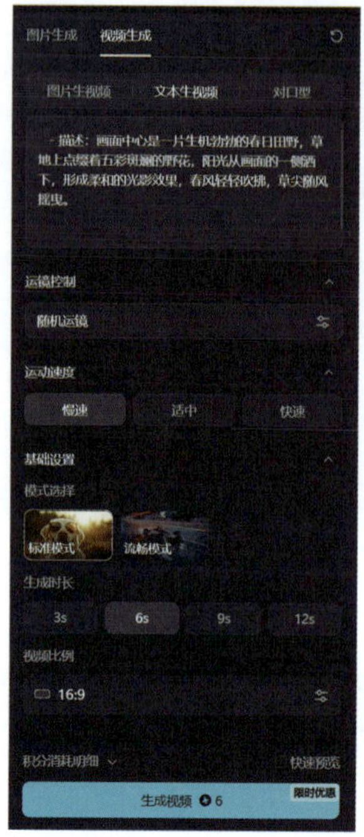

图 4-272　复制提示词到即梦文本生视频文本框中

等待一段时间就可以下载这个部分的短片了，将其保存到本地，方便后续剪辑使用，如图 4-273 所示。

图 4-273　生成和保存视频片段

下面是 Kimi 生成的第二个视频片段的提示词。同样的操作，复制到即梦的文本框中，如图 4-274 所示。点击“生成视频”按钮。

夏至画面提示词：

- 场景：夏日荷塘
- 元素：荷花、荷叶、清澈的水面、蜻蜓
- 描述：画面展现一个宁静的夏日荷塘，荷花盛开，荷叶翠绿，水面清澈见底，几只蜻蜓在荷花间飞舞，阳光透过荷叶的缝隙洒在水面上，形成斑驳的光影。

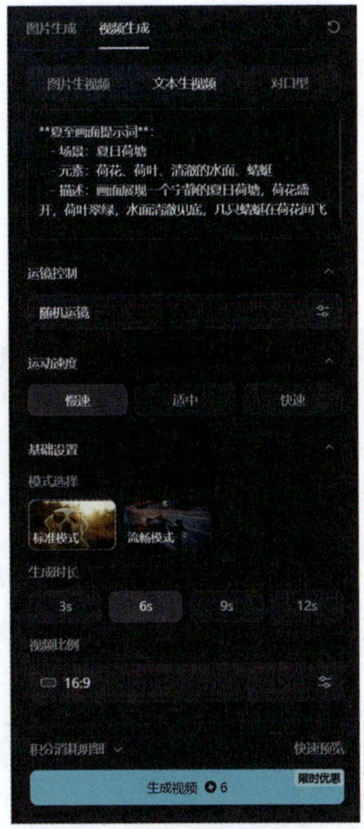

图 4-274　生成视频

即梦生成完视频后，点击下载视频，保存到本地，如图 4-275 所示。

图 4-275　生成与保存视频片段

下面使用可灵生成视频画面，也可以继续使用即梦或者其他的 AI 视频工具，其步骤和方法都是比较相似的，如图 4-276 所示。可灵的等待时间相对更久一些。

秋分画面提示词：

- 场景：秋日麦田
- 元素：金黄色的麦田、饱满的麦穗、蓝天白云、农民收割
- 描述：画面中是一片金黄色的秋日麦田，麦穗饱满低垂，蓝天白云背景下，几位农民正在忙碌地收割，麦浪随风起伏，呈现出一幅丰收的景象。

图 4-276　视频生成等待画面

生成完成后，将视频保存到本地，如图 4-277 所示。

图 4-277　视频生成完成（1）

将下一段提示词复制到可灵中，继续等待一段时间，如图 4-278 所示。

冬至画面提示词：

- 场景：冬日雪景

- 元素：覆盖着白雪的树木、小屋、远处的山脉、烟囱冒烟

- 描述：画面展示一个宁静的冬日雪景，树木和小屋都被厚厚的白雪覆盖，远处的山脉若隐若现，小屋的烟囱冒着袅袅炊烟，营造出一种温馨而宁静的氛围。

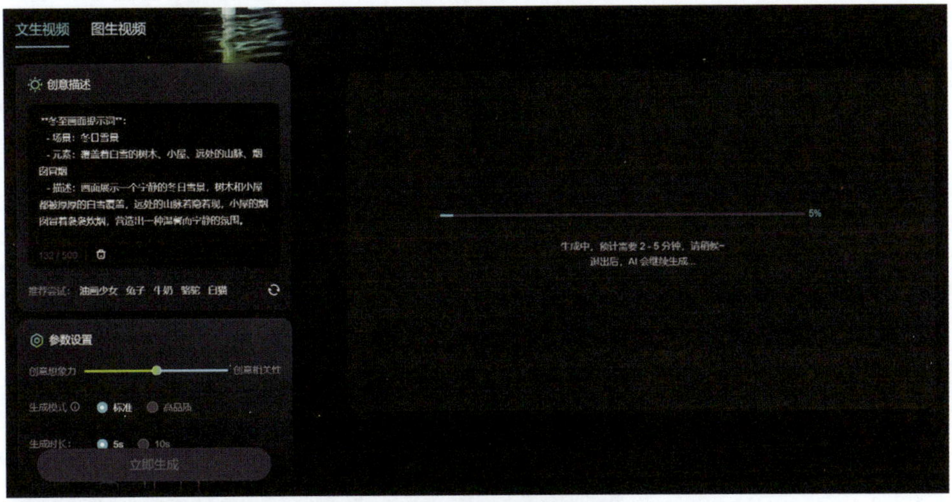

图 4-278　视频生成等待中

视频生成完成，保存到本地，如图 4-279 所示。

图 4-279　视频生成完成（2）

后面几个视频片段，我们使用即梦的“故事创作”功能制作，如图4-280、图4-281所示。这个功能可以快速批量生成视频画面，并且可以方便我们预览最终的合成效果。在即梦首页的“AI视频”中，点击“故事创作”按钮。

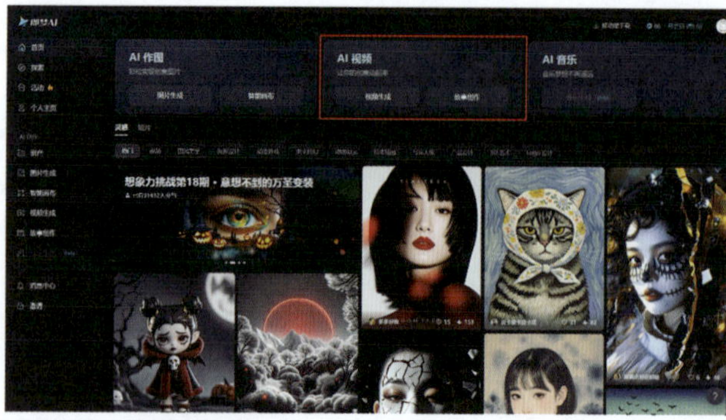

图 4-280　即梦首页

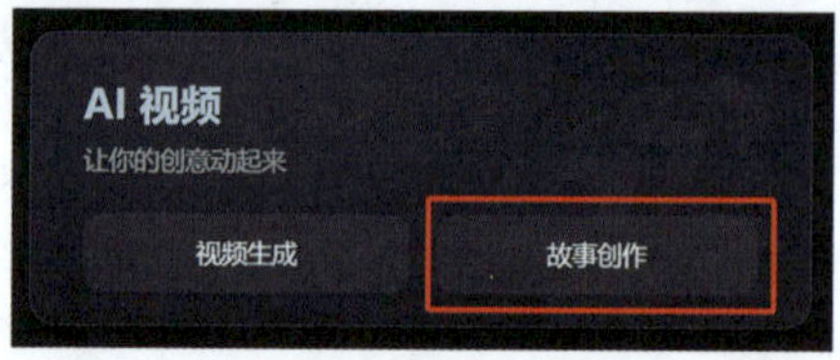

图 4-281　故事创作按钮

在这个页面中，选择“创建空白分镜”按钮，如图 4-282 所示。

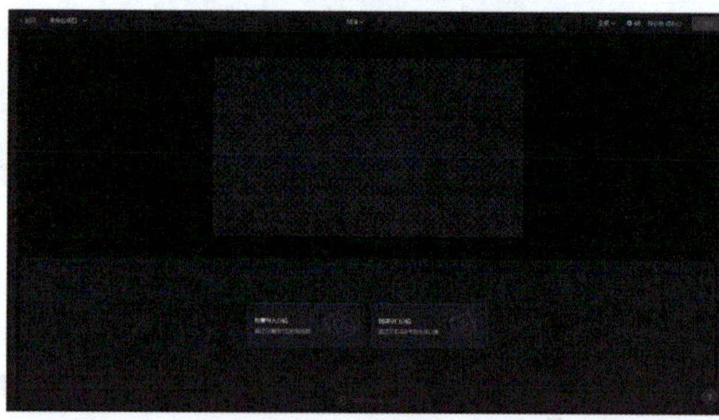
图 4-282　创建空白分镜

此时页面的左下角就会出现“分镜 1”的模块，在右侧有一个“创建空白分镜”的按钮，点击即可创建更多的空白分镜，此时创建 3 个空白分镜，如图 4-283 所示。

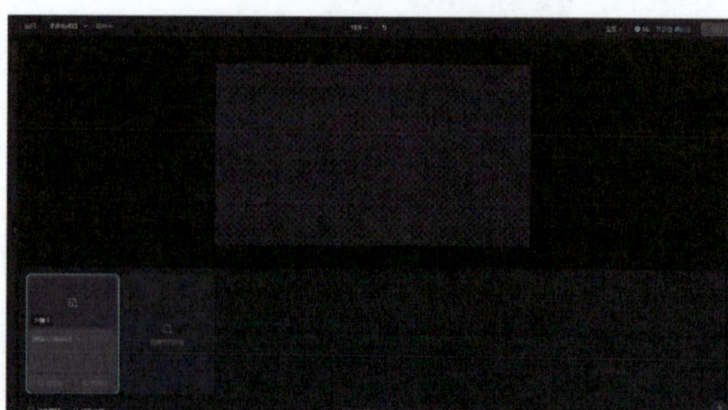
图 4-283　分镜

创建后，就可以开始将提示词依次手动复制到每一个分镜中了，如图 4-284 所示。

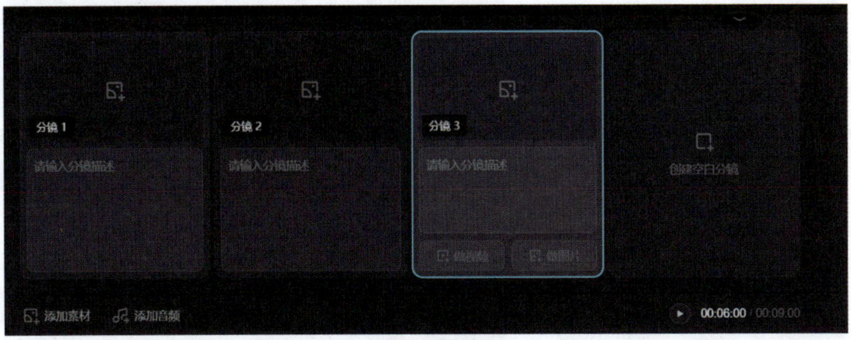

图 4-284　创建完成

下面是三段提示词，分别输入到每一个分镜中。

四季轮回画面提示词：

- 场景：四季变换
- 元素：春花、夏荷、秋叶、冬雪
- 描述：画面通过快速切换展示四季的变换，春日的花朵、夏日的荷花、秋日的落叶和冬日的雪花，每个季节的代表元素在画面中依次出现，形成一种时间流转的视觉效果。

节气图案画面提示词：

- 场景：中国风节气图案
- 元素：燕子、麦穗、菊花、梅花等
- 描述：画面展示一系列中国风的节气图案，如春日的燕子、夏日的麦穗、秋日的菊花和冬日的梅花，图案以水墨风格呈现，背景为淡淡的宣纸质感，每个图案旁边配以相应的节气名称。

结束画面提示词：

- 场景：文字展示
- 元素：“二十四节气，中国的智慧”字样
- 描述：画面中心出现“二十四节气，中国的智慧”字样，字体采用中国风的书法字体，背景为淡色宣纸质感，文字逐渐从画面底部向上浮现，最后定格在画面中央。

复制完成后，就开始生成视频，如图 4-285 所示。

在“分镜 1”的模块中，点击“做视频”按钮，如图 4-286 所示。开启“高帧率模式”按钮，视频比例设置为“16：9”，点击“生成视频”按钮。后面的 2 个分镜的视频生成设置都是如此。

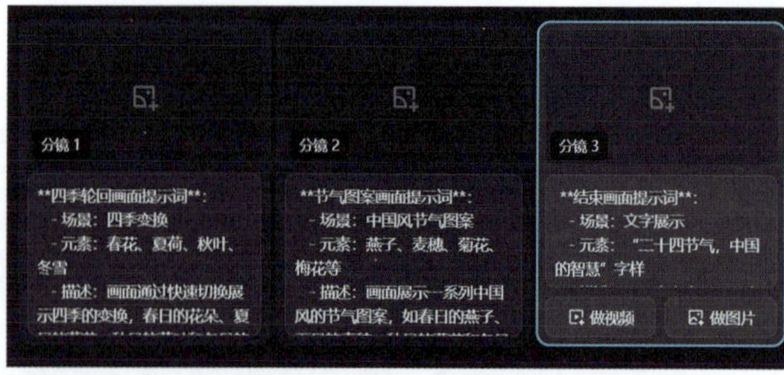

图 4-285　复制提示词

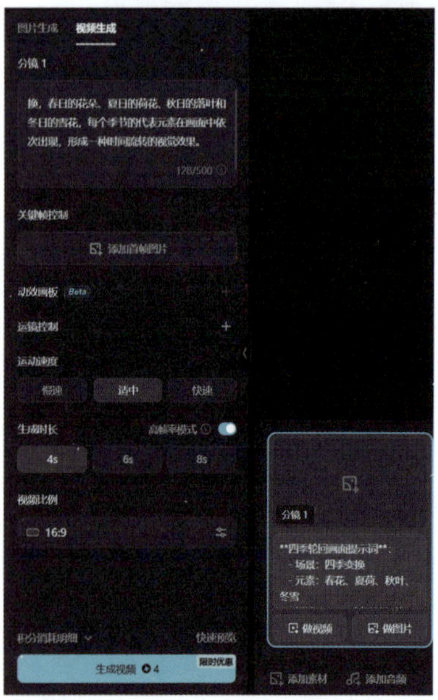

图 4-286　视频生成设置

图 4-287　等待视频生成

图 4-288　查看项目素材

由于一次性生成 3 个视频，所以可能需要等待更久的时间，如图 4-287 所示。

在右侧也能看到整个项目的素材，如图 4-288 所示。

生成完成以后，点击页面右上角的“导出”按钮，选择“批量导出素材”选项，如图 4-289 所示。这样每个分镜都能生成一个独立的视频，方便后期剪辑。

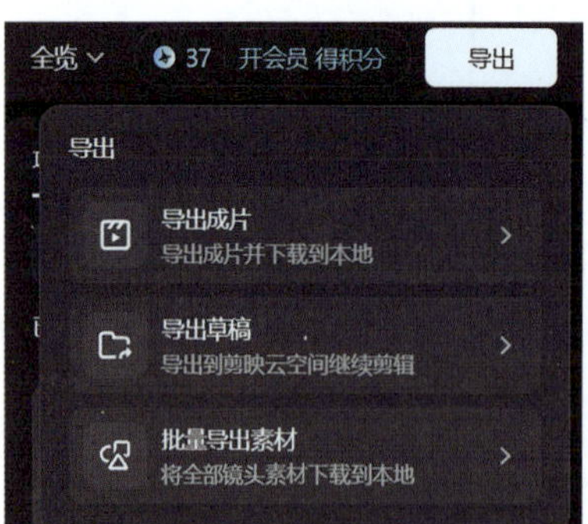

图 4-289　批量导出素材

（3）后期剪辑

将视频保存完成以后，在视频名称前添加 1 ~ 7 的数字编号，如图 4-290 所示。

图 4-290　本地视频命名

导入视频到剪映中，如图 4-291 所示。

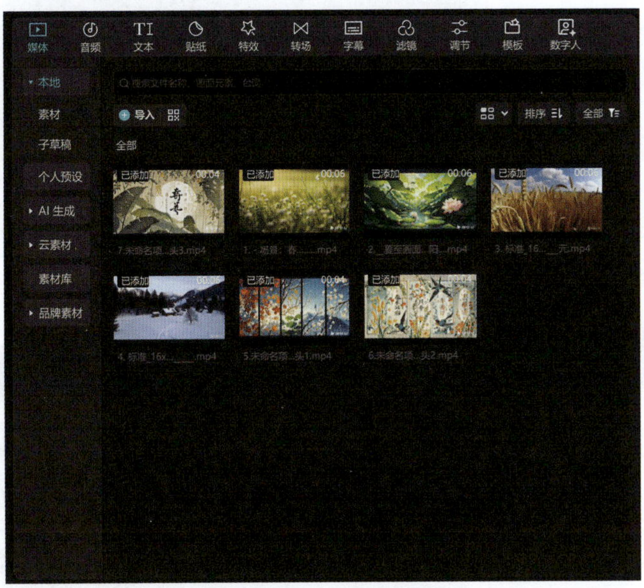

图 4-291　导入视频

拖曳视频素材到时间轴上，并且按照编号顺序依次调整视频，如图 4-292 所示。

图 4-292　导入到时间轴

在音频面板中，选择如图 4-293 所示的音乐。拖曳音乐到时间轴上作为背景音乐，如图 4-294 所示。

图 4-293　选择音乐

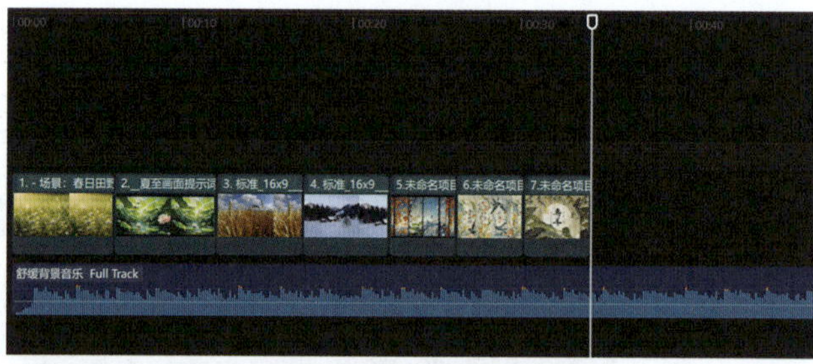

图 4-294　音乐拖曳到时间轴上

将视频指针拖曳到视频的末端，选择音频文件，使用快捷键 Ctrl+B 将音频裁剪为两段，如图 4-295 所示。

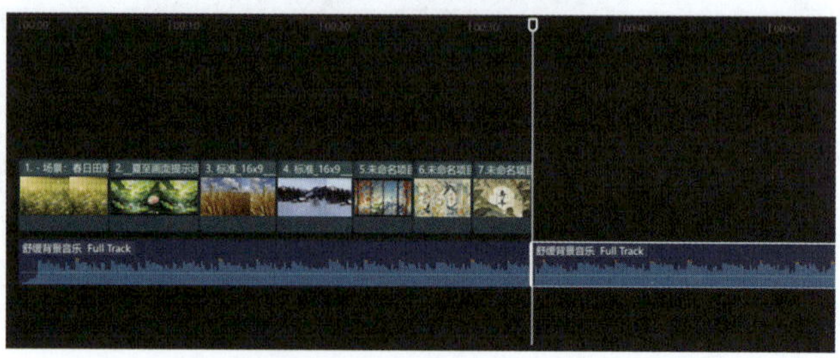

图 4-295　裁剪音频

删除右侧的这一段音频，如图 4-296 所示。

图 4-296　删除音频

在“文本”面板中，将“默认文本”拖曳到时间轴上，如图 4-297、图 4-298 所示。

在选中文本框的状态下，在右侧的属性面板中，会显示如图 4-299 所示的内容。

将之前 Kimi 生成好的“旁白”全部复制到文本框中，如图 4-300 所示。

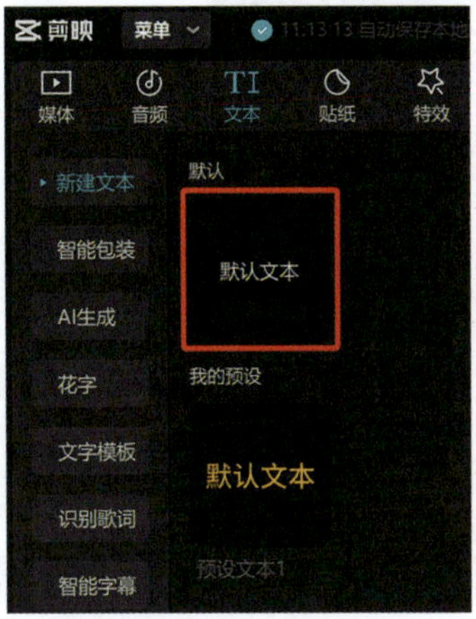

图 4-297　文本面板

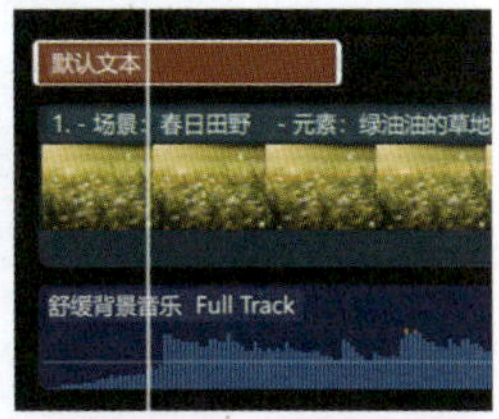

图 4-298　文本添加到时间轴上

图 4-299　文本属性面板

在古老的东方，有一种智慧，它与自然和谐共生，它就是中国的二十四节气。春分，昼夜平分，万物复苏。夏至，白昼最长，热情如火。秋分，收获的季节，硕果累累。冬至，夜长昼短，静候春归。二十四节气，是时间的诗，是自然的律动。让我们一同感受，岁月的流转，节气的魅力。欢迎探索，中国节气之美。

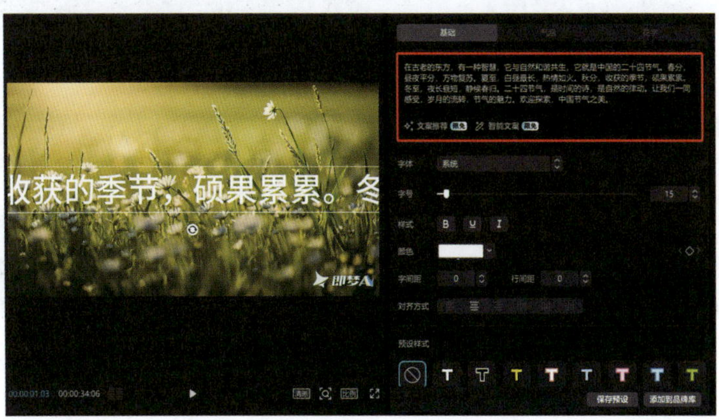

图 4-300　复制文字内容到文本框

复制完成后，时间轴上的文本滑块也会显示一部分文本内容，如图4-301所示。

在文本框的属性面板中，切换到“朗读”面板，选择“小萝莉”声音，点击右下角的“开始朗读”按钮，如图4-302所示。

等待音频生成，如图4-303所示。

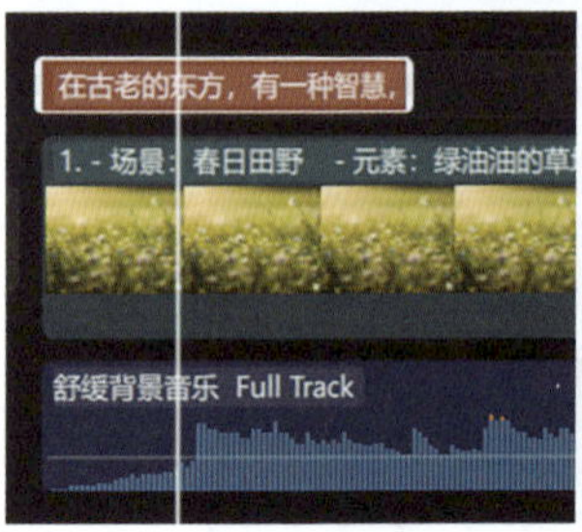

图4-301　文本滑块

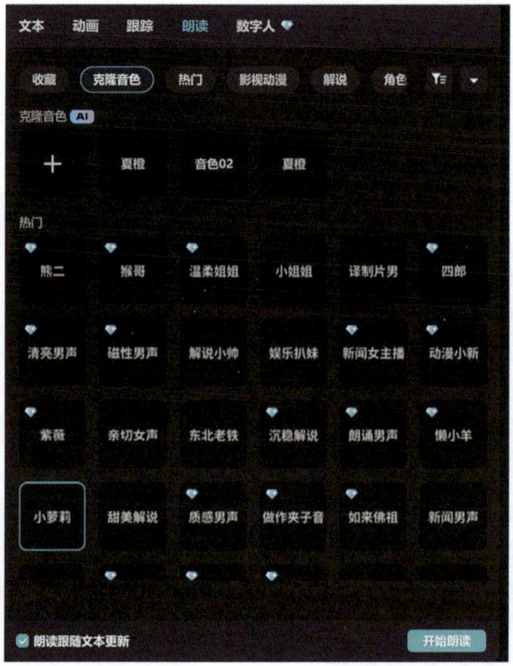

图4-302　选择AI朗读音色

图4-303　朗读中

AI朗读结束后，会生成一段音频文件，文本框也会被拉长，如图4-304、图4-305所示。

接下来生成字幕，有两种方法。

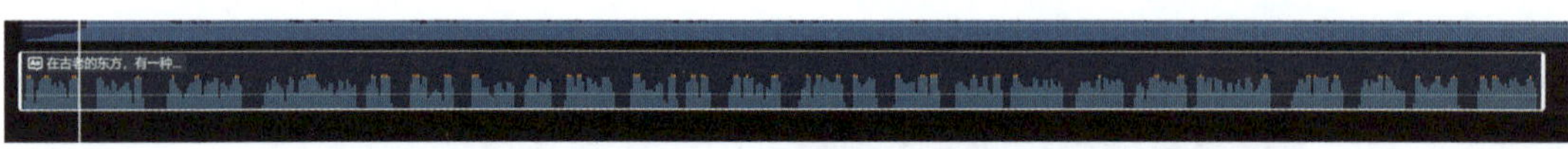

图4-304　AI生成的音频文件

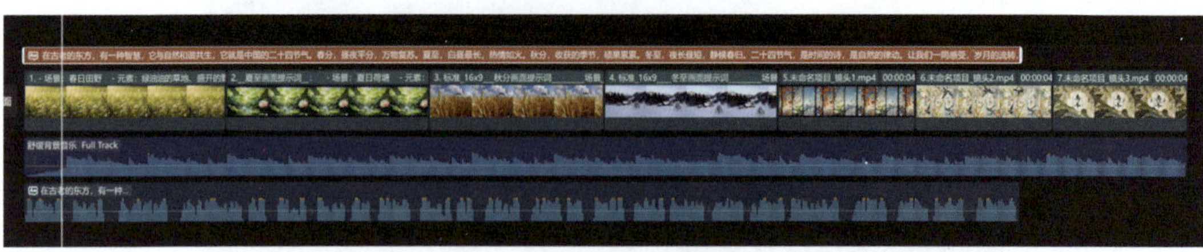

图4-305　被拉长的文本框

方法一，可以在“字幕”面板中，点击“识别字幕”，然后点击右下角的“开始识别”按钮，如图 4-306 所示。

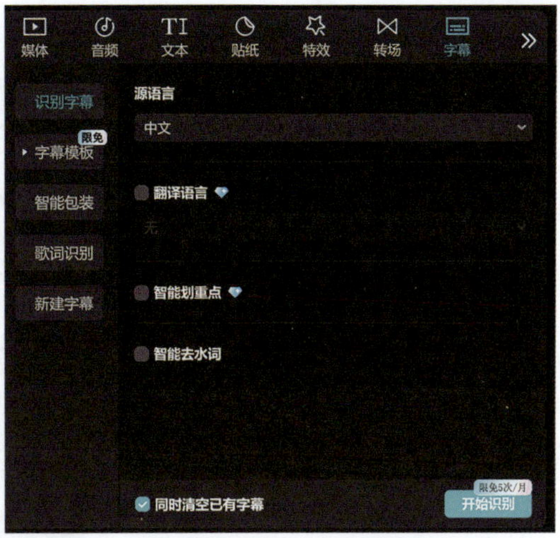

图 4-306　AI 识别字幕

此时，文本框的上方，就会生成若干个字幕文本框，这就是字幕文件，如图 4-307 所示。

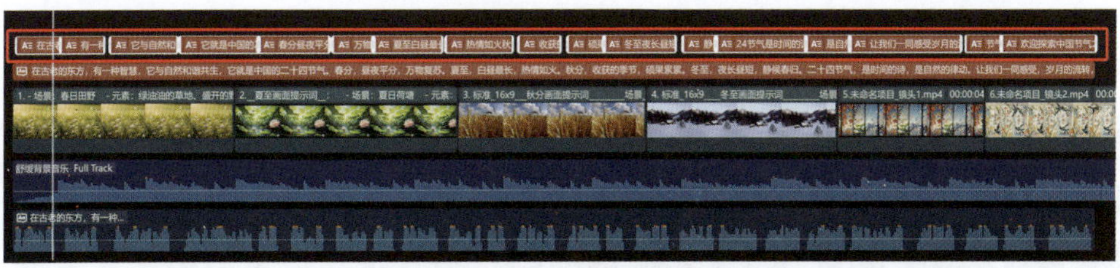

图 4-307　字幕文本

方法二是在“文本”面板中，点击“智能字幕”栏目，找到“文稿匹配”，点击“开始匹配”按钮，如图 4-308 所示。

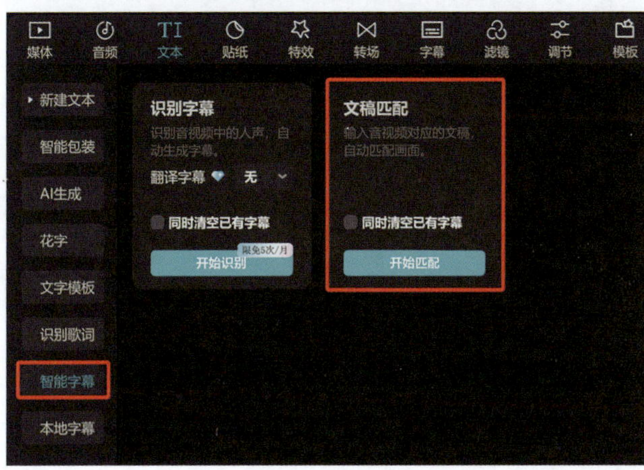

图 4-308　文稿匹配（1）

将之前让 Kimi 生成的旁白文稿复制到此处，让它与音频进行匹配，如图 4-309 所示。点击下方的“开始匹配”按钮。

由于有文稿的参考，此时的匹配内容更加准确，如图 4-310 所示。所以，有文稿的情况下，推荐使用方法二。

此时删除下方多余的文本框，如图 4-311 所示。

图 4-309　文稿匹配（2）

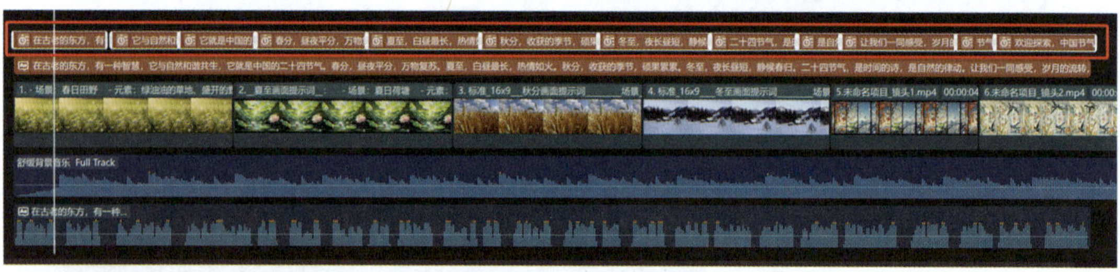

图 4-310　生成字幕

图 4-311　删除多余的文本框

框选所有的字幕文本，在右上方的属性面板中，继续选择“朗读”面板，再点击“小萝莉”音色，点击“开始朗读”按钮，如图 4-312 所示。

此时下方，就会生成分段的音频，每一个字幕对应一段音频，如图 4-313 所示。虽然之前就有一个朗读的音频，但是这样就可将每一段音频进行拆分，方便我们对每一段的位置进行调整。

删除下方多余的音频文件，如图 4-314 所示。

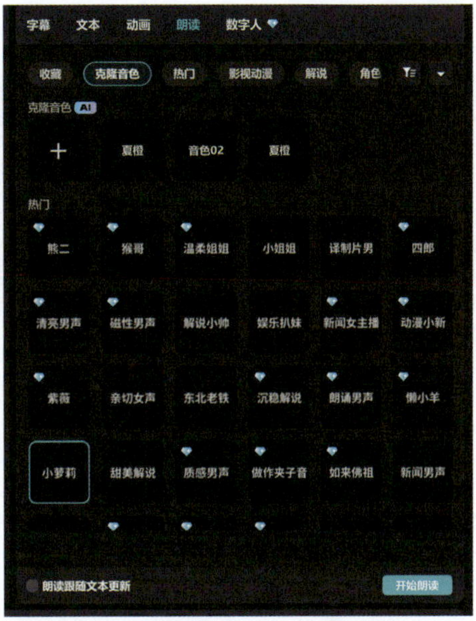

图 4-312　选择音色

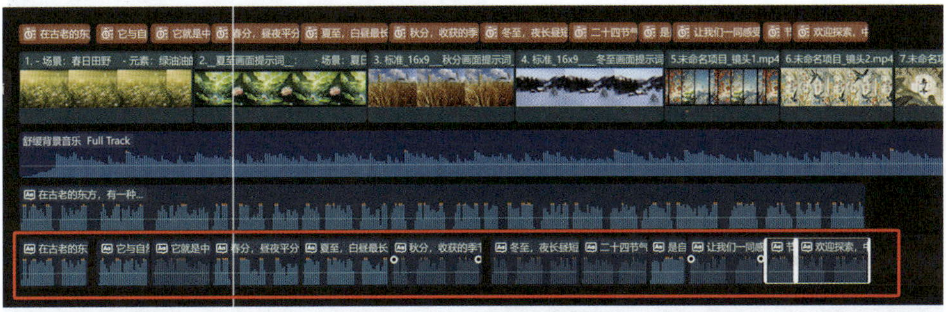

图 4-313　生成分段音频

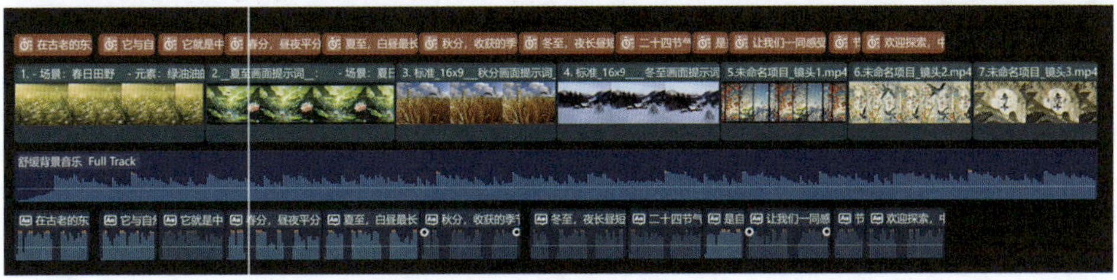

图 4-314　删除多余的音频文件

将音频文件移动到如图 4-315 所示的位置。

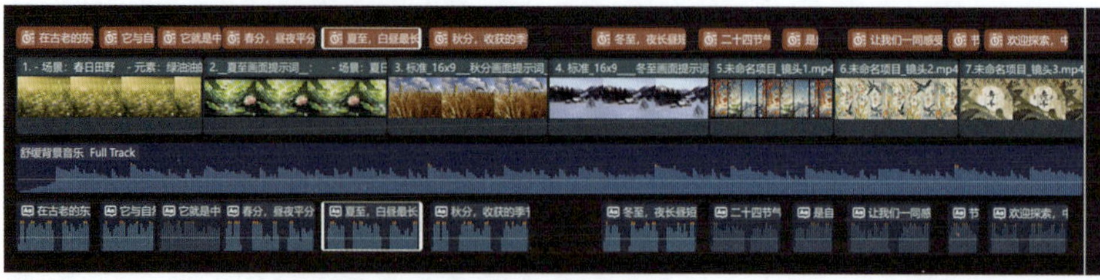

图 4-315　移动音频位置

下面，我们给字幕添加一些效果，如图 4-316 所示。点击“字幕”面板，选择“字幕模板”，点击其中的一个字幕样式，这里可以根据自身的喜好来选择效果。

此时系统会帮我们生成新的字幕，如图 4-317 所示。

接着，删除原来的旧字幕，如图 4-318 所示。

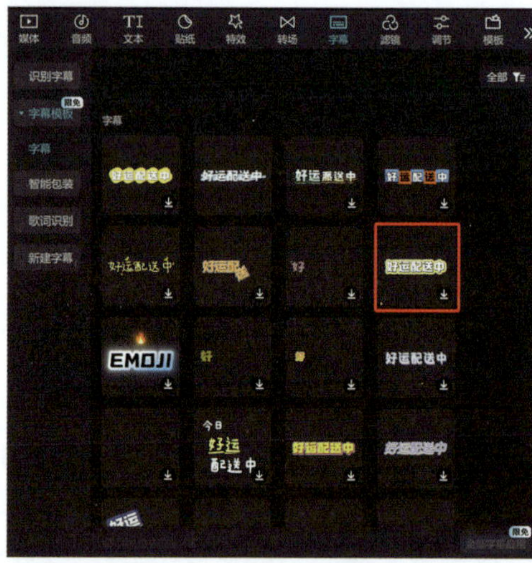

图 4-316　字幕模板

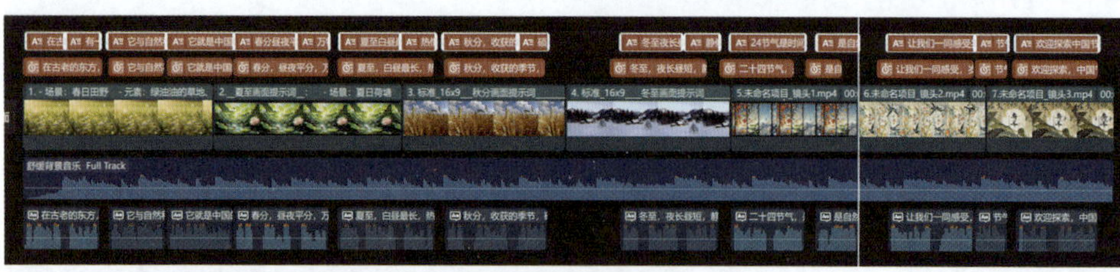

图 4-317　生成新的字幕

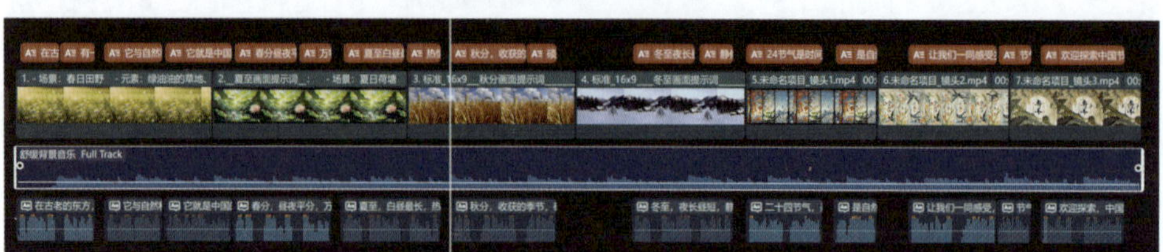

图 4-318　删除旧字幕

在视频播放器窗口中，可以看到新字幕的效果，如图 4-319 所示。

一个视频需要优先保证人声足够清晰，所以需要降低背景音乐的音量。在时间轴上，选择背景音乐的滑块，如图 4-320 所示。

图 4-319　新字幕效果

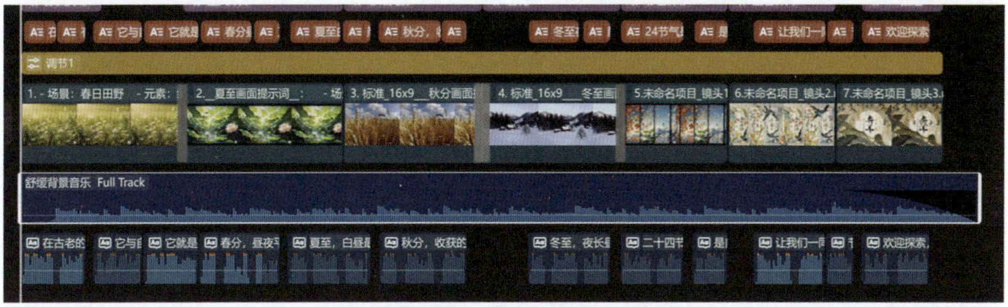

图 4-320　选择背景音乐音频文件

将音量设置为“-10.0dB”，“淡出时长”设置为 5.8s，如图 4-321 所示。

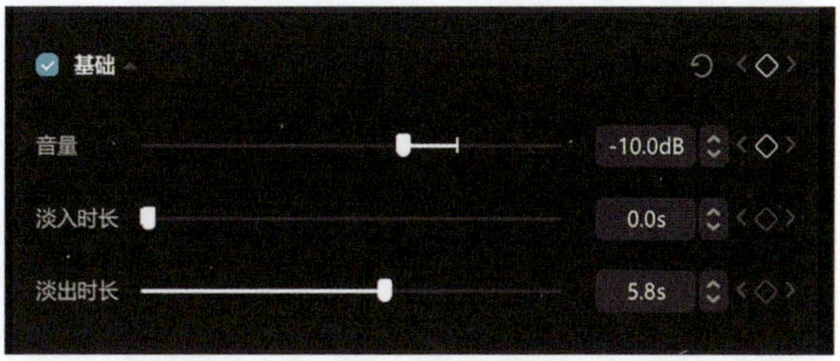

图 4-321　降低音量

在“特效”面板中，为视频添加一些效果，如图 4-322 所示。在搜索框中输入“开场幕”，找到“擦拭开幕”特效。

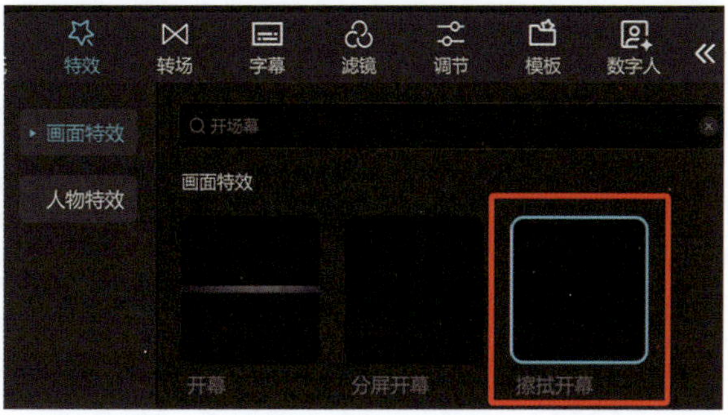

图 4-322　选择特效

将这个特效添加到时间轴的开端位置，如图 4-323 所示。

同样地，在“特效”面板中，搜索“闭幕”，将“横向闭幕”添加到视频的末尾，如图 4-324、图 4-325 所示。

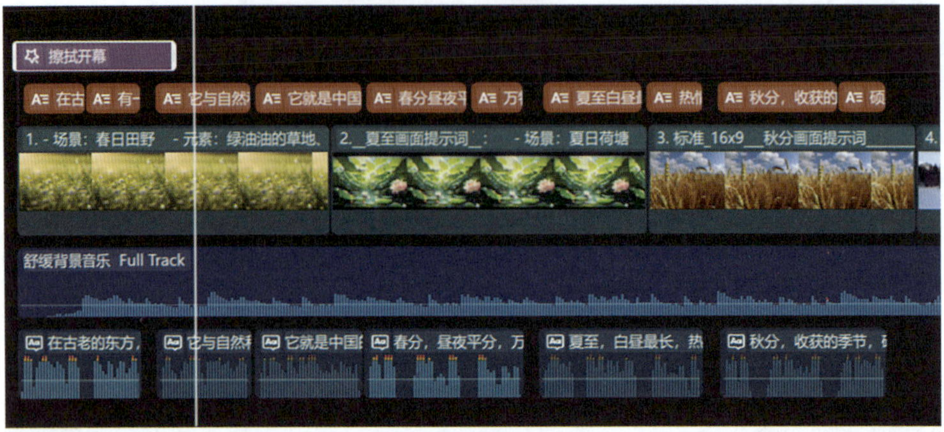

图 4-323　添加开场特效

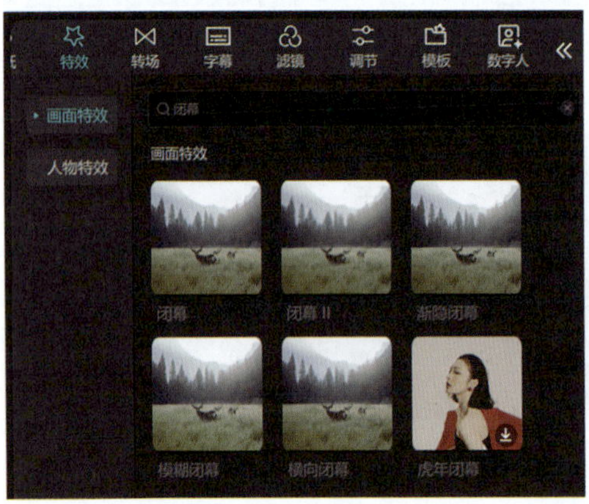

图 4-324　查找特效

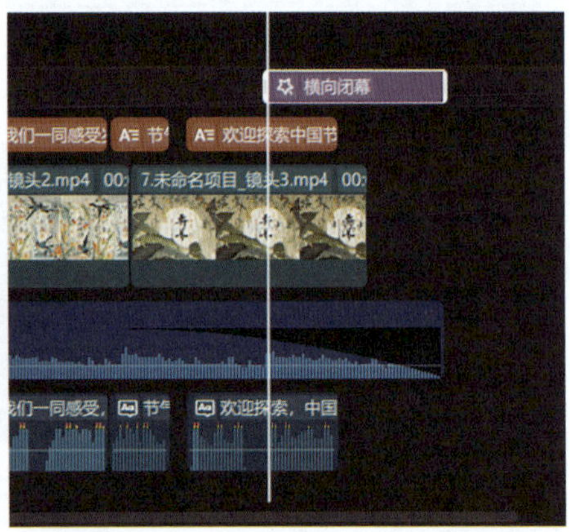

图 4-325　添加闭幕特效到时间轴

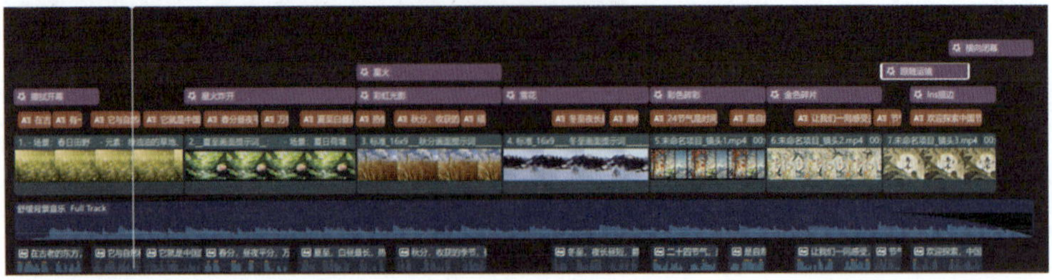

图 4-326　全部特效

由于篇幅原因，其他的特效名称和位置如图 4-326 所示，读者可以根据自身情况添加特效。特效是可以叠加的，但不代表特效叠加效果就好，这需要根据视频的实际画面需求和风格确定。

接下来给视频添加转场效果，如图 4-327 所示。在转场面板中，找到“叠化”，其只有拖曳到两个视频之间才能起作用。

添加转场后的效果如图 4-328 所示。

图 4-327　添加转场效果

图 4-328　视频之间的转场滑块

下面继续添加剩下视频之间的转场效果，添加方法与上述方法保持一致，如图 4-329～图 4-332 所示。

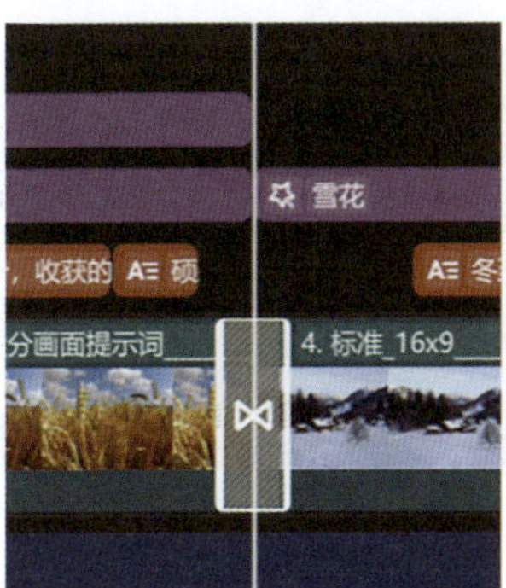

图 4-329　转场位置 1

图 4-330　转场名称 1

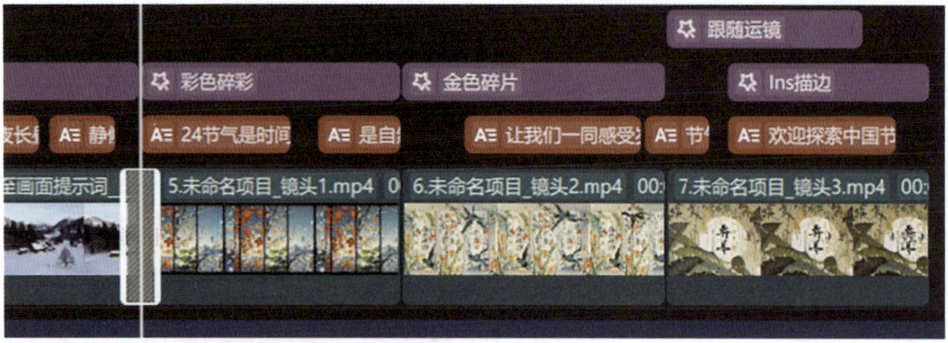

图 4-331　转场位置 2

点击“调节”面板，找到“自定义调节”，将其添加到时间轴上，如图 4-333 所示。

将“自定义调节”的滑块拖曳到和整个视频长度保持一致，如图 4-334 所示。这样一来，它将作用于整个视频画面。

图 4-332　转场名称 2

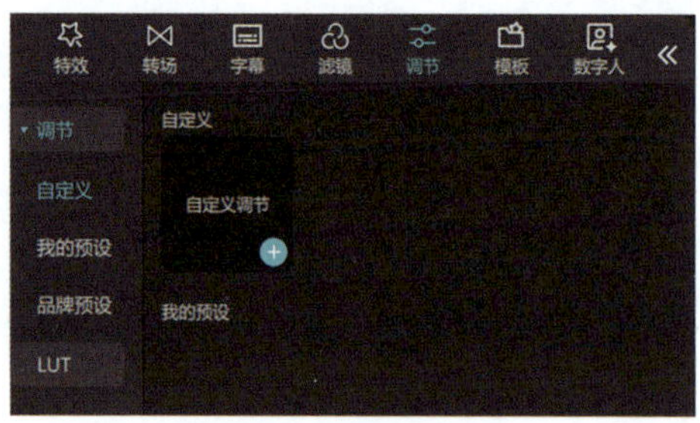

图 4-333　自定义调节

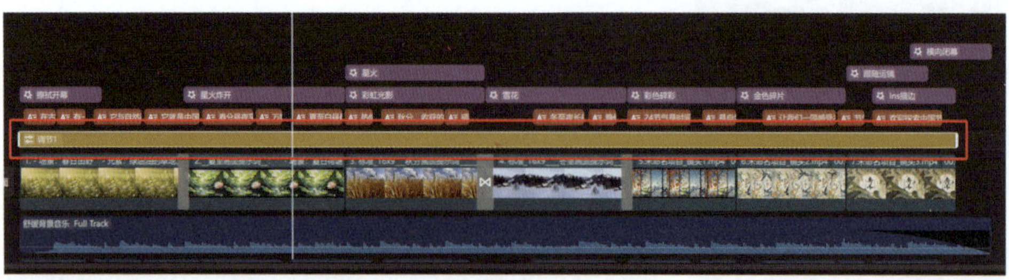

图 4-334　调节

在右上角的属性面板中，找到“锐化”“清晰”两个选项，分别设置为10、19，如图4-335所示。

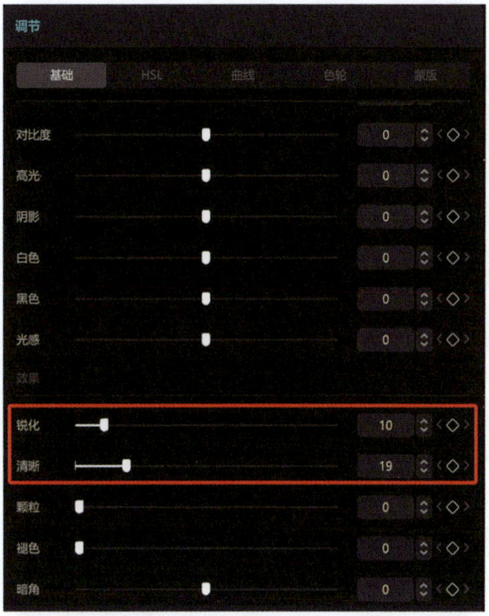

图4-335　设置锐化与清晰度

一切就绪以后，就可以导出视频了，在界面右上方，点击青蓝色的“导出”按钮，如图4-336所示。

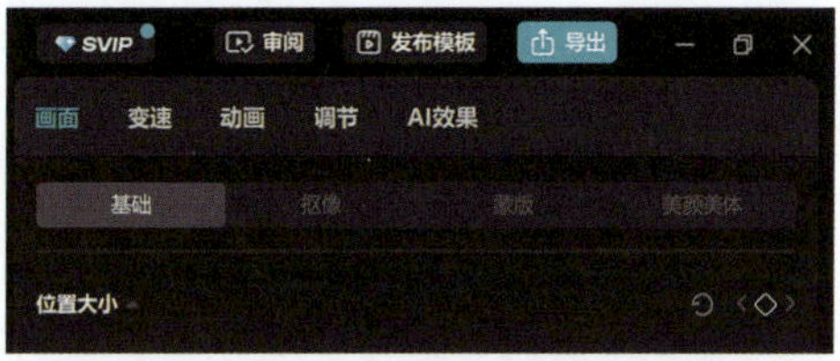

图4-336　导出视频

导出设置保持默认，导出分辨率为1080P的视频，如图4-337所示。在导出视频的时候应注意导出的位置，避免导出视频后找不到视频文件。

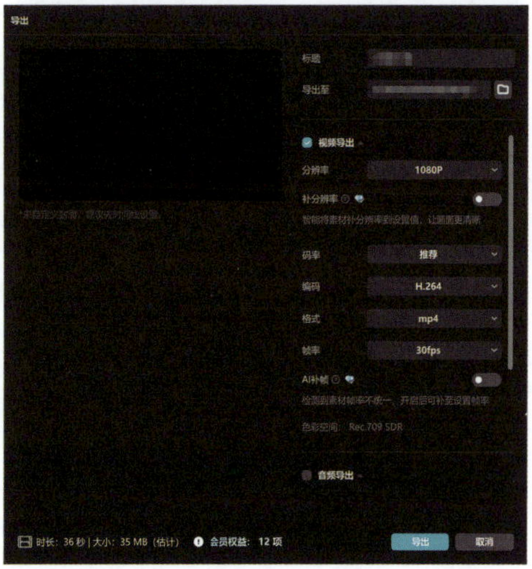

图4-337　导出设置

视频画面效果如图 4-338 所示。

图 4-338　视频画面效果

写在最后

在本书中，我们深入探讨了人工智能（AI）技术在自媒体创作中的应用，旨在帮助创作者提升内容质量和创作效率。首先，我们介绍了自媒体的概念，涵盖文字、图像、视频和音频等多种形式，并详细解析了自媒体创作的常见流程，包括选题策划、内容制作、编辑优化、发布推广以及数据分析等环节，为后续章节奠定了基础。接着，我们综述了 AI 技术在自媒体领域的广泛应用，展示了 AI 在文字、图像和影音创作中的融合与创新。

在文字创作方面，AI 工具如 ChatGPT、Kimi、元宝和豆包等，能够根据关键词或主题生成初步内容，适用于视频脚本、微信公众号文章和小说故事的创作。这些工具帮助创作者快速构思内容框架，提升写作效率。

在图像创作领域，AI 工具如堆友和稿定设计等，提供了丰富的视觉创作资源。堆友专注于电商和自媒体内容的图片生成，可以自动生成适合电商的高质量海报。稿定设计则是一个针对新媒体排版的工具，提供丰富的图片生成和排版模板，帮助自媒体人快速完成视觉设计。

在视频内容创作中，AI 工具如即梦、可灵和剪映等，提供了强大的支持。即梦具备多种视频生成功能，支持图片生成视频、文案生成视频，以及通过角色图像生成口型同步的视频。可灵以细腻逼真的图像生成和视频效果著称，支持自动生成高分辨率视频和自定义运镜。剪映作为一款综合视频编辑工具，通过 AI 实现了智能字幕、特效和配乐的快速添加，使得视频制作更加高效。

通过对本书的学习，读者应对 AI 在自媒体创作中的应用有全面的了解，并掌握如何有效利用 AI 工具提升创作效率和内容质量；同时也应认识到在使用 AI 时需要注意的伦理和法律问题，以在快速发展的自媒体领域保持竞争力。

希望通过本书的学习，您能深入了解并掌握 AI 工具在自媒体创作中的应用。在这个信息爆炸的时代，AI 技术为内容创作带来了前所未有的机遇和挑战。愿您在创作过程中，善用 AI 工具，提升效率，激发创意，同时保持对内容质量和原创性的坚持。期待您在自媒体领域不断创新，取得更大的成功！